El ABC

DE LA REPARACIÓN Y MANTENIMIENTO DE LOS APARATOS ELECTRODOMÉSTICOS

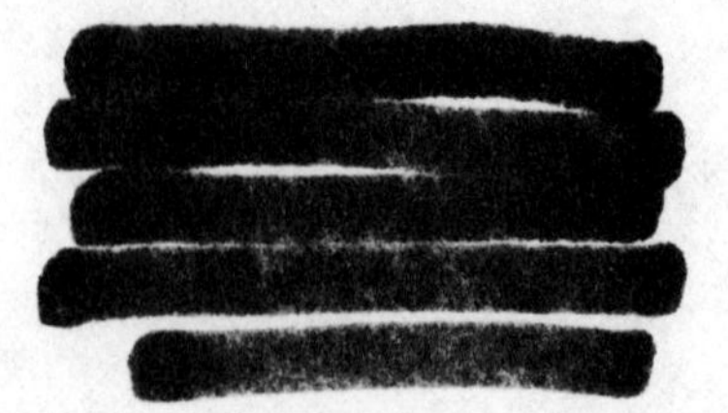

Gilberto Enríquez Harper
Profesor titular de la Esime-IPN

EL ABC

DE LA REPARACIÓN Y MANTENIMIENTO DE LOS APARATOS ELECTRODOMÉSTICOS

MÉXICO • España • Venezuela • Colombia

Enríquez Harper, Gilberto
El ABC de la reparación y mantenimiento de los aparatos electrodomésticos / Gilberto Enríquez Harper. -- México : Limusa, 2006.
312 p. : il. ; 21 cm.
ISBN: 968-18-6367-4.
Rústica.
1.Electrodomésticos - Reparación

LC: TK7018 Dewey: 620.0046 – dc21

GRUPO NORIEGA EDITORES
Balderas 95, México, D.F.
C.P. 06040
5130 0700
5512 2903
limusa@noriega.com.mx
www.noriega.com.mx

CANIEM Núm. 121

Hecho en México
ISBN 968-18-6367-4
3.1

A mis hijos:

Paola, Claudia y Gilberto,
y para los pequeños,
Eduardo, Sebastián, Santiago y Anamar.

PRÓLOGO

Si se hace un repaso mental de cuántos aparatos electrodomésticos se tienen en el hogar que en el pasado se consideraban como un lujo, pero que en la actualidad son una necesidad en la vida moderna, por la simplificación de labores y el considerable ahorro de tiempo, y si esto se multiplica por varios hogares, se llega a la conclusión que existen miles de aparatos electrodomésticos que van desde cafeteres eléctricas, licuadoras, exprimidores de jugos, tostadores de pan, lavadoras de ropa, refrigeradores, etc., que ayudan a tender un considerable ahorro de trabajo y cuya presencia se hace natural, hasta que por alguna razón pueden fallar, y entonces las personas propietarias se consideran incapaces para resolver un problema, asimismo, es frecuente que la mano de obra de una reparación lleve en ocasiones a precios tan altos como los de comprar otro aparato nuevo. Normalmente, la falla que se preseta es relativamente simple y se podría arreglar a un costo muy bajo, contando sólo con las herramientas básicas necesarias y algunos conocimientos elementales de reparación de los aparatos electrodomésticos, así como las medidas de seguridad que se deben tomar para la realización de estos trabajos.

En este libro, se tratan todos los aspectos básicos para la reparación de aparatos del hogar, ya sea que esta labor se haga por sí misma, o bien,

QUE SE TENGAN LOS ELEMENTOS PARA UN TALLER DE SERVICIO. SE INCLUYEN CAPÍTULOS PARA EL CONOCIMIENTO DE LAS HERRAMIENTAS SIMPLES, LOS CONCEPTOS BÁSICOS DE ELECTRICIDAD Y EL USO DE APARATOS E INSTRUMENTOS ELÉCTRICOS, ASI TAMBIÉN, SE HACE UNA DESCRIPCIÓN DETALLADA DE LOS ELEMENTOS CONSTITUTIVOS, LAS FALLAS MÁS COMUNES Y SU REPARACIÓN, DE LOS APARATOS ELECTRODOMÉSTICOS MENORES (PLANCHAS, LICUADORAS, BATIDORAS, ETC.).

EN OTRO CAPÍTULO, SE TRATA LO RELACIONADO CON LAS FALLAS SIMPLES Y SU TRATAMIENTO EN LOS APARATOS DOMÉSTICOS MAYORES (REFRIGERADORES, LAVADORAS Y SECADORAS DE ROPA, ASPIRADORAS, ETC.).

PARA SU MEJOR COMPRENSIÓN, CADA CAPÍTULO TIENE UN NÚMERO IMPORTANTE DE ILUSTRACIONES, Y ES CONVENIENTE ACLARAR QUE NO TODOS LOS APARATOS SON IDÉNTICOS, POR LO QUE ESTAS ILUSTRACIONES CONSTITUYEN UNA REFERENCIA PARA APLICAR, EN MUCHOS DE LOS CASOS, LO QUE SE OBSERVA.

ESTE LIBRO HA SIDO UN TRABAJO ELABORADO TOMANDO UN TIEMPO CONSIDERABLE Y CON LA VALIOSA AYUDA DE LA SRA. MA. DEL CARMEN BANDA, DEL ING. ALEJANDRO FRÍAS M., PERO EN ESPECIAL CON EL ENORME APOYO Y ESFUERZO DE LA LIC. AÍDA A. GARCÍA BONOLA., A TODOS ELLOS EXPRESO MI MÁS SINCERO AGRADECIMIENTO.

EN ESTE LIBRO, SE PRESENTA LA INFORMACIÓN SOBRE EL PRINCIPIO DE FUNCIONAMIENTO, CONSTRUCCIÓN, DIAGNÓSTICO DE FALLAS Y REPARACIÓN DE LOS APARATOS ELECTRODOMÉSTICOS, CONSTITUYENDO UNA GUÍA PRÁCTICA PARA TODAS LAS PERSONAS INTERESADAS EN LA REPARACIÓN DE APARATOS DE USO DIARIO EN LOS HOGARES.

FUNDAMENTOS DE ELECTRICIDAD PARA EL DIAGNÓSTICO Y REPARACIÓN DE APARATOS ELÉCTRICOS

LAS HERRAMIENTAS EN LA REPARACIÓN DE APARATOS ELECTRODOMÉSTICOS

LOS INSTRUMENTOS ELÉCTRICOS EN LOS TRABAJOS DE REPARACIÓN Y MANTENIMIENTO EN EL HOGAR

LOS APARATOS DOMÉSTICOS MAYORES

LOS APARATOS ELECTRODOMÉSTICOS MENORES

El ABC

DE LA REPARACIÓN
Y MANTENIMIENTO DE LOS
APARATOS ELECTRODOMÉSTICOS

FUNDAMENTOS DE ELECTRICIDAD PARA EL DIAGNÓSTICO Y REPARACIÓN DE APARATOS ELÉCTRICOS

1.1 INTRODUCCIÓN

Una cantidad importante del trabajo que deben desarrollar los técnicos en electricidad y electrónica, está relacionado con la reparación y mantenimiento de equipos y aparatos electrodomésticos. Para proporcionar un mantenimiento apropiado a tales equipos y aparatos, es necesario tener un buen conocimiento de lo que se conoce comúnmente como la localización de fallas, que es la habilidad para determinar la causa de cualquier problema, en este caso, eléctrico, y a partir de esto, proceder a su corrección en el menor tiempo posible.

La **localización de fallas** cubre un amplio rango de problemas, que van desde pequeños trabajos, como la determinación de causas de falla como cortocircuito o fallas a tierra en aparatos del hogar, conocidos también como electrodomésticos, hasta obtener las causas de falla en circuitos complejos, como es el caso de los controles de motores eléctricos. En cualquier caso, la localización de fallas usualmente sólo requiere de un conocimiento básico de la teoría de la electricidad y de las pruebas del equipo, y así, usando procedimientos sistemáticos y metodológicos se resuelve el problema, es decir, probando una parte del circuito o sistema y después otra, hasta identificar dónde está localizado el problema.

El material cubierto en este capítulo está orientado a proporcionar las bases para que los técnicos puedan resolver los problemas eléctricos más comunes.

FUNDAMENTOS DE ELECTRICIDAD.

En la rutina del trabajo diario, probablemente se tengan que usar varias ecuaciones, por ejemplo, la mayoría de las personas relacionadas con trabajos de electricidad y electrónica, están familiarizados con la Ley de Ohm, pero hay algunas otras ecuaciones básicas que no son requeridas o usadas frecuentemente, y por lo mismo se olvidan; el propósito de esta parte es exponer esta información en forma clara y simple, de manera que cuando se requiera se pueda recurrir a ella sin dificultad.

LA ELECTRICIDAD. Es básicamente un flujo de electrones, es decir, partículas atómicas que se encuentran en los átomos. Los átomos, en algunos metales como el cobre y el aluminio, tienen electrones que son fácilmente desprendibles y empujados formando una especie de ***canal***, dando una cierta cantidad de flujo de electricidad, que se conoce como ***"la corriente eléctrica"***, que se mide en unidades de ***amperes***. La fuerza que impulsa al flujo de electrones se mide en unidades llamadas ***volts***. Si se multiplican los volts por los amperes, se obtienen ***volt-amperes o watts***, ***la potencia es la cantidad de trabajo que puede desarrollar la electricidad.*** Los aparatos electrodomésticos y los motores tienen ciertos requerimientos de potencia, dependiendo del trabajo que deben desarrollar.

1.2 EL SISTEMA INTERNACIONAL DE UNIDADES (SIU).

Es un sistema oficial que ha sido adoptado por la mayoría de los países del mundo; sin embargo, no elimina a los sistemas que han sido usados previamente, ya que la transición entre un sistema usado (como el sistema inglés de unidades) y otro como el SIU, no es tan fácil, por la costumbre de muchos años en su aplicación. El sistema internacional de unidades posee una serie de ventajas sobre otros sistemas, que se pueden resumir como sigue:

❶ Es un sistema decimal.

❷ Emplea unidades que son usadas comúnmente en la industria y el comercio, como son: kilogramo, volt, ampere, watt, etcétera.

❸ Es un sistema coherente que expresa simplicidad entre unidades de electricidad, mecánica y calor.

➍ Es un sistema que por su simplicidad puede ser usado tanto por el científico como por el trabajador manual u operario.

El sistema internacional de unidades descansa en las siete unidades básicas listadas a continuación:

UNIDADES BASE		
CANTIDAD	UNIDAD	SÍMBOLO
Longitud	Metro	m.
Masa	Kilogramo	Kg.
Tiempo	Segundo	s.
Corriente eléctrica	Ampere	A.
Temperatura	Kelvin	k.
Intensidad luminosa	Candela	Cd.
Cantidad de sustancia	Mole	mol.

De estas unidades base, se derivan otras unidades para expresar cantidades tales como: área, potencia, fuerza, flujo magnético, etcétera. De hecho, no hay límite para el número de unidades que se pueden derivar. Algunas de las **UNIDADES DERIVADAS** se enlistan a continuación:

UNIDADES DERIVADAS		
CANTIDAD	UNIDAD	SÍMBOLO
Capacitancia eléctrica.	Farad	F
Carga eléctrica.	Coulomb	C
Conductancia eléctrica.	Siemens	S
Potencial eléctrico.	Volt	V
Resistencia eléctrica.	Ohm	Ω
Energía.	Joule	J
Fuerza.	Newton	N
Frecuencia.	Hertz	Hz
Iluminación.	Lux	Lx
Inductancia.	Henry	H
Flujo luminoso.	Lumen	lm
Flujo magnético.	Weber	Wb
Densidad de flujo magnético.	Tesla	T
Ángulo plano.	Radian	rad
Potencia.	Watt	W
Presión.	Pascal	Pa
Ángulo sólido.	Steradian	Sr

1.3 DEFINICIONES BÁSICAS.

VOLTAJE. El voltaje se puede entender como la presión eléctrica, también se conoce como fuerza electromotriz (FEM), presión eléctrica, gradiente de potencial, caída de voltaje y diferencia de potencial.

UNIDADES DE VOLTAJE.

EL VOLT. La unidad básica de presión eléctrica es el volt (V), pero hay múltiplos, tales como el Kilovolt (KV) y Megavolt (MV) y submúltiplos como el milivolt (mV) y microvolt (μV).

Las conversiones de voltaje de valores grandes a pequeños involucran una multiplicación y de pequeños a grandes una división. En la tabla siguiente, se indican estas conversiones:

CONVERSIONES DE VOLTAJE				
	mV	μV	KV	MV
mV	-----	x 1000	÷1000 000	÷1000 000 000
μV	÷ 1000	------	÷1000 000 000	÷1000 000 000 000
KV	x 1000 000	x 1000 000 000	------	÷1000
MV	x 1000 000 000	x 1000 000 000 000	x 1000	-----

V= volt, mV= milivolt, μV = microvolt, KV = kilovolt, MV = megavolt

CONVERSIONES DE VOLTAJE USANDO CONVERSIONES
1 volt = 1000 mV = 10^3 mV = 10^6 μV
1 volt = 1000 000 μV = 10^6 μV
1 volt = 0.001 KV = 10^{-3} KV
1 volt = 0.000001 MV = 10^{-6} MV
1 Kilovolt = 1 000 V = 10^3 V
1 Kilovolt = 0.001 MV = 10^{-3} MV
1 Megavolt = 1 000 000 V = 10^6 V
1 Megavolt = 1 000 KV = 10^3 KV
1 Milivolt = 0.001 V = 10^{-3} V
1 Milivolt = 1000 μV = 10^3 μV
1 Microvolt = 0.000 001 V = 10^{-6} V
1 Microvolt = 0.001 mV = 10^{-3} mV

CORRIENTE. La unidad básica de corriente eléctrica es el ampere. La corriente del motor se expresa, ya sea en unidades básicas o en submúltiplos, tales como: el miliampere y el microampere; múltiplos mayores que el ampere no se usan. La letra A, se usa para indicar corrientes de un ampere o más, por ejemplo, un motor operando con una corriente de 2 amperes, puede tener en su placa de datos: 2 A.

EL MILIAMPERE. El miliampere (mA), es una milésima de ampere, para convertir miliamperes a amperes, se dividen los miliamperes entre 1000, o bien, se mueve el punto decimal tres lugares a la izquierda; por el contrario, para convertir amperes a miliamperes, se multiplican los amperes por 1000 ó 10^3.

$1\ mA = 0.001\ A = 1/1000\ A = 10^{-3}\ A$
$1\ A = 1000\ A = 10^3\ mA$

Las reglas para conversión de corrientes, se dan en las tablas siguientes:

CONVERSIONES DE CORRIENTE			
	A	mA	μA
A	------	x 1000 ó x 10^3	x 1000 000 ó x 10^6
mA	÷1000 ó x 10^{-3}	------	x 1000 ó x 10^3
μA	÷1000 000 ó x 10^6	÷1000 ó x 10^3	-----

ARREGLOS ALTERNATIVOS PARA CONVERSIONES DE CORRIENTE
1 ampere = 1000 mA = 10^3 mA = 10^6 μA
1 ampere = 1000 000 μA = 10^6 μA
1 miliampere = 1/1000 A = 10^{-3} A
1 miliampere = 1000 μA = 10^3 μA = 1/1000 A = 10^{-3} A
1 microampere = 1/1000 000 A = 10^{-6} A
1 microampere = 1/1000 mA = 10^{-3} mA

RESISTENCIA.

La resistencia se expresa en una unidad básica que es el ohm (Ω) y representa la oposición al flujo de una corriente en un circuito resistivo, mientras que hay ciertas componentes que están específicamente diseñadas para proporcionar resistencia. Una bobina de alambre en una armadura o las terminales de conexión de un motor a una fuente de alimentación, tienen también resistencia. Aún cuando hay submúltiplos de resistencia, los múltiplos tales como el kilohm y el megohm, son usados en forma más común.

EL KILOHM

El kilohm (KΩ) es igual a mil ohms, es decir:

$1\ K\Omega = 1000\ \Omega = 10^{3}\ \Omega$
$1\ \Omega = 1/1000\ K\Omega = 0.001\ K\Omega = 10^{-3}\ K\Omega$

EL MEGOHM

El megohm (MΩ) es otro múltiplo del ohms y es igual a un millón de ohms, es decir:

$1 M\Omega = 1000\ 000\ \Omega = 10^{6}\ \Omega$
$1\ \Omega = 1/1000\ 000\ M\Omega = 0.000\ 001\ M\Omega = 10^{-6}\ M\Omega$

Algunas veces es necesario trabajar entre el kilohm y el megohm.

$1 K\Omega = 1/1000\ M\Omega = 0.001\ M\Omega = 10^{-3}\ M\Omega$
$1 M\Omega = 1000\ K\Omega = 10^{3}\ K\Omega$

Los mismos métodos usados para hacer conversiones de voltaje y corriente se aplican también a las resistencias, los valores básicos comunes se listan en la tabla siguiente:

CONVERSIONES DE RESISTENCIA			
	Ω	KΩ	MΩ
Ω	------	÷ 1000 ó x 10^{-3}	÷ 1000 000 ó x 10^{-6}
KΩ	x 1000 ó x 10^{-3}	------	÷ 1000 ó x 10^{-3}
MΩ	x 1000 000 ó x 10^{-6}	x 1000 ó x 10^{3}	-----

Ω = Ohms ; KΩ = Kilohms ; MΩ = Megohms

DESIGNACIÓN DE POTENCIA DE LOS RESISTORES.

La capacidad en watts en un resistor es una indicación de su capacidad para radiar calor, los resistores se designan desde ½ watt (o menos) a 100 watts (o más). Los resistores de alta potencia se pueden encontrar en arrancadores para motores de C.D. y los de baja potencia en el control electrónico para motores, tanto de C.D. como de C.A.

TIPOS DE RESISTORES.

Los resistores se pueden identificar no sólo por su valor de resistencia, también por su tolerancia, que es la desviación en el valor de la resistencia especificada. El valor de la desviación se especifica normalmente en términos de un porcentaje. Los resistores se conocen por su aplicación, forma, construcción física, y también si son fijos, con derivaciones o variables.

En la tabla siguiente, se indican los tipos de resistores:

TIPOS DE RESISTORES	
• Radial. • Axial. • Oxidometálico. • No inductivo. • De composición de carbón. • De película de carbón. • De película metálica. • De película depositada. • Cerámica. • Fijo. • Chip. • Variable.	• Miniatura. • De tablilla para circuito impreso. • Devanado de alambre. • Potenciómetro. • Potencia. • Precisión. • De plástico conductivo. • Híbridos. • De montaje en superficie.

1.4 AISLADORES.

Un aislador es una sustancia que tiene una alta oposición al paso de una corriente eléctrica, los materiales que tienen propiedades eléctricas pueden depender de su mayor o menor oposición al flujo de corriente eléctrica a través de ellos, por ejemplo, la mica se usa para separar las barras de cobre del conmutador en los motores de corriente directa, debido a sus excelentes propiedades aislantes.

1.5 PREFIJOS ELÉCTRICOS.

La medición o cálculo de unidades eléctricas puede arrojar resultados grandes o pequeños. Por ejemplo, los dispositivos de estado sólido usados en electrónica pueden tener demandas de corriente de menos de 0.000001 amperes (A), y por otro lado, en una planta industrial que funde aluminio, se pueden usar potencias mayores que 100 000 Watts (W).

Para evitar expresiones largas, se usan los prefijos para indicar unidades que son menores y mayores que la unidad base. Por ejemplo, 0.000001 A es igual a 1 microampere (μA) y 10,000 W es igual a 100 kilowatts (KW).

Los prefijos más comunes se muestran en la tabla siguiente:

PREFIJOS COMUNES		
SÍMBOLO	PREFIJO	EQUIVALENTE
G	Giga	1,000,000,000
M	Mega	1,00,000
k	Kilo	1000
Unidad Base	-	1
m	Mili	0.001
μ	Micro	0.000001
η	Nano	0.000000001
ρ	Pico	0.000000000001

CONVERSIÓN DE UNIDADES.

Para efectuar la conversión entre diferentes unidades, se puede hacer uso de la tabla siguiente, donde se puede mover el punto decimal a la izquierda o a la derecha, dependiendo de la unidad.

TABLA DE CONVERSIÓN

UNIDADES INICIALES	UNIDADES FINALES						
	GIGA	MEGA	KILO	UNIDAD BASE	MILI	MICRO	NANO
Giga		3 Der.	6 Der.	9 Der.	12 Der.	15 Der.	18 Der.
Mega	3 Izq.		3 Der.	6 Der.	9 Der.	12 Der.	15 Der.
Kilo	6 Izq.	3 Izq.		3 Der.	6 Der.	9 Der.	12 Der.
Unidad base	9 Izq.	6 Izq.	3 Izq.		3 Der.	6 Der.	9 Der.
Mili	12 Izq.	9 Izq.	6 Izq.	3 Izq.		3 Der.	6 Der.
Micro	15 Izq.	12 Izq.	9 Izq.	6 Izq.	3 Izq.		3 Der.
Nano	18 Izq.	15 Izq.	12 Izq.	9 Izq.	6 Izq.	3 Izq.	

Convertir 0.000001A a términos más simples.

Se mueve el punto decimal seis lugares a la derecha, es decir:

0.000001A = 1.0 μA

MÚLTIPLOS Y SUBMÚLTIPLOS DE VOLT, AMPERE Y WATT

MÚLTIPLOS Y SUBMÚLTIPLOS DEL VOLT

1 volt	1 000 milivolts
1 volt	1 000 000 microvolts
1 kilovolt	1 000 volts
1 milivolt	0.001 volts
1 milivolt	1 000 microvolts
1 microvolt	0.000001 volts
1 microvolt	0.001 milivolts

SUBMÚLTIPLOS DEL AMPERE

1 ampere	1 000 miliamperes
1 ampere	1 000 000 microamperes
1 miliampere	0.001 ampere
1 miliampere	1 000 microamperes
1 microampere	0.000001 amperes

MÚLTIPLOS Y SUBMÚLTIPLOS DEL WATT

1 watt	1 000 miliwatts
1 watt	1 000 000 microwatts
1 kilowatt	1 000 watts
1 miliwatt	0.001 watts
1 miliwatt	1 000 microwatts
1 microwatt	0.000001 watts
1 microwatt	0.001 miliwatts

CANTIDADES ELÉCTRICAS COMUNES.

Para las cantidades eléctricas comunes, se usan generalmente abreviaciones para simplificar sus expresiones, las más comunes se muestran en la tabla siguiente:

CANTIDADES ELÉCTRICAS COMUNES		
VARIABLE	NOMBRE	UNIDAD DE MEDIDA Y ABREVIACIÓN
E	Voltaje	Volts - E
I	Corriente	Amperes - A
R	Resistencia	Ohms - Ω
P	Potencia	Watts - W
P	Pot. Aparente	Volts - amps. - VA
C	Capacitancia	Farads - F
L	Inductancia	Henry - H
Z	Impedancia	Ohms - Ω

Abreviar los siguientes términos eléctricos: 120 miliwatts, 150 watts, 60 farads, 115 kilovolts, 20 amperes.

120 miliwatts = 120 mW
150 watts = 150 W
60 farads = 60 F
115 kilovolts = 115 kV
20 amperes = 20 A

1.6 LA LEY DE OHM.

En el año de 1827, ***George Simón Ohm*** observó la relación entre el voltaje aplicado V, la corriente I y la resistencia R. Encontró que para un valor fijo de resistencia, circula una corriente para un voltaje aplicado.

Si el voltaje se duplica, también se duplica la corriente, si se triplica el voltaje se triplica la corriente. Es decir, *"si se mantiene el valor de la resistencia contante, la corriente es directamente proporcional al voltaje".* Esta relación se puede expresar gráficamente dibujando a I con el valor de V, como se muestra en la figura siguiente:

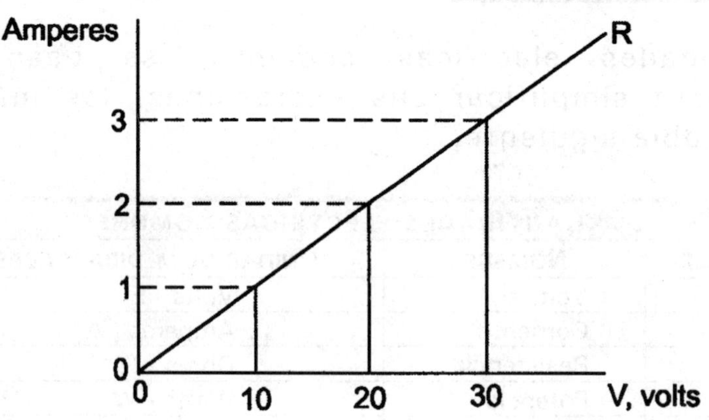

LA LEY DE OHM EN SU FORMA GRÁFICA

LA LEY DE OHM. Originalmente, esta relación la expresó Ohm en la siguiente forma:

$$R = \frac{V}{I} = K$$

Donde:

R = Resistencia en ohms (Ω).
V = Diferencia de potencial en volts (V).
I = Corriente en amperes (A).
K = Constante de proporcionalidad.

EJEMPLO

Calcular la resistencia del resistor de la figura anterior para los voltajes de 10, 20 y 30 V.

SOLUCIÓN

a) De la gráfica anterior, cuando V = 10 V, I = 1A, entonces:

$$R = \frac{V}{I} = \frac{10V}{1A} = 10\Omega$$

b) Cuando V = 20 V, I = 2 A.

$$R = \frac{V}{I} = \frac{20V}{2A} = 10\Omega$$

c) Cuando V = 30 V, I = 3 A.

$$R = \frac{V}{I} = \frac{30V}{3A} = 10\Omega$$

1.7 LA POTENCIA.

Un término eléctrico que se debe mencionar es la ***"potencia eléctrica"***, que se define como una *medición de la capacidad de trabajo que se ha desarrollado y que se mide en watts.* Cuando un volt hace circular un ampere de corriente a través de 1 ohm de resistencia, se libera una cierta cantidad de calor y el resultado es 1 watt de potencia. El trabajo, en este caso, es el calor creado. La fórmula para determinar la potencia en una carga resistiva es la misma para corriente directa o corriente alterna, y es:

$$P = E \times I, \qquad E = \frac{P}{I}, \qquad I = \frac{P}{E}$$

Esta expresión para la potencia y la ley de ohm se puede relacionar y expresar en forma gráfica, como:

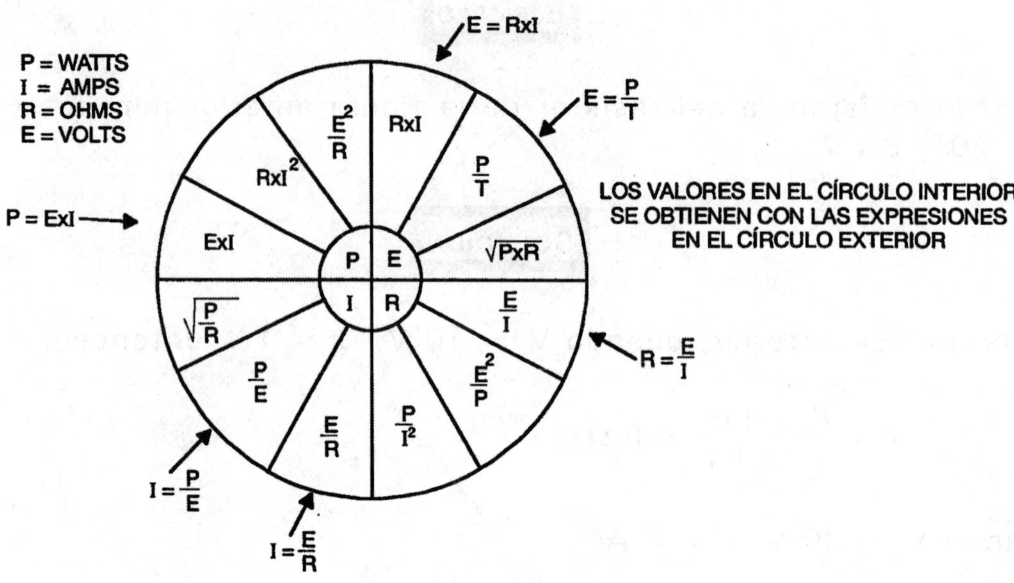

FÓRMULAS DE LA LEY DE OHM Y DE POTENCIA ELÉCTRICA

Calculando la corriente, usando la ley de ohm, un circuito tiene un voltaje de alimentación de 120 V, una resistencia de 60 Ω. Calcular la corriente en el circuito:

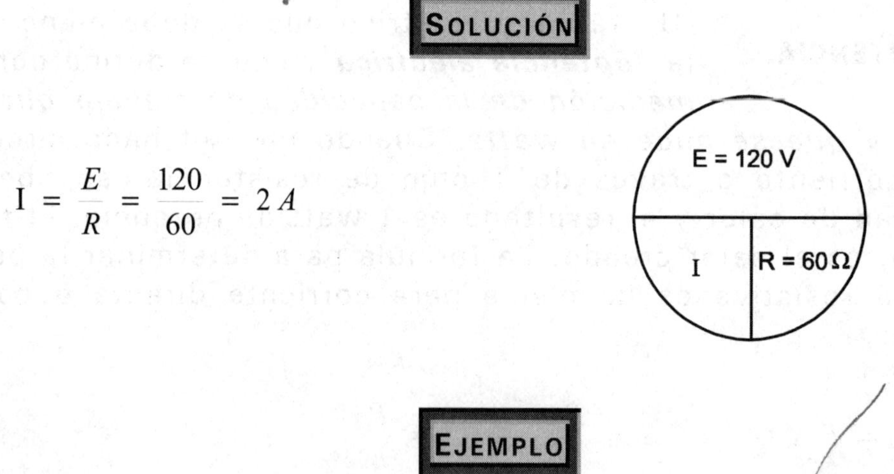

$$I = \frac{E}{R} = \frac{120}{60} = 2\,A$$

EJEMPLO

Una carga conectada a 240V demanda 5A. Calcular la potencia en el circuito.

P = E x PE = E I= 240 x 5 = 120PW

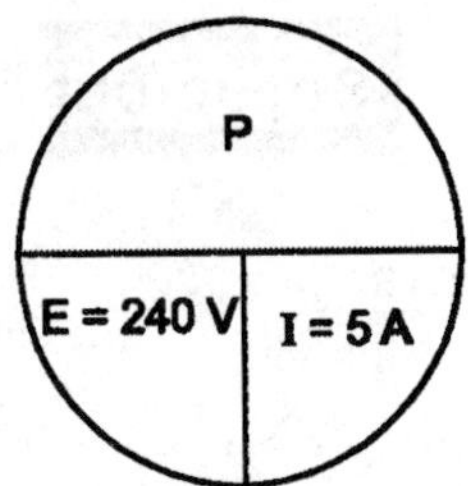

Un ampérmetro localizado en la línea de fuerza que alimenta a un motor lee 950 mA, el voltaje en las terminales del motor es de 50 V. Calcular la potencia de entrada al motor.

$$P = E \times I = 50 \times 0.950 = 47.5 \text{ W}$$

La corriente de trabajo en la armadura de un motor de C.D. es 8A y la armadura está conectada a una resistencia externa del circuito de control que tiene una potencia de 180 W. Calcular el valor de la resistencia.

De la expresión para la potencia: $P = R\,I^2$

$$R = \frac{P}{I^2} = \frac{180}{(8)^2} = 2.81\Omega$$

EJEMPLO

Calcular la resistencia de la bobina de campo de un motor que disipa 14 W cuando se conecta a una fuente de C.D. de 24 V.

SOLUCIÓN

De la expresión para la potencia:

$$P = \frac{E^2}{R};\ \mathrm{R} = \frac{E^2}{P}$$

$$R = \frac{(24)^2}{14} = 41.14\,\Omega$$

EJEMPLO

Cuál es el voltaje que se requiere en C.D. para accionar un motor de 500 W, si el valor de la resistencia, medida a través de las terminales de entrada del motor es de 15 Ω.

SOLUCIÓN

De la expresión para la potencia:

$$P = \frac{E^2}{R};\ \mathrm{E}^2 = P.R$$

$$E = \sqrt{P.R} = \sqrt{500\ x\ 15} = 86.6\,\mathrm{V}$$

EJEMPLO

El voltaje en C.D. de entrada a un motor es 32 V y la corriente de línea de entrada al motor es 15 A. Calcular la potencia de entrada en KW.

SOLUCIÓN

$$KW = \frac{E \times I}{1000} = \frac{32 \times 15}{1000} = 0.48\,\text{KW}$$

1.8 ALGUNAS COMPONENTES DE LOS CIRCUITOS ELÉCTRICOS Y ELECTRÓNICOS .

Una componente es un dispositivo individual usado en un módulo o una tablilla, las componentes pueden incluir: ***inductores, resistores, diodos, contactos, transistores y capacitores.*** **El conocimiento elemental de estas componentes resulta básico para el estudio de los circuitos de control** y, por otra parte, la localización de componentes en mal estado y su reemplazo generalmente consume mucho tiempo, es por esto que en ocasiones es más económico reemplazar módulos o tablillas completas en los equipos, pero aún así, es importante identificar los elementos constitutivos. Algunos de los tipos de componentes más comunes son los siguientes:

RESISTORES

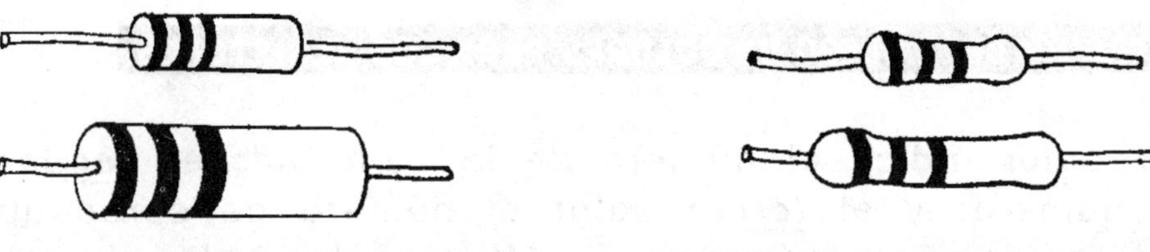

DE COMPOSICIÓN CARBÓN — **DE PELÍCULA DE CARBÓN**

Los resistores generalmente para el manejo de su información usan un CÓDIGO DE COLORES, algunas veces el valor del resistor se imprime con un número y otras se emplea el código de colores.

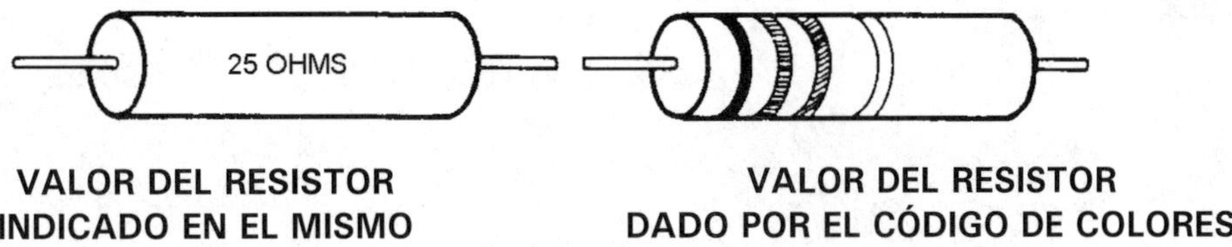

VALOR DEL RESISTOR INDICADO EN EL MISMO — **VALOR DEL RESISTOR DADO POR EL CÓDIGO DE COLORES**

Este código de colores se interpreta en la forma siguiente:

Cada color simboliza un número, de manera que al colocar una serie de colores, cada uno de ellos representa la cifra de una cantidad que corresponde en cada caso al valor del resistor.

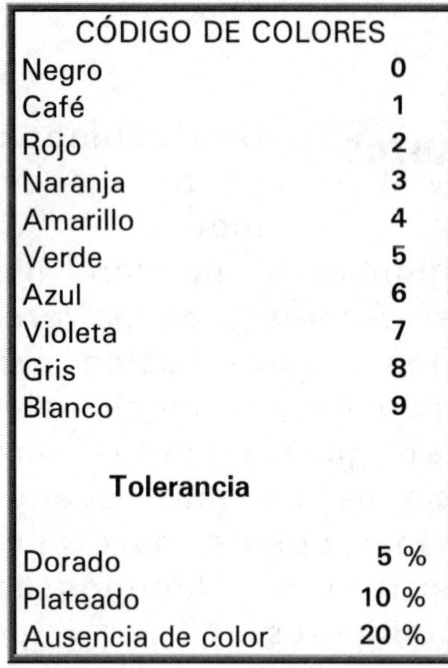

CÓDIGO DE COLORES	
Negro	0
Café	1
Rojo	2
Naranja	3
Amarillo	4
Verde	5
Azul	6
Violeta	7
Gris	8
Blanco	9
Tolerancia	
Dorado	5 %
Plateado	10 %
Ausencia de color	20 %

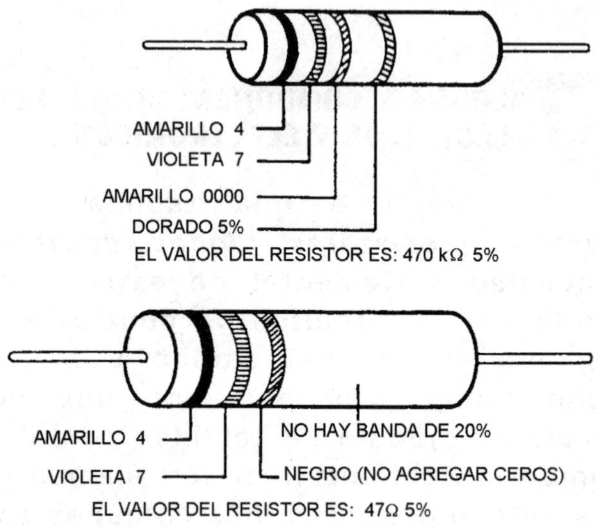

INTERPRETACIÓN DEL CÓDIGO DE COLORES PARA LOS RESISTORES.

El ***primer*** color indica el número de la cantidad; el ***segundo*** color el segundo número, y el ***tercer*** color el número de ceros que se debe agregar a los primeros números. El ***último*** color indica la tolerancia del valor del resistor, es decir, las variaciones en valor que pueda tener éste hacia arriba y hacia abajo de su valor nominal.

Al leer el valor de un resistor, es importante colocar el grupo de tres colores hacia su izquierda, de tal manera que la cuarta banda (color que indica la tolerancia) quede a su derecha.

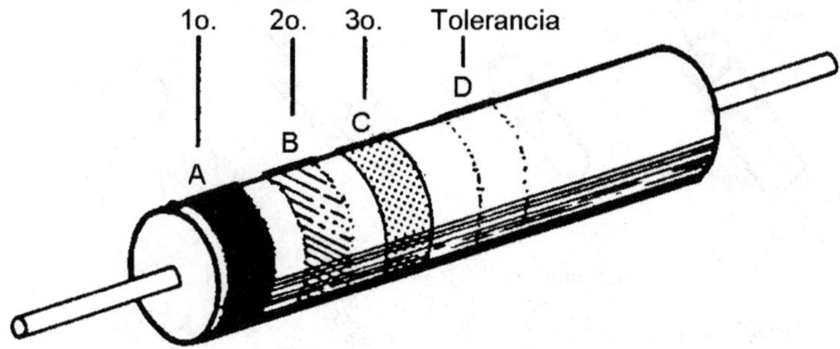

Cuando se lee un resistor, la banda que indica la tolerancia debe quedar siempre del lado derecho.

NEGRO	0	0	x 1
CAFÉ	1	1	x 10
ROJO	2	2	x 100
NARANJA	3	3	x 1,000
AMARILLO	4	4	x 10,000
VERDE	5	5	x 100,000
AZUL	6	6	x 1,000,000
VIOLETA	7	7	x 10,000,000
GRIS	8	8	x 100,000,000
BLANCO	9	9	-

La cuarta banda indica tolerancia (precisión), oro = ± 5%, plata = ± 10%, ninguno = ± 20%.

UNIDADES DE VOLTAJE

CAPACITORES

Los capacitores se fabrican en diferentes formas y tamaños de acuerdo con el tipo de trabajo que realizan en el circuito; su funcionamiento se basa en la capacidad que tienen de almacenar energía eléctrica.

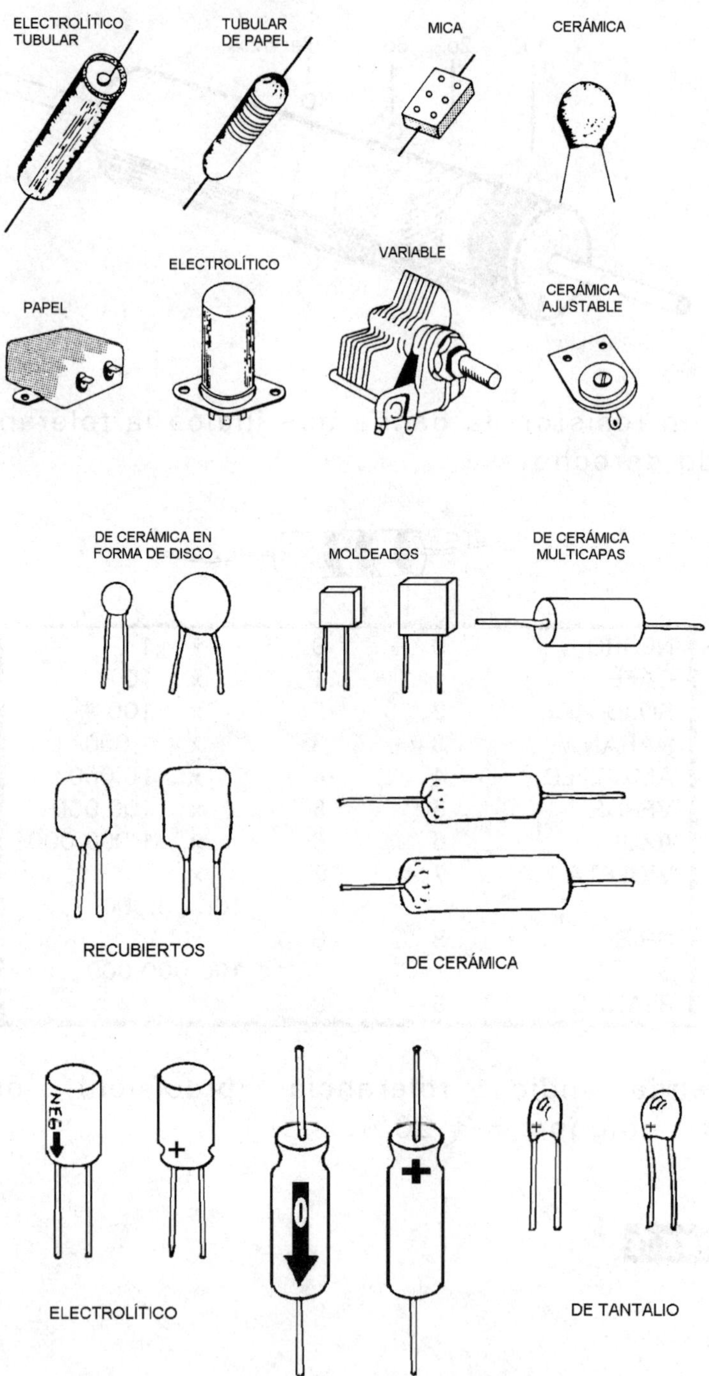

Los capacitores electrolitos cilíndricos o tubulares tienen la polaridad marcada como – y +, tienen un código de colores como se indica a continuación:

CÓDIGO DE COLORES PARA CAPACITORES CILÍNDRICOS O TUBULARES

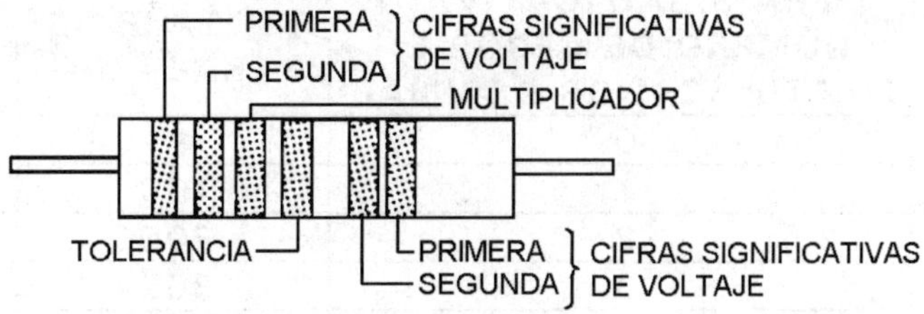

COLOR	PRIMERA CIFRA SIGNIFICATIVA	SEGUNDA CIFRA SIGNIFICATIVA	MULTIPLICADOR	TOLERANCIA (%)	VOLTAJE DE TRABAJO EN CD
Negro	0	0	1	20	-
Café	1	1	10	-	100
Rojo	2	2	100	-	200
Naranja	3	3	1 000	30	300
Amarillo	4	4	10 000	-	400
Verde	5	5	-	-	500
Azul	6	6	-	-	600
Violeta	7	7	-	-	700
Gris	8	8	-	-	800
Blanco	9	9	-	-	900
Oro	-	-	-	-	1 000
Plata	-	-	-	10	-

Los llamados capacitores de mica también tienen un código de colores, como se indica a continuación:

CÓDIGO DE COLORES PARA CAPACITORES DE MICA

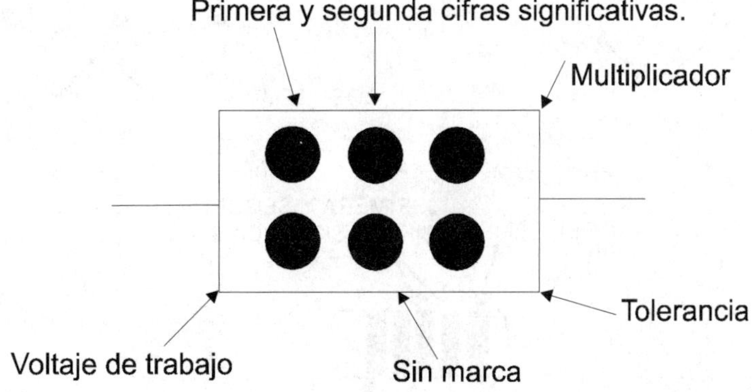

COLOR	CIFRA SIGNIFICATIVA O NÚMERO DE CEROS O MULTIPLICADOR DECIMAL	VOLTAJE DE TRABAJO	TOLERANCIA
NEGRO	0	-	-
CAFÉ	1	100	1 %
ROJO	2	200	2 %
NARANJA	3	300	3 %
AMARILLO	4	400	4 %
VERDE	5	500	5 %
AZUL	6	600	-
VIOLETA	7	700	-
GRIS	8	800	-
BLANCO	9	900	-
ORO	-	1 000	-
PLATA	-	2 000	-
NINGUNO	-	500	-

LOS CAPACITORES DE CERÁMICA tienen también una forma de identificación y un código de colores, como se muestra a continuación:

CAPACITORES DE CERÁMICA

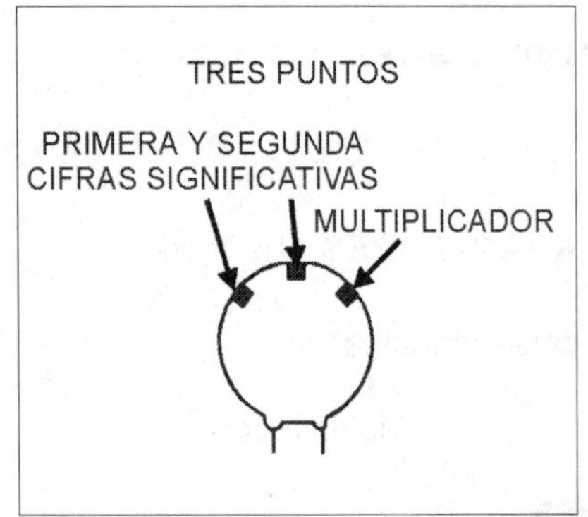

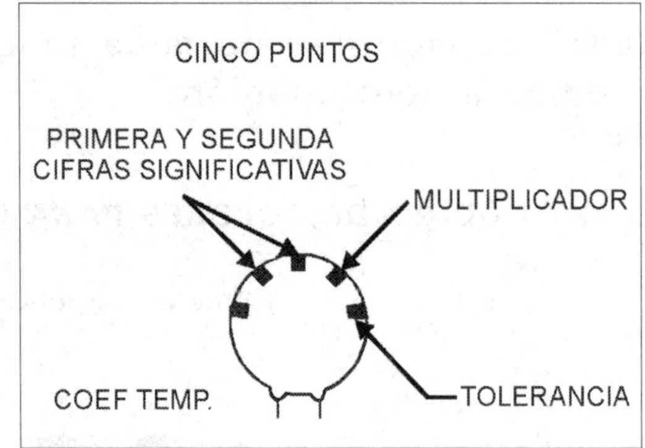

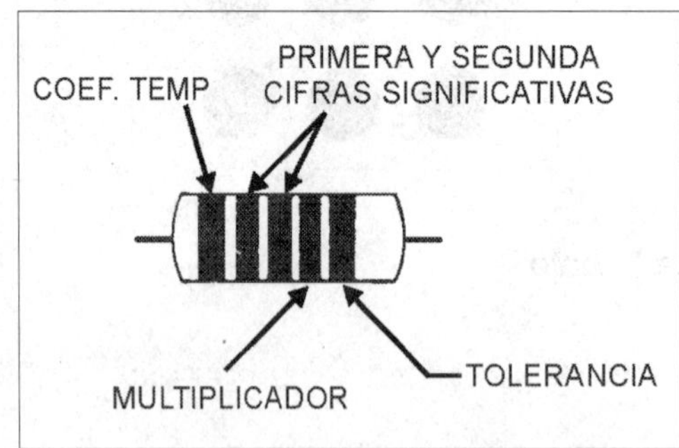

CÓDIGO DE COLORES PARA CAPACITORES DE CERÁMICA

COLOR	CIFRA SIGNIFICATIVA	MULTIPLICADOR DECIMAL	TOLERANCIA DEL CAPACITOR
NEGRO			± 20%
CAFÉ	1	10	± 1%
ROJO	2	100	± 2%
NARANJA	3	1 000	
AMARILLO	4		
VERDE	5		± 5%
AZUL	6		

1.9 LA CONEXIÓN SERIE DE COMPONENTES.

Algunos elementos como switches, cargas, medidores, fusibles, interruptores y otros, se pueden conectar en serie. ***Una conexión serie de dos o más componentes es aquella en la que sólo se tiene una sola trayectoria de corriente,*** es decir, la corriente es la misma en todos los elementos, y si se interrumpe la corriente en cualquier punto, deja de circular en todos los elementos. Por ejemplo, la corriente puede dejar de circular si se funde un fusible o se dispara un interruptor, o bien, un switch o una carga abren.

Cuando un fusible se funde o un interruptor opera, puede ser a causa de una condición de sobrecarga. La apertura de un switch puede ser manual-mecánica (por ejemplo, un switch límite o un switch flotador) o automática (por ejemplo, un switch de temperatura). En los circuitos con conexión serie:

❶ La corriente es la misma en todos los elementos.

$I_1 = I_2 = I_3 = \ldots\ldots I_n$

❷ Cuando se conectan switches en serie, éstos deben estar cerrados para que circule la corriente. Cuando abre un elemento o switch, se interrumpe la corriente en todos.

En la siguiente figura, se muestra la estructura y representación de un circuito serie:

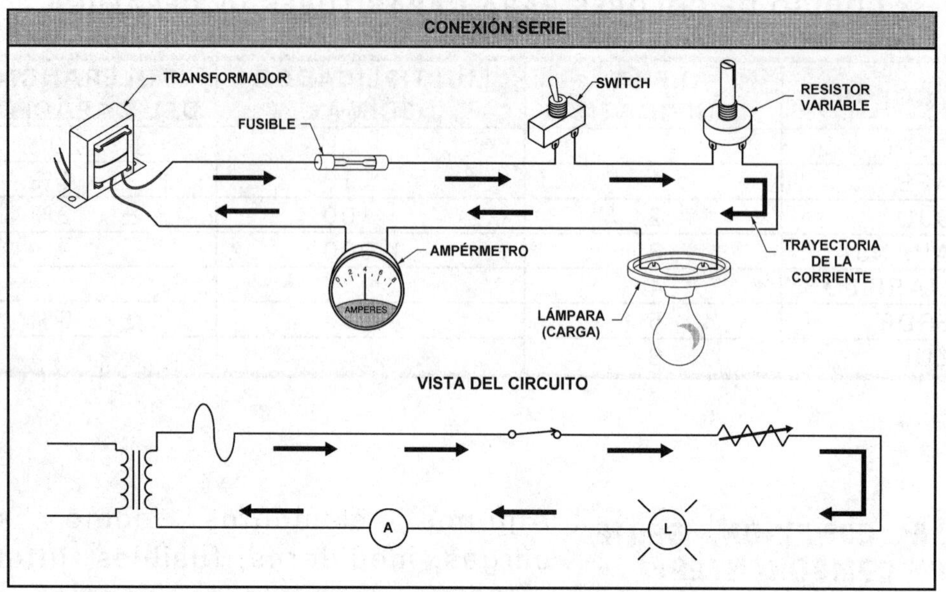

DIAGRAMA ESQUEMÁTICO

1.10 CONEXIÓN DE RESISTENCIAS EN SERIE.

Para resistores conectados en serie, el hecho de que se encuentren adyacentes no significa que se estén físicamente cercanos cuando se conectan o alambran, tratándose de resistores, éstos se identifican por sus colores según sea el código de colores, pero el valor de la resistencia total del arreglo se calcula como: $R_T = R_1 + R_2 + R_3 + \dots + R_K$

Donde:

R_T = Resistencia total.

$R_1, R_2, \dots R_k$ = Resistencias de los resistores individuales.

Los resistores conectados en serie se pueden conectar en cualquier orden, sin afectar al valor total.

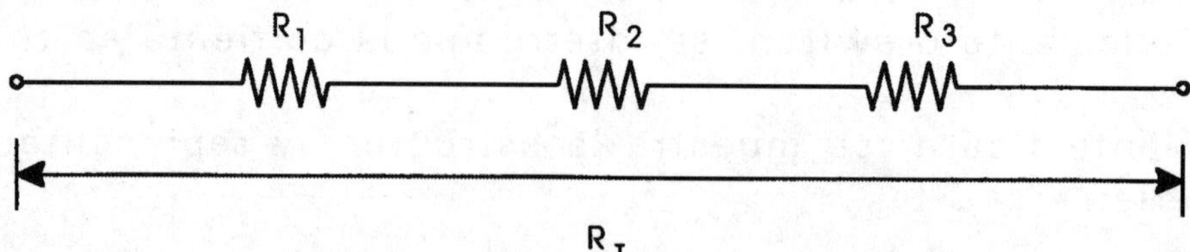

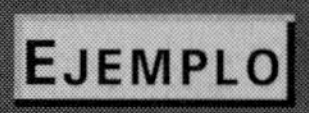

Se conectan tres resistores en serie, que tienen valores de 450 Ω, 1.2 KΩ y 0.01MΩ, se desea obtener el valor de la resistencia total.

Para obtener el valor total de la resistencia, se convierten primero los valores de todas las resistencias a ohms (Ω).

1.2 x 1000 = 1200 Ω

0.01MΩ = 0.01 X 1 000 000 = 10 000 Ω

$R_T = R_1 + R_2 + R_3$

$R_T = 450 + 1200 + 10{,}000$

$R_T = 11\,650\ \Omega$

Calcular la resistencia total del circuito mostrado en la figura:

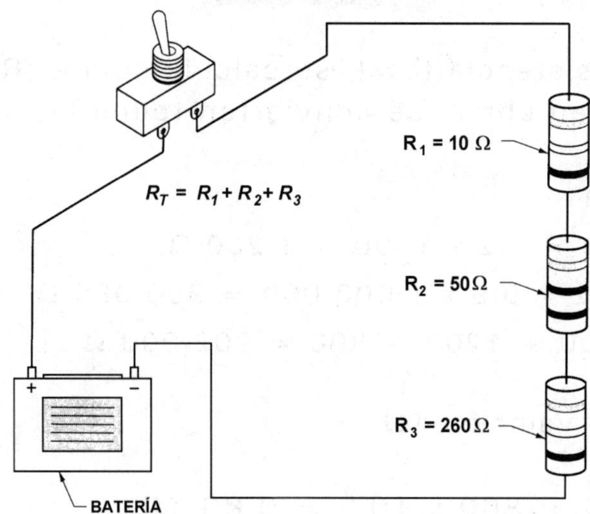

La resistencia total se calcula como:

$R_T = R_1 + R_2 + R_3 = 10 + 50 + 260$

$R_T = 320\ \Omega$

Para el circuito mostrado en la figura, calcular la resistencia total, expresando los valores en:

a) Ohms.
b) Kilohms.
c) Megohms.

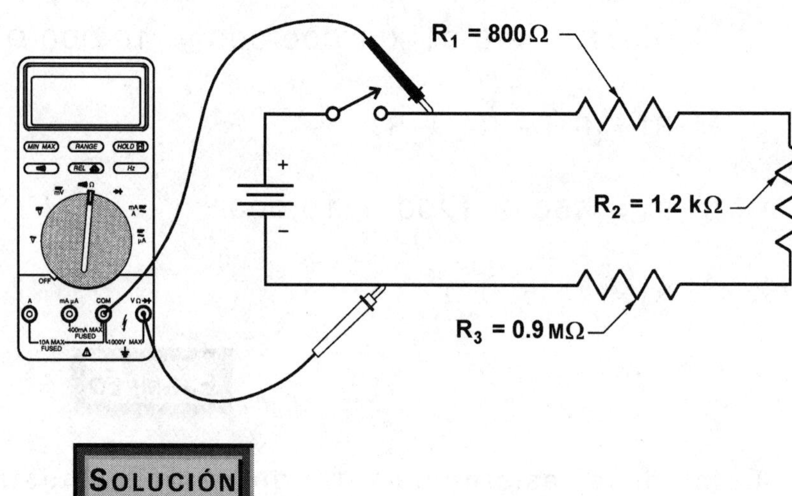

SOLUCIÓN

a) El valor de la resistencia total, se calcula como: $R_T = R_1 + R_2 + R_3$
Para expresarlo en ohms, se convierten todos los valores a Ω.

$R_1 = 80.0\ \Omega$

$R_2 = 1.2\ K\Omega = 1.2 \times 1000 = 1\ 200\ \Omega$

$R_3 = 0.9\ M\Omega = 0.9 \times 1\ 000\ 000 = 900\ 000\ \Omega$

$R_T = 900\ 000 + 1200 + 800 = 902\ 000\ \Omega$

b) Para expresar el valor en KΩ:

$R_1 = 800\ \Omega = 800 \times 10^{-3} = 0.80\ K\Omega$

$R_2 = 1.2\ K\Omega$

$R_3 = 0.9\ M\Omega = 0.9 \times 1000 = 900\ K\Omega$

$R_T = 900 + 1.2 + 0.8 = 902\ K\Omega$

c) Expresando el valor en MΩ.

$R_1 = 800\ \Omega = 800 \times 10^{-6} = 0.0008\ M\Omega$

$R_2 = 1.2\ K\Omega = 1.2 \times 10^{-3} = 0.0012\ M\Omega$

$R_3 = 0.9\ M\Omega$

$R_T = 0.0008 + 0.0012 + 0.9$

$R_T = 0.902\ M\Omega$

Para el circuito mostrado en la figura, calcular la corriente y el voltaje en la resistencia de 100 Ω.

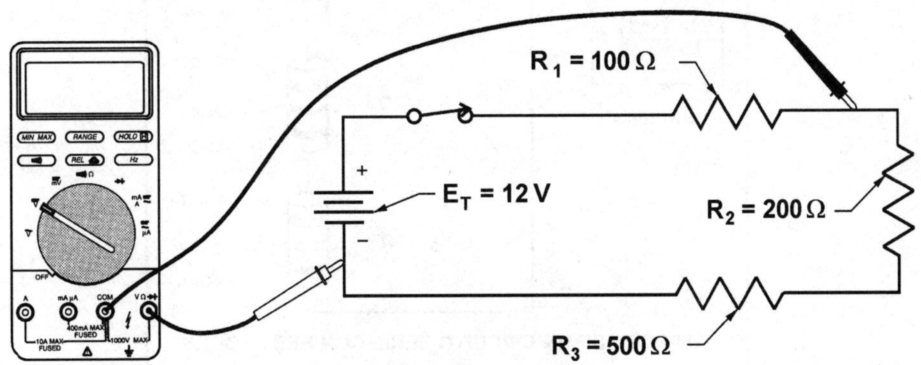

SOLUCIÓN

La corriente total se obtiene como: $It = \frac{Et}{Rt}$

Donde, la resistencia total es:

$Rt = 100 + 200 + 500 = 800\ \Omega$

$$It = \frac{12}{800} = 0.015\,\text{A}$$

La caída de voltaje a través de la resistencia de 100 Ω, se obtiene como:

$$E = R \times I = 100 \times 0.015 = 1.5\ V$$

Para el circuito mostrado en la figura, calcular la resistencia total y la corriente.

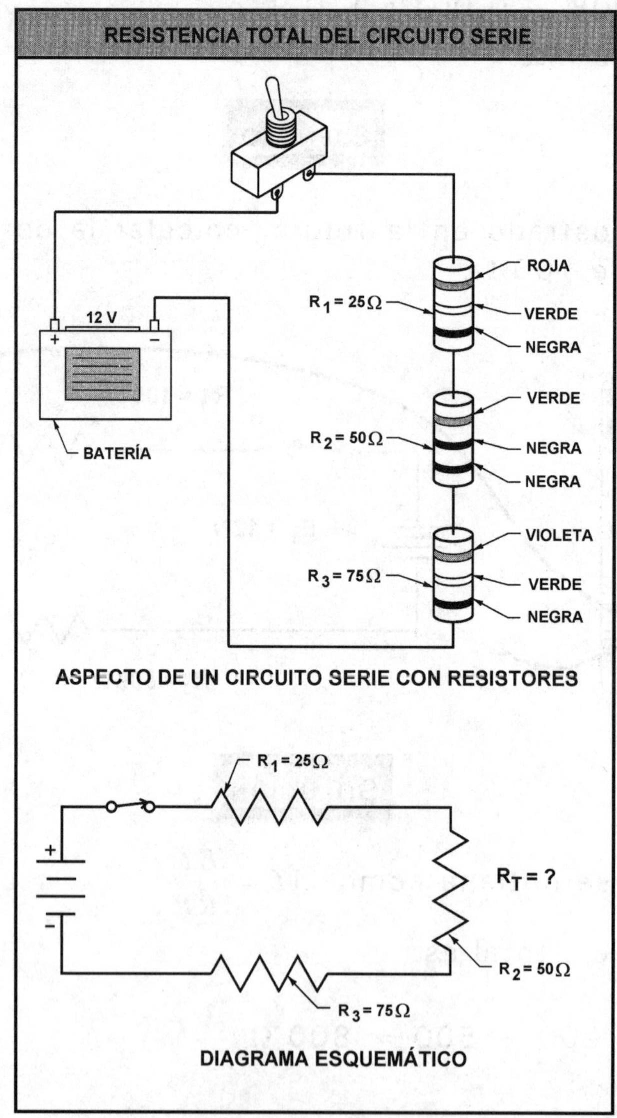

SOLUCIÓN

La resistencia total es: $R_t = 25\ \Omega + 50\ \Omega + 75\ \Omega = 150\ \Omega$

La corriente: $It = \frac{E}{Rt} = \frac{12}{150} = 0.08\ A$

Una aplicación de los circuitos eléctricos en conexión serie se puede hacer para estudiar el diseño y la localización de fallas en aparatos electrodomésticos, por ejemplo, ***una cafetera típica de goteo tiene un circuito serie para hervir y mantener el café caliente.***

La cafetera incluye un elemento calefactor de hervido, un elemento de calefacción para mantener caliente, un switch de ON/OFF y un switch de temperatura. El elemento calefactor de hervido calienta el agua y hace que circule sobre la rejilla con el café molido. El elemento de calor mantiene el café caliente después de que ha hervido.

El switch de ON/OFF arranca y para el proceso, el switch de temperatura cambia la resistencia total después que el café ha hervido.

La resistencia total del circuito es igual a la resistencia del elemento calefactor de calefacción cuando el ciclo de hervido se arranca. El elemento de calefacción de ***"mantener caliente"*** no es una parte del circuito eléctrico en este momento, porque el switch de temperatura normalmente cerrado pone un cortocircuito el elemento de calefacción para mantener la temperatura durante el proceso de hervir.

La corriente en el circuito durante el proceso de hervido se obtiene aplicando la Ley de Ohm. Para calcular la corriente del circuito durante el proceso de hervir se aplica la fórmula:

$$I = \frac{E}{R}$$

Donde:

I = Corriente durante el proceso de hervir (amperes).
E = Voltaje aplicado a la cafetera (volts).
R = Resistencia del elemento de calefacción de hervido (Ω).

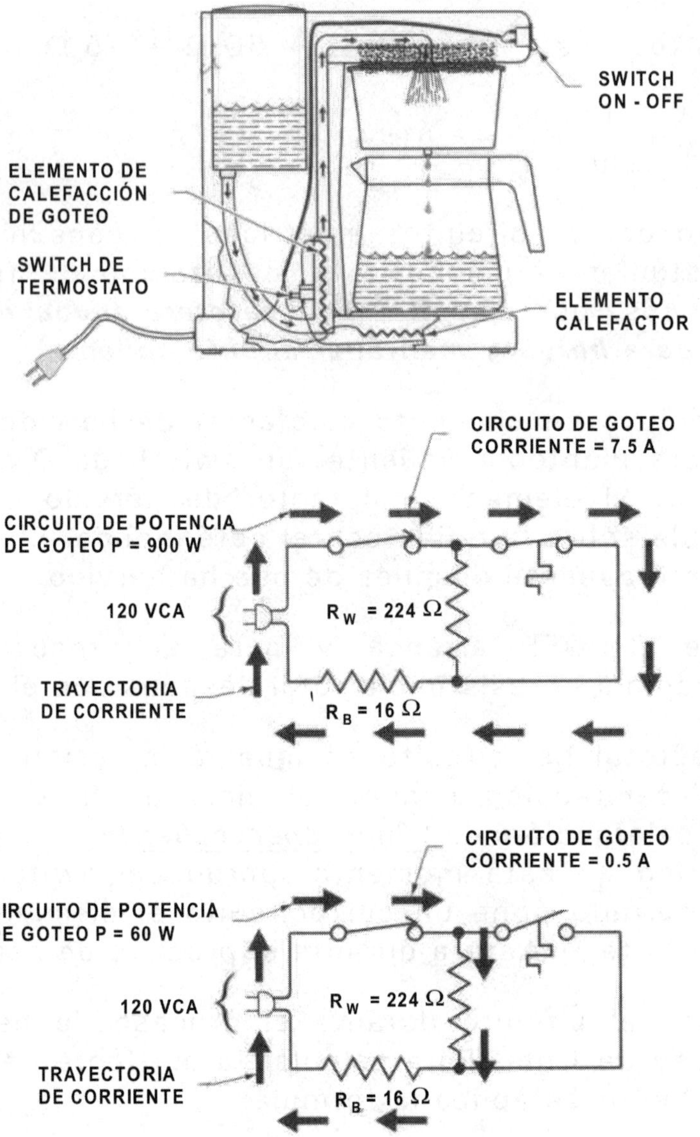

SWITCH ON - OFF
ELEMENTO DE CALEFACCIÓN DE GOTEO
SWITCH DE TERMOSTATO
ELEMENTO CALEFACTOR

CIRCUITO DE GOTEO CORRIENTE = 7.5 A
CIRCUITO DE POTENCIA DE GOTEO P = 900 W
120 VCA
R_W = 224 Ω
TRAYECTORIA DE CORRIENTE
R_B = 16 Ω

CIRCUITO DE GOTEO CORRIENTE = 0.5 A
CIRCUITO DE POTENCIA DE GOTEO P = 60 W
120 VCA
R_W = 224 Ω
TRAYECTORIA DE CORRIENTE
R_B = 16 Ω

CIRCUITO DURANTE EL CALENTAMIENTO

Para la figura anterior, que muestra una cafetera de goteo con sus circuitos equivalentes de hervido y calentamiento.

a) Calcular la corriente y la potencia de hervido, si la resistencia del elemento de calefacción para hervido es de 16Ω y el voltaje de alimentación a la cafetera es 120 V.

b) Si la resistencia del elemento de calefacción es de 224Ω, calcular la resistencia total del circuito, la corriente de calentamiento (mantener caliente) y la potencia de circuito de calentamiento.

a) Aplicando la Ley de Ohm.

$$\mathrm{I} = \frac{E}{R} = \frac{120}{16} = 7.5A$$

La potencia consumida durante el proceso de hervido es:

$$P = E \text{ x } \mathrm{I} = 120 \ x \ 7.5 = 900 \ W$$

b) La resistencia total del circuito serie se obtiene sumando la resistencia de cada elemento conectado en serie.

$$R_t = R_1 + R_2$$

Siendo:

R_t = Resistencia total del circuito en (Ω)
R_1 = Resistencia del circuito de mantener caliente (Ω)
R_2 = Resistencia del elemento de hervido (Ω)

$$R_T = 224 + 16 = 240\,\Omega$$

La corriente del circuito de mantener caliente (calentamiento):

$$\mathrm{I} = \frac{E}{R} = \frac{120}{240} = 0.5\,A$$

La potencia para este circuito: $P = E \ x \ \mathrm{I} = 120 \ x \ 0.5 = 60 \ W$

ALGUNOS APARATOS ELECTRODOMÉSTICOS QUE USAN RESISTENCIAS PARA SU FUNCIONAMIENTO

LA PLANCHA: REPRESENTA UNA CARGA TIPO RESISTIVA.

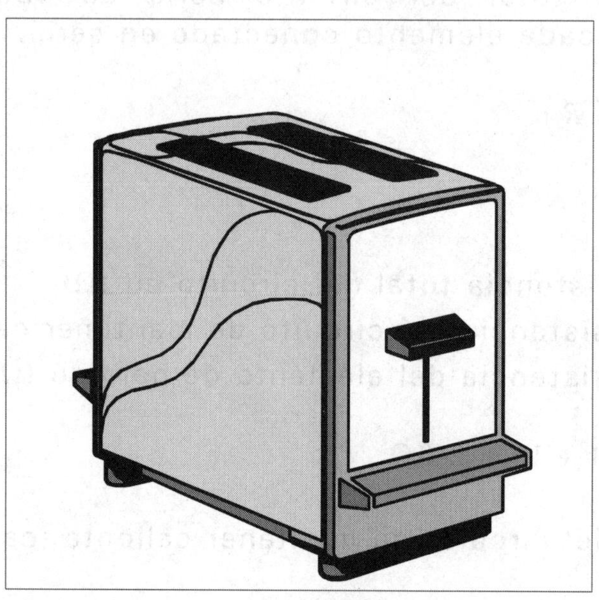

LOS TOSTADORES DE PAN: SON ELEMENTOS A BASE DE RESISTENCIAS.

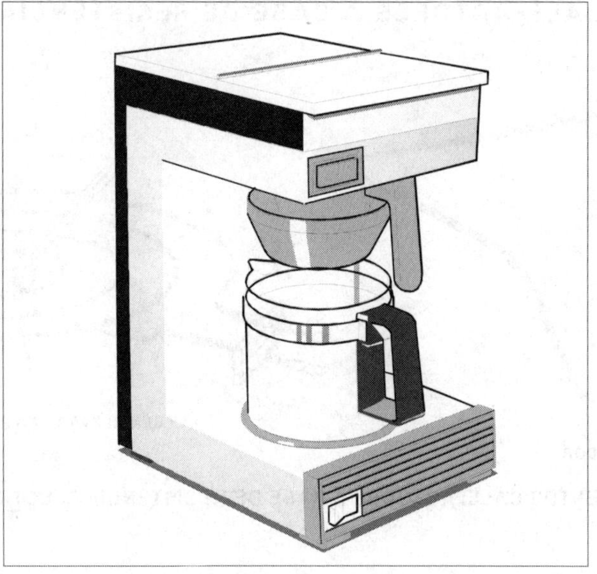

LAS CAFETERAS: SON ELEMENTOS CON RESISTENCIAS.

ELEMENTOS CALEFACTORES A BASE DE RESISTENCIA ELÉCTRICA

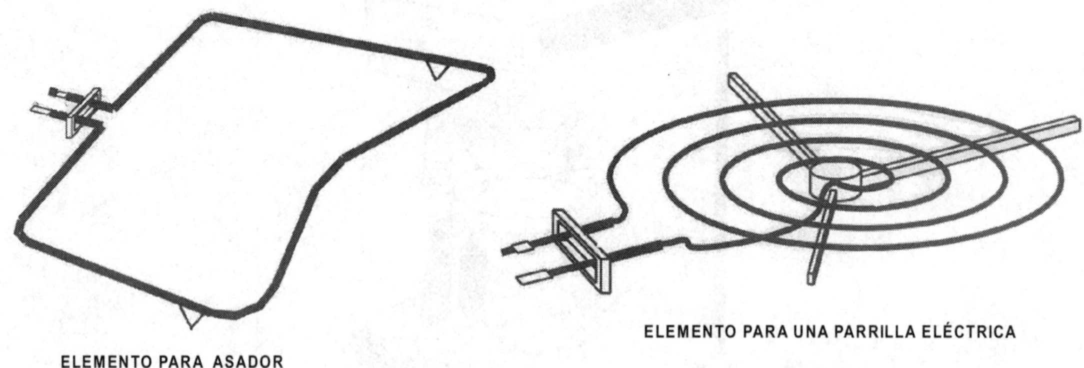

ELEMENTO PARA ASADOR

ELEMENTO PARA UNA PARRILLA ELÉCTRICA

ELEMENTOS CALEFACTORES A BASE DE RESISTENCIA ELÉCTRICA

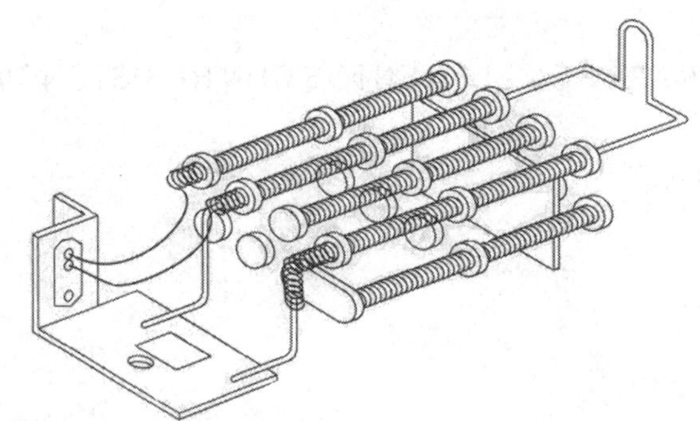

DISTINTAS FORMAS Y TAMAÑOS DE LOS ELEMENTOS CALEFACTORES

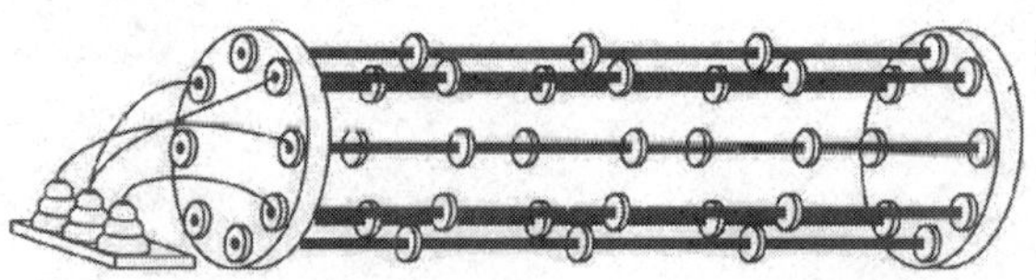

ELEMENTOS PARA UN CALEFACTOR DE AIRE

La mayoría de los elementos calefactores están hechos a base de una aleación de niquel-cromo, para tener un valor elevado de resistencia al paso de la corriente y una buena característica mecánica a la tensión. Se usan en parrillas eléctricas para cocinar, calentadores de agua eléctricos, calefacción del medio ambiente, calentar el aire para secar prendas de vestir, etc.

1.11 CONEXIÓN PARALELO DE COMPONENTES.

Existen componentes en las instalaciones, como: ***cargas, apagadores, switches*** *que se pueden conectar en paralelo*. En este tipo de conexión se tiene una o más componentes conectadas, de manera que existe más de una trayectoria de corriente, por lo que se debe poner atención a la seguridad en estos circuitos, ya que si no hay corriente por una trayectoria, puede haber por las otras. En la siguiente figura, se ilustra la forma típica usada para esta conexión paralelo.

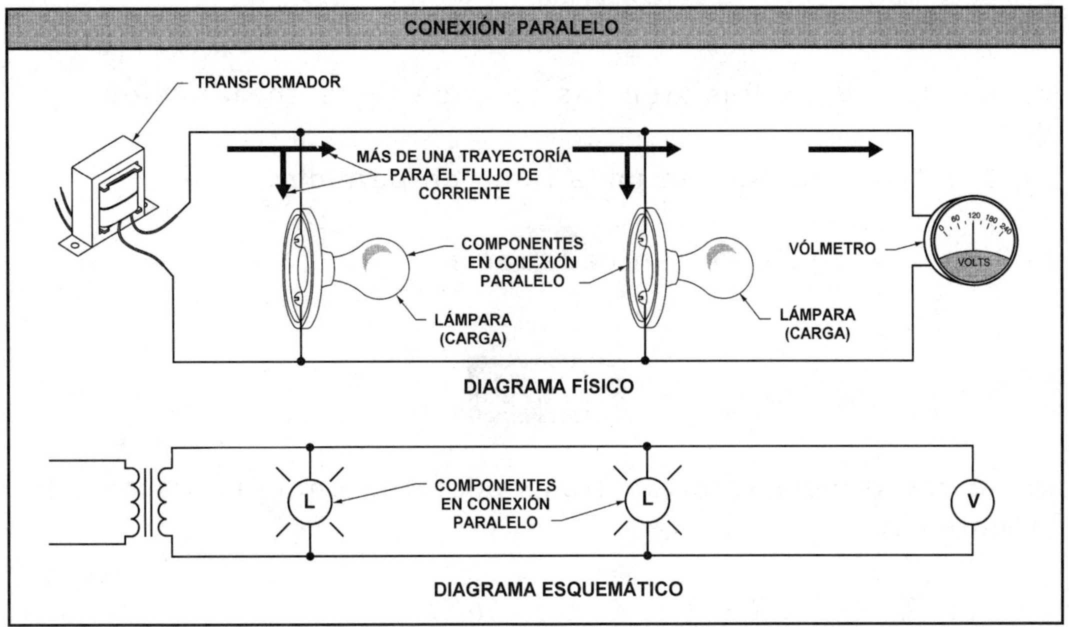

Cuando se trata de la conexión en paralelo de componentes de corriente directa, que tienen una indicación de polaridad positiva (+) o negativa (-), se debe tener cuidado que sean coincidentes todas las polaridades de la conexión, es decir, se conectan las positivas con las positivas y las negativas con las negativas.

CONEXIÓN PARALELO DE RESISTENCIAS.

Las reglas para la conexión en paralelo de componentes, son aplicables a cualquiera de ellas en particular, es decir, el voltaje en todas las resistencias es igual, la corriente total aplicada al circuito es igual a la suma de las corrientes en cada rama en paralelo y la resistencia equivalente del arreglo se calcula como:

$$R_t = \cfrac{1}{\cfrac{1}{R_1} + \cfrac{1}{R_2} + \ldots \cfrac{1}{R_k}}$$

Los voltajes: $E_1 = E_2 = \ldots = E_k$

La corriente: $I_T = I_1 + I_2 + I_3 + \ldots + I_k$

R_T = Resistencia total en Ω.

$R_1, R_2, R_3, \ldots R_k$ = Resistencias en cada rama en paralelo.

$E_1, E_2, \ldots E_k$ = Voltajes en cada rama en paralelo.

$I_1, I_2, \ldots I_k$ = Corrientes en cada rama.

EJEMPLO

Calcular la resistencia total de tres resistores conectados en paralelo, cuyos valores son:

$R_1 = 500\ \Omega,\ R_2 = 2000\ \Omega$ y $R_3 = 10\,000\ \Omega.$

SOLUCIÓN

La resistencia total se calcula de acuerdo con la expresión general:

$$R_t = \cfrac{1}{\cfrac{1}{R_1} + \cfrac{1}{R_2} + \cfrac{1}{R_3}}$$

$$R_t = \cfrac{1}{\cfrac{1}{500} + \cfrac{1}{2000} + \cfrac{1}{10000}} = \frac{1}{0.0002 + 0.0005 + 0.0001}$$

$$R_t = 1250\ \Omega$$

Para el circuito mostrado en la figura, calcular la resistencia equivalente, expresando su valor en ohms y kilohms (KΩ).

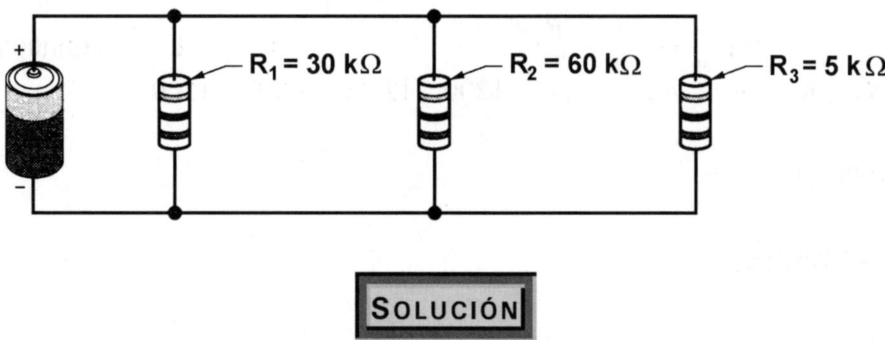

SOLUCIÓN

La resistencia total o equivalente para el circuito mostrado es:

$$R_t = \frac{1}{\frac{1}{R_1}+\frac{1}{R_2}+\frac{1}{R_3}} = \frac{1}{\frac{1}{30}+\frac{1}{60}+\frac{1}{5}} = 4.002\ \text{K}\Omega$$

El valor correspondiente en ohms es:

$$R_t = 4.002 \times 1000 = 4002\ \Omega$$

Para el circuito mostrado en la figura, calcular el valor de la resistencia total, expresándolo en ohms y kilohms.

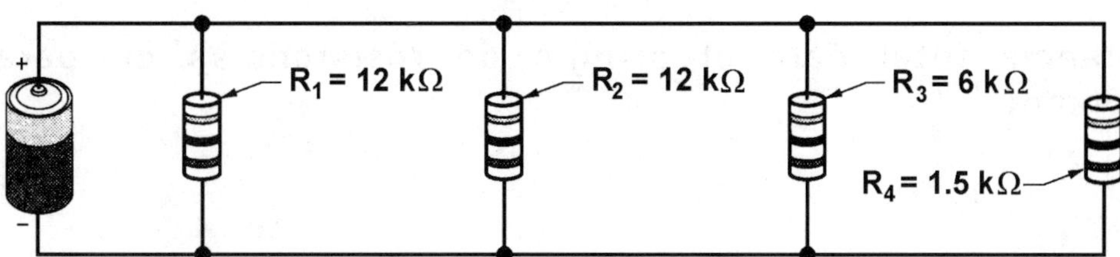

SOLUCIÓN

Para los cuatro resistores en paralelo, el valor de la resistencia total es:

$$R_t = \frac{1}{\frac{1}{R_1}+\frac{1}{R_2}+\frac{1}{R_3}+\frac{1}{R_4}}$$

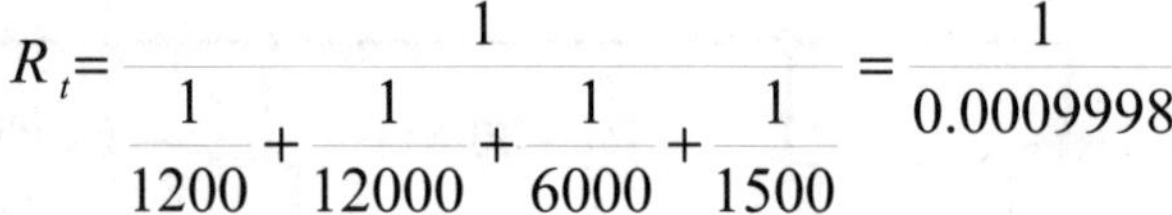

$$R_t = \frac{1}{\frac{1}{1200}+\frac{1}{12000}+\frac{1}{6000}+\frac{1}{1500}} = \frac{1}{0.0009998}$$

$$R_t = 1000.2\,\Omega$$

Y en kilohms:

$$R_t = 1000.2 \times 0.001 = 1.0002\ K\Omega$$

EJEMPLO

En el circuito mostrado en la figura, calcular la corriente total que lee el ampérmetro localizado en B y la corriente que circula por C.

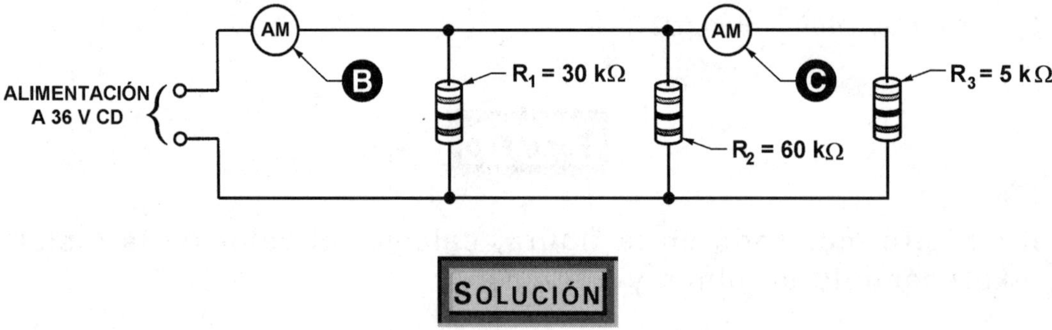

SOLUCIÓN

La resistencia total para el arreglo de resistencias en paralelo se obtiene como:

$$R_t = \frac{1}{\frac{1}{R_1}+\frac{1}{R_2}+\frac{1}{R_3}}$$

$$R_t = \frac{1}{\frac{1}{30000}+\frac{1}{60000}+\frac{1}{5000}} = \frac{1}{0.0002499}$$

$$R_t = 4001.60\,\Omega$$

La corriente total es: $I_t = \frac{E}{R_t}$

$$I = \frac{36}{4001.6} = 0.009\text{ A} = 9\text{ mA}$$

El valor de la corriente a través del ampérmetro que aparece en C, se calcula como:

$$I = \frac{E}{R} = \frac{36}{5000} = 0.0072\text{ A} \qquad I = 7.2\text{ mA}$$

Una aplicación común de los circuitos en conexión paralelo, se tiene en las casas habitación, en donde el alumbrado, ya sea normal o con lámparas de mesa, se conecta en paralelo a través de los circuitos derivados con otros aparatos electrodomésticos como: ***un tostador de pan, una plancha o un ventilador.***

ALGUNOS APARATOS EN EL HOGAR ESTÁN EN PARALELO

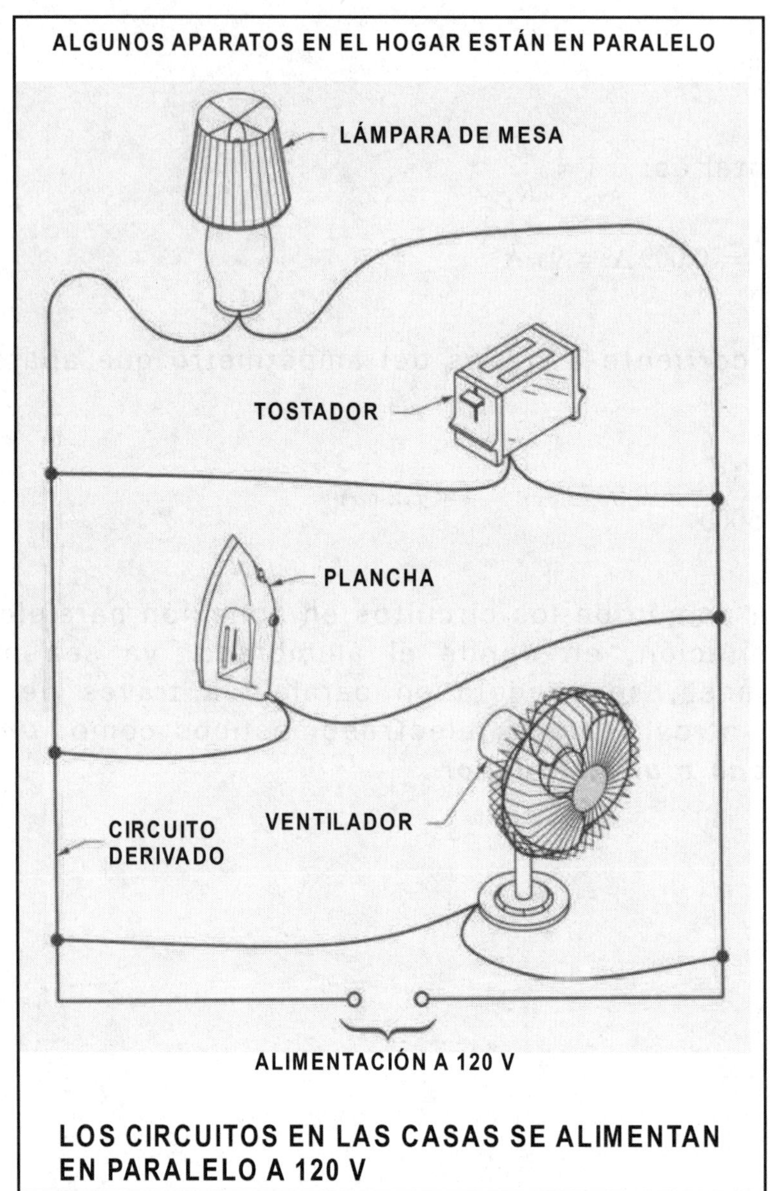

LOS CIRCUITOS EN LAS CASAS SE ALIMENTAN EN PARALELO A 120 V

Una característica que se ha mencionado para los elementos de un circuito conectado en paralelo, como es el caso de los aparatos electrodomésticos, conectados por ejemplo a una misma toma de corriente (contactos dobles) con una lámpara de mesa, como se muestra en la figura, es que operan al mismo voltaje, cosa que se verifica si se mide.

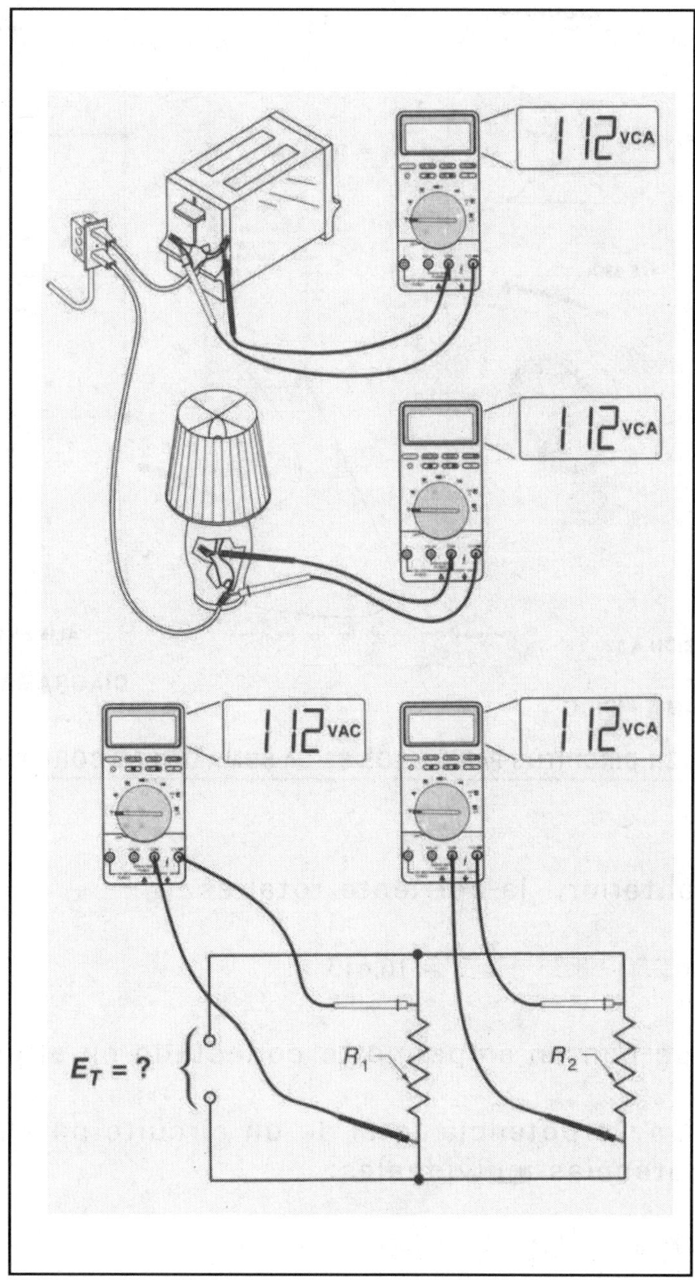

Como se ha estudiado antes, en los circuitos en conexión paralelo, el voltaje es el mismo en todos los elementos, pero la corriente total es la suma de las corrientes a través de cada elemento individual.

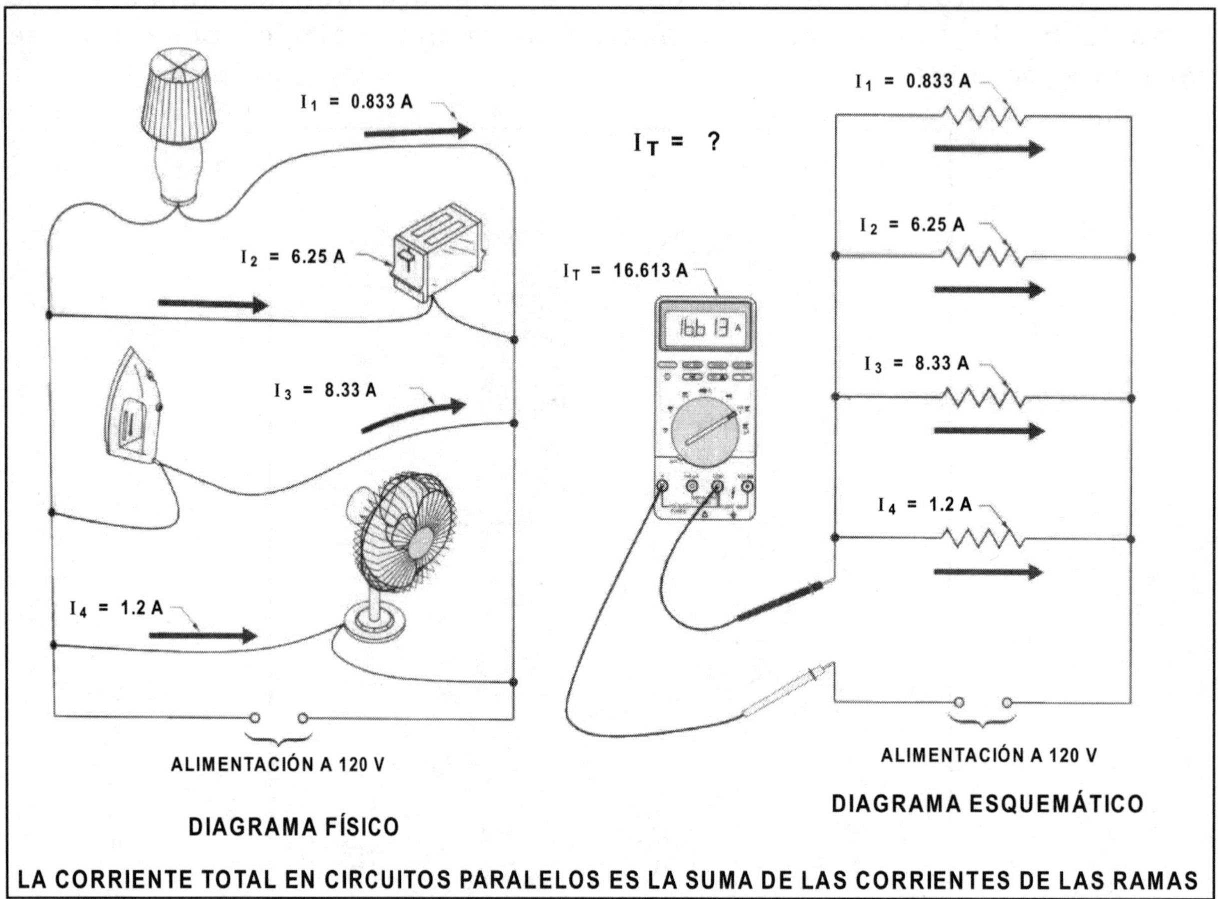

LA CORRIENTE TOTAL EN CIRCUITOS PARALELOS ES LA SUMA DE LAS CORRIENTES DE LAS RAMAS

Para el circuito anterior, la corriente total es:

$$I_t = 0.833 + 6.25 + 8.33 + 1.2 = 16.613\ A$$

Este valor se mide con un ampérmetro conectado en el punto indicado.

De la misma forma, la potencia total de un circuito paralelo es igual a la suma de las potencias individuales:

$$P_t = P_1 + P_2 + P_3 + \ldots\ldots + P_k$$

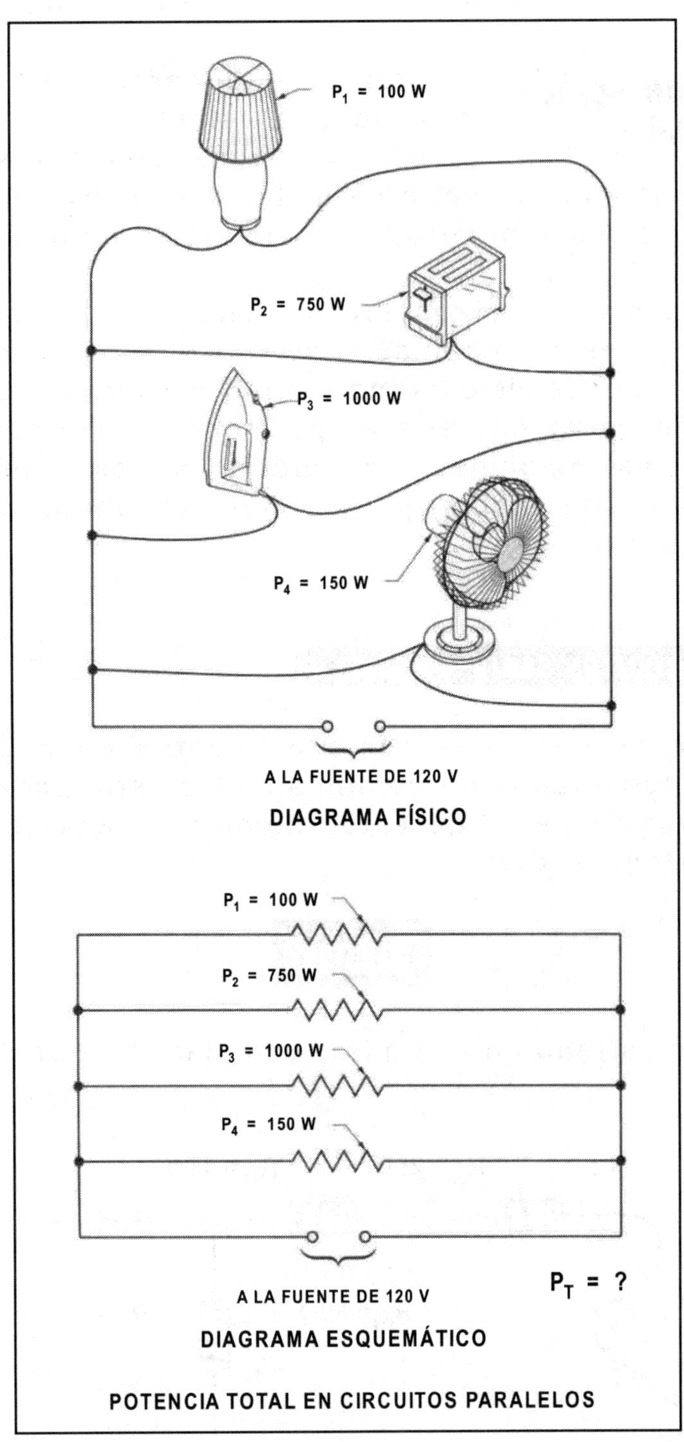

POTENCIA TOTAL EN CIRCUITOS PARALELOS

Para este circuito:

$$P_t = 100 + 750 + 1000 + 150 = 2000 \text{ watts}$$

1.12 CONEXIÓN SERIE-PARALELO.

Existen componentes en los circuitos eléctricos y electrónicos, como son los switches, cargas, medidores, interruptores, que se pueden conectar en serie/paralelo, esta conexión es en realidad una combinación de componentes conectadas en serie y paralelo.

Muchos circuitos de control, incluyen switches que están conectados en serie/paralelo, como combinaciones entre ellos. Los switches que están conectados en paralelo proporcionan distintos puntos de control y los switches en conexión serie proporcionan seguridad. Por ejemplo, la mayoría de las máquinas copiadoras y las impresoras tienen switches en serie, de modo que cuando se abren las puertas, se interrumpe el circuito.

RESISTENCIA EN CIRCUITOS SERIE-PARALELO.

Los resistores y cargas, tales como elementos de calefacción, están frecuentemente conectados en combinaciones serie-paralelo, cuando se trata de resistores, a partir de estas combinaciones se puede obtener un valor de resistencia total.

Para el circuito mostrado en la figura, calcular el valor de la resistencia total.

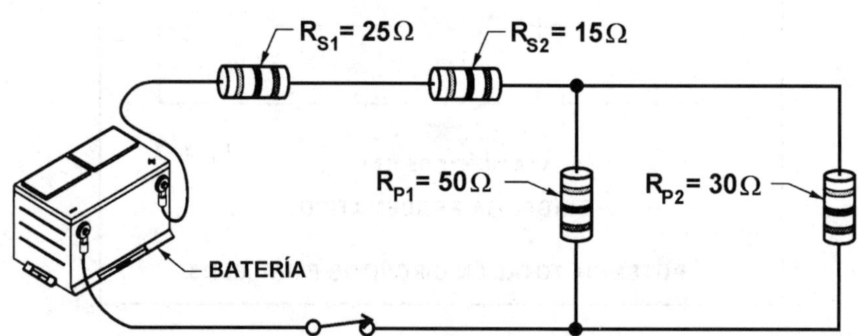

SOLUCIÓN

Del circuito anterior, se tienen en paralelo las resistencias de 30 y 50 Ω, y la resultante de esta combinación en serie con las de 15 y 25 Ω, se expresa como:

$$R_t = \frac{R_{p1} \times R_{p2}}{R_{p1} + R_{p2}} + R_{s1} + R_{s2}$$

$$R_t = \frac{50 \times 30}{50 + 30} + 25 + 15$$

$$R_t = 18.75 + 40 = 58.75\,\Omega$$

EJEMPLO

Para el circuito mostrado en la figura, calcular la corriente total de alimentación.

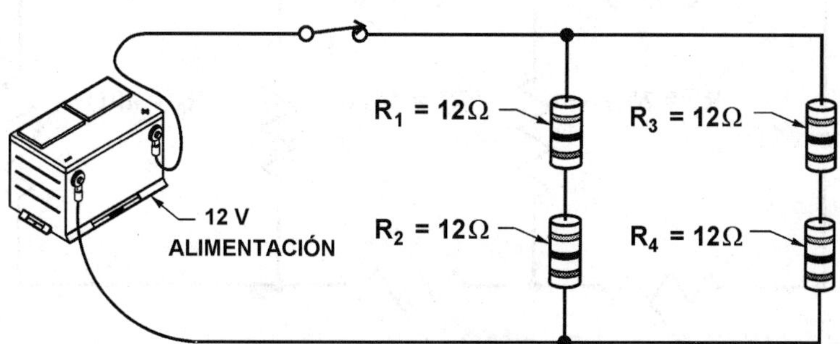

SOLUCIÓN

Para determinar la corriente total, primero se debe calcular la resistencia total del circuito, para esto, se hacen primero las combinaciones de los elementos en serie y luego las resultantes de éstos en paralelo.

Para cada rama con dos resistores en serie:

$$R_{p1} = R_1 + R_2 = 12\ \Omega + 12\ \Omega = 24\ \Omega$$
$$R_{p2} = R_3 + R_4 = 12\ \Omega + 12\ \Omega = 24\ \Omega$$

Se combinan en paralelo:

$$R_t = \frac{R_{p1} \times R_{p2}}{R_{p1} + R_{p2}} = \frac{24 \times 24}{24 + 24} = 12\,\Omega$$

La corriente total es entonces:

$$I_t = \frac{E_t}{R_t} = \frac{12\,V}{12\,\Omega} = 1\,A$$

EJEMPLO

Calcular la resistencia total, para el circuito mostrado en la figura:

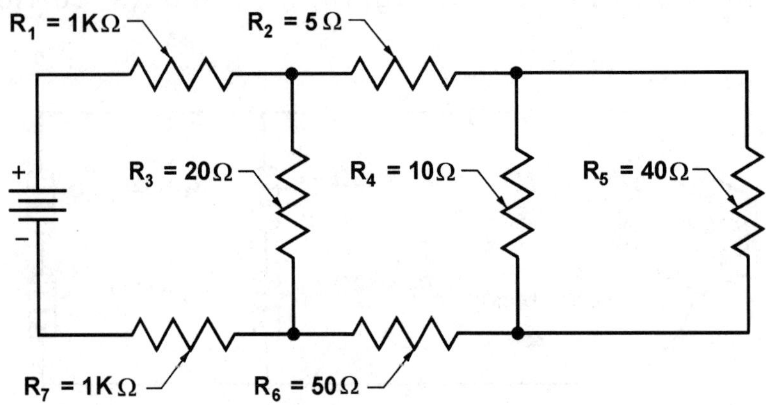

SOLUCIÓN

En este tipo de circuito, la reducción de las resistencias serie-paralelo, se inicia del lado opuesto de la fuente hacia la fuente. En este caso:

$$R_{pt1} = \frac{R_4 \text{ x } R_5}{R_4 + R_5} = \frac{10 \text{ x } 40}{10 + 40} = 8\,\Omega$$

$R_{st1} = R_2 + R_{pt1} + R_6$

$R_{st1} = 5 + 8 + 50 = 63\ \Omega$

$$R_{pt2} = \frac{R_{st1}\ x\ R_3}{R_{st}1 + R_3} = \frac{63\ x\ 20}{63 + 20} = 15.181\,\Omega$$

$R_t = R_1 + R_{pt2} + R_7$

$R_t = 1000 + 15.81 + 1000 = 2015.81\ \Omega$

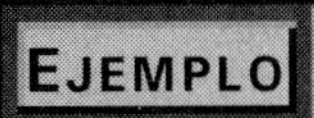

EJEMPLO

Para el circuito mostrado en la figura, calcular la corriente total.

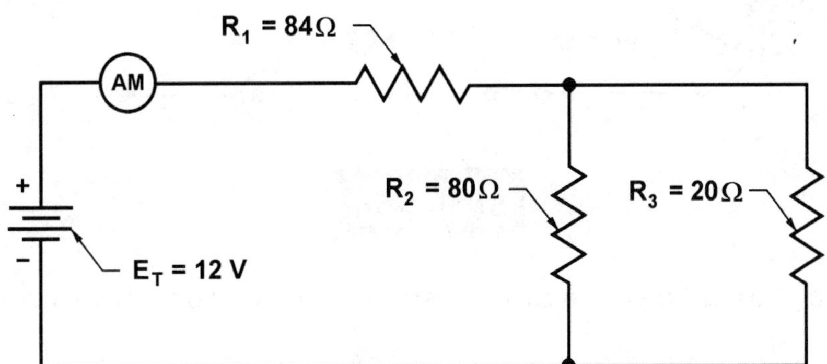

SOLUCIÓN

Para el cálculo de la corriente total, se determina en primer lugar la resistencia total del circuito, es decir:

$$R_t = \frac{R_2\ x\ R_3}{R_2 + R_3} + R_1$$

$$R_t = \frac{80\ x\ 20}{80 + 20} + 84 = 16 + 84 = 100\,\Omega$$

$$I_t = \frac{E_t}{R_t} = \frac{12}{100} = 0.12\,\text{A}$$

$$I_t = 0.12 \text{ x } 1000 = 120\,\text{mA}$$

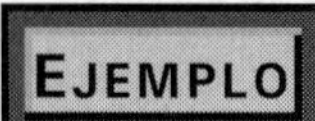

En el circuito mostrado en la figura, el ampérmetro indica una lectura de 0.2 A, calcular el voltaje de la fuente.

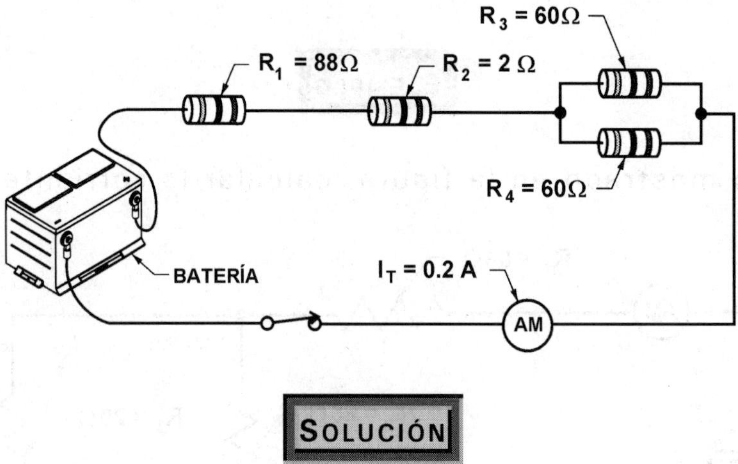

SOLUCIÓN

La resistencia total del circuito se calcula por combinación serie-paralelo:

$$R_t = \frac{R_3 \text{ x } R_4}{R_3 + R_4} + R_1 + R_2$$

$$R_t = \frac{60 \text{ x } 60}{60 + 60} + 88 + 2 = 30 + 90$$

$$R_t = 120\,\Omega$$

El voltaje en la fuente es igual a la caída de voltaje en el circuito:

$$E_t = R_t \; x \; I_t$$

$$E_t = 120 \; x \; 0.2 = 24 \; V$$

EJEMPLO

Para el circuito mostrado en la figura, calcular el voltaje de la fuente.

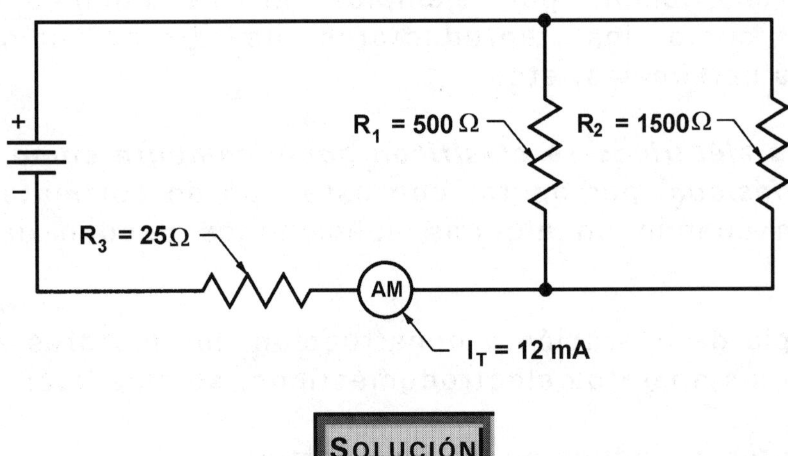

SOLUCIÓN

El voltaje en la fuente es igual a la caída de voltaje total en el circuito, cuyo valor es:

$$E_T = R_T \text{ x } I_T$$

Por lo que se debe calcular el valor de la resistencia total equivalente:

$$R_{pt1} = \frac{R_1 \text{ x } R_2}{R_1 + R_2} = \frac{500 \text{ x } 1500}{500 + 1500} = 375\,\Omega$$

$$R_t = R_{pt1} + R_3 = 375 + 25 = 400\,\Omega$$

Por lo tanto:

$$E_t = R + It = 400 \text{ x } 0.012 = 4.8\,V$$

1.13 LOS MOTORES ELÉCTRICOS EN LOS ELECTRODOMÉSTICOS.

Una cantidad importante de los aparatos electrodomésticos en el hogar usan motores eléctricos para operar, un ejemplo son la licuadora, la aspiradora, el refrigerador, la lavadora de ropa, las secadoras, la batidora, etc. Otras aplicaciones se tienen, por ejemplo, en las bombas de agua o en aparatos como los reproductores de discos compactos, las computadoras personales, etc.

Estos motores eléctricos se clasifican genéricamente como de corriente alterna monofásicos, por operar con este tipo de corriente, la mayoría de ellos, aún cuando en algunas aplicaciones pueden usar corriente directa.

Por su principio de operación y construcción, los motores eléctricos de mayor uso en los aparatos electrodomésticos, se clasifican como:

- Motor de inducción de fase partida.
- Motor de inducción de polos sombreados.
- Motor universal.
- Motor de corriente directa.

MOTOR DE INDUCCIÓN DE FASE PARTIDA. Este tipo de motores se aplica en forma típica en los denominados ***aparatos electrométicos grandes***, como por ejemplo las máquinas de lavado, ya sea de ropa o de platos.

Se denominan de fase partida debido a que *el devanado del estator se encuentra partido en dos partes*, una se denomina ***devanado de trabajo o de operación y la otra devanado de arranque.***

Desde el punto de vista constructivo, un motor de los denominados de fase partida es identificable por sus devanados externamente.

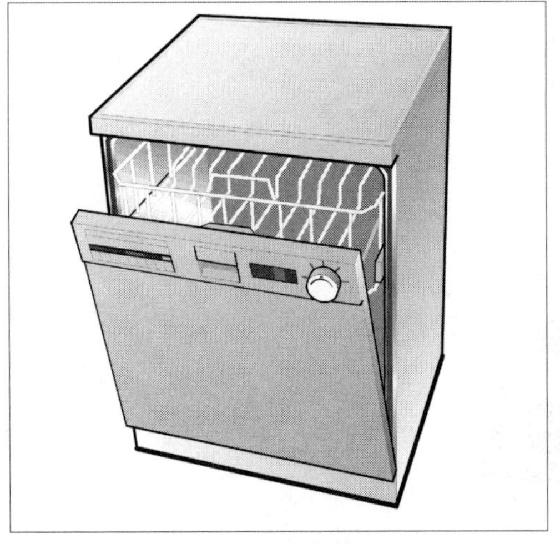

<u>LAS LAVADORAS DE PLATOS:</u> USAN MOTORES DE INDUCCIÓN DE TIPO FASE PARTIDA.

<u>LAS LAVADORAS DE ROPA:</u> USAN MOTORES DE INDUCCIÓN DE FASE PARTIDA.

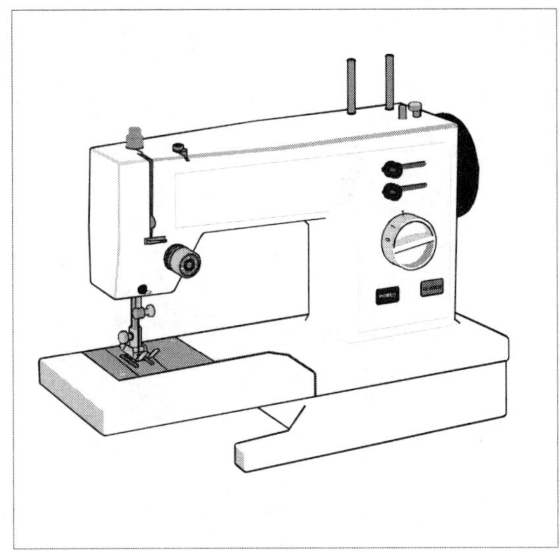

<u>LAS MÁQUINAS DE COSER:</u> USAN MOTORES ELÉCTRICOS DE TIPO UNIVERSAL.

LAS LICUADORAS: USAN MOTORES ELÉCTRICOS DE TIPO UNIVERSAL.

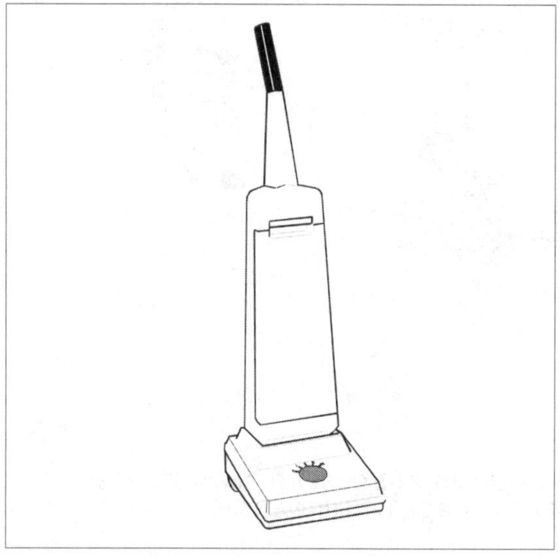

UNA LAVADORA DE ALFOMBRAS: USA MOTOR DE TIPO UNIVERSAL.

UNA ASPIRADORA: USA UN MOTOR TIPO FASE PARTIDA.

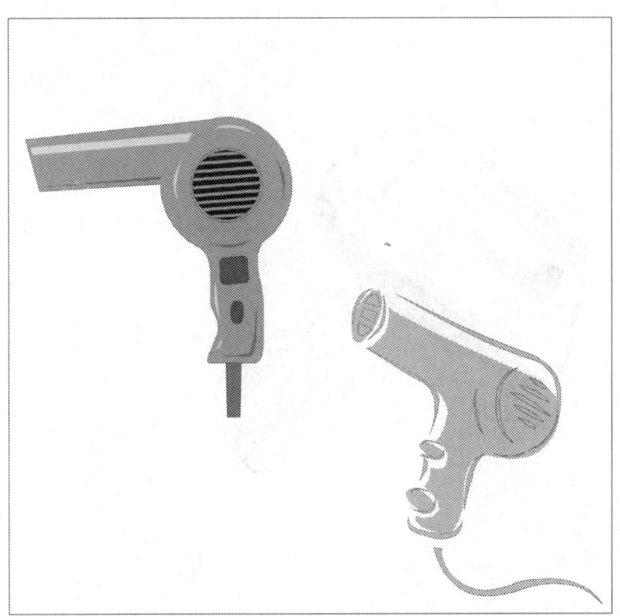

LAS SECADORAS DE CABELLO: USAN MOTORES DE TIPO POLOS SOMBREADOS.

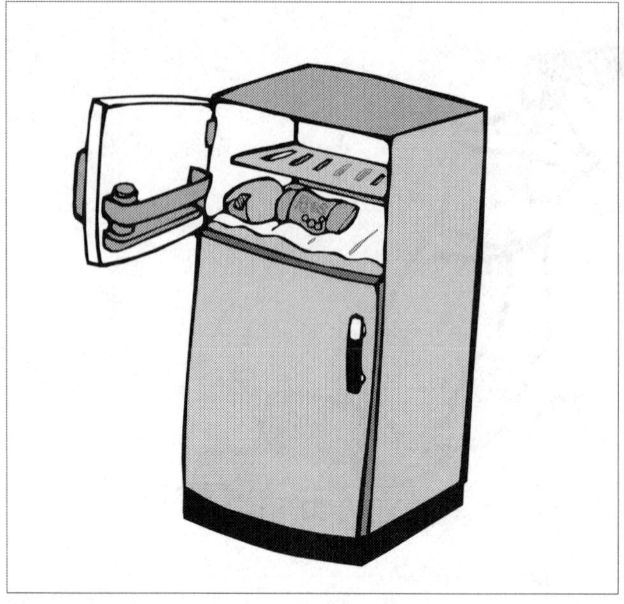

UN REFRIGERADOR: USA UN MOTOR DE FASE PARTIDA EN SU COMPRESOR.

UNA MEZCLADORA O BATIDORA: USA UN PEQUEÑO MOTOR DE TIPO UNIVERSAL.

El motor de fase partida tiene dos grupos de devanados en el estator. El primer grupo se conoce como el devanado principal o devanado de trabajo, y el segundo, como devanado auxiliar o de arranque. Estos dos devanados se conectan en paralelo entre sí, el voltaje de línea se aplica a ambos al energizar el motor.

Los dos devanados difieren entre sí, física y eléctricamente. El devanado de trabajo está formado de conductor grueso y tiene más espiras que el devanado de arranque. Generalmente, el devanado de arranque se aloja en la parte superior de las ranuras del estator, en tanto que el de trabajo en la parte inferior. El devanado de arranque tiene menos espiras de una sección delgada o pequeña de conductor.

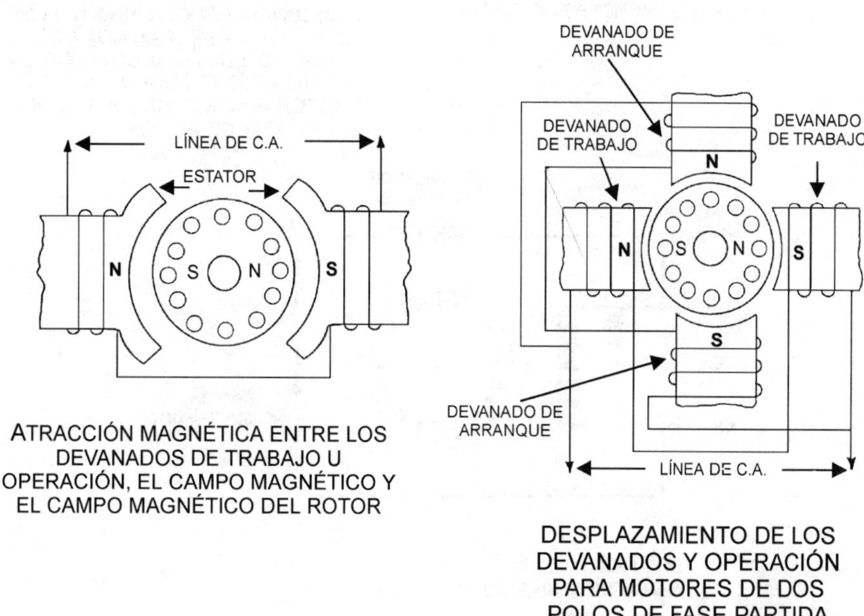

ATRACCIÓN MAGNÉTICA ENTRE LOS DEVANADOS DE TRABAJO U OPERACIÓN, EL CAMPO MAGNÉTICO Y EL CAMPO MAGNÉTICO DEL ROTOR

DESPLAZAMIENTO DE LOS DEVANADOS Y OPERACIÓN PARA MOTORES DE DOS POLOS DE FASE PARTIDA

En general, un motor de fase partida consiste de una carcaza, un estator formado por laminaciones, en cuyas ranuras se alojan las bobinas de los devanados principal y auxiliar, un rotor o parte giratoria formada por conductores basados de barras de cobre o aluminio embebidos en el rotor y conectados entre sí por medio de anillos de cobre en ambos extremos, formando lo que se conoce como una ***jaula de ardilla.*** Se les llama así porque la configuración de los anillos y las barras conductoras se asemejan realmente a una jaula de ardilla.

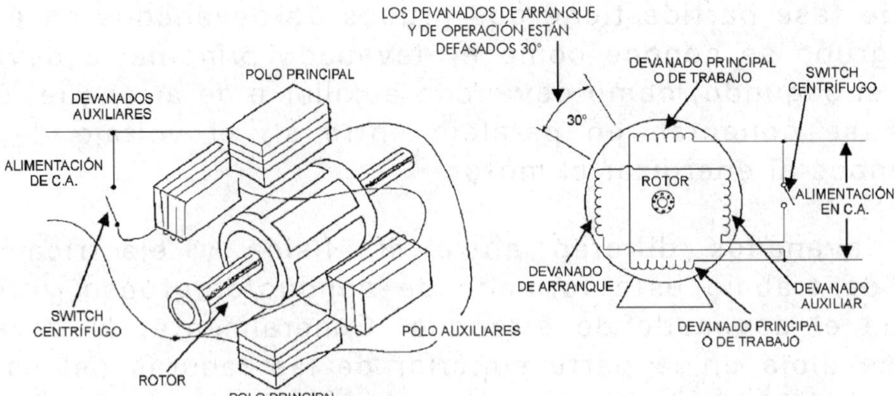

COMPONENTES PRINCIPALES DE UN MOTOR MONOFÁSICO DE C.A.

EL DEVANADO DE ARRANQUE AYUDA A ARRANCAR AL MOTOR DE C.A. DE FASE PARTIDA Y ES REMOVIDO DEL CIRCUITO POR UN SWITCH CENTRÍFUGO CUANDO EL MOTOR ALCANZA DEL 75% AL 80% DE SU VELOCIDAD NOMINAL

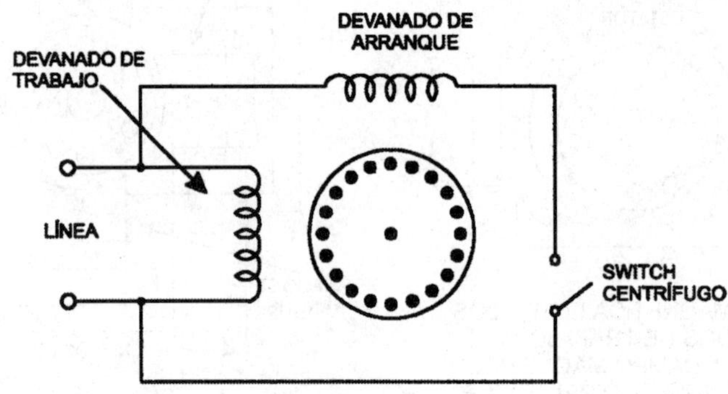

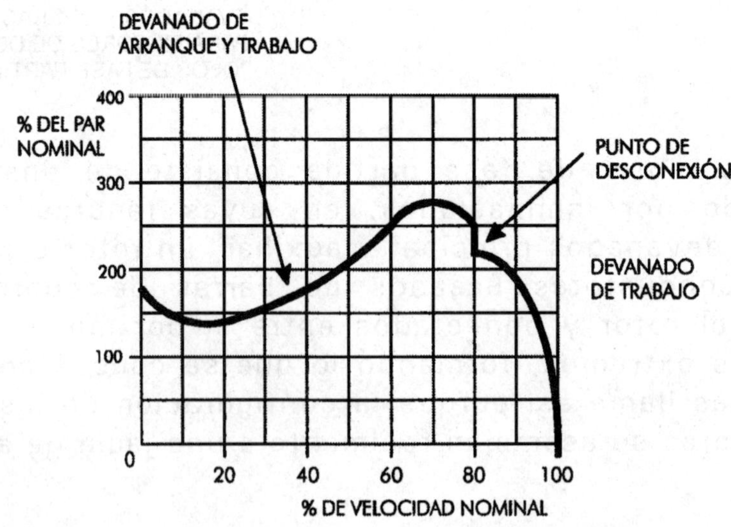

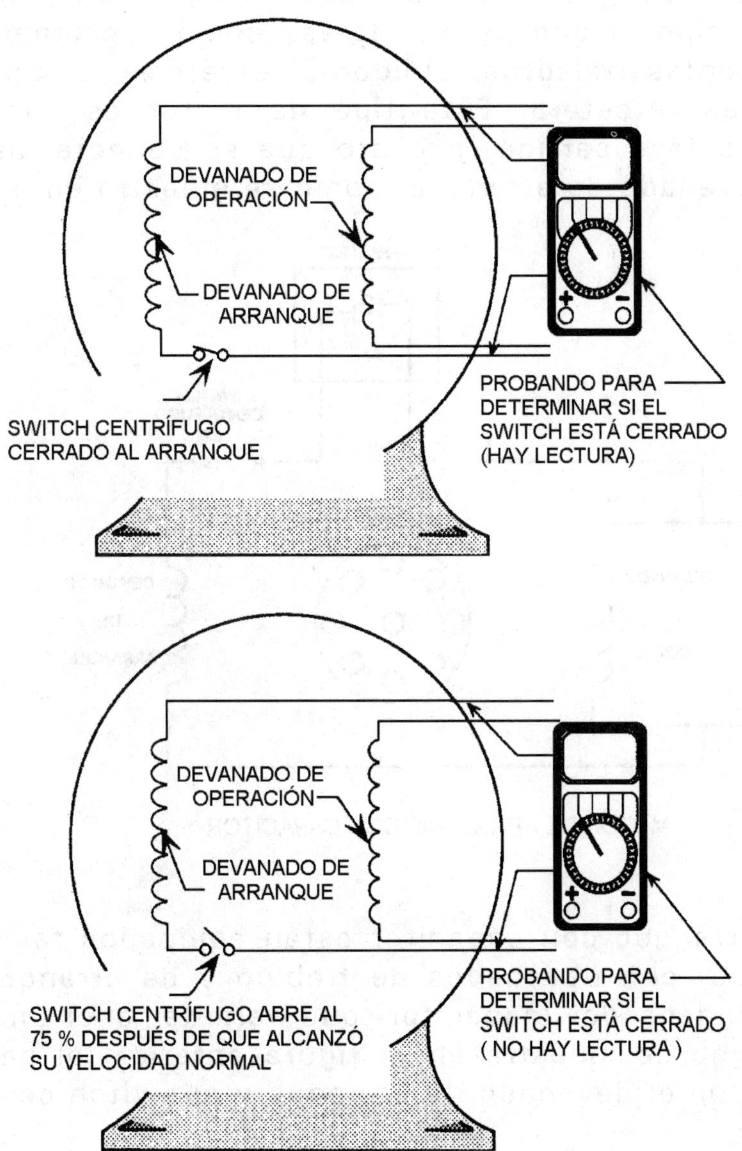

EL ARRANQUE EN LOS MOTORES DE FASE PARTIDA ES PRODUCIDO POR UN SWITCH CENTRÍFUGO QUE ABRE Y CIERRA

LA MOTORES DE ARRANQUE CON CAPACITOR.

Estos motores son monofásicos de C.A., cuyo rango va desde fracciones de HP hasta 15 HP. Se usan ampliamente en muchas aplicaciones de tipo monofásico, tales como accionamiento de máquinas herramientas (taladros, pulidoras, etcétera), compresores de aire, refrigeradores, etcétera. Este tipo de motor es similar en su construcción al de fase partida, excepto que se conecta un capacitor en serie con el devanado de arranque, como se muestra en la figura:

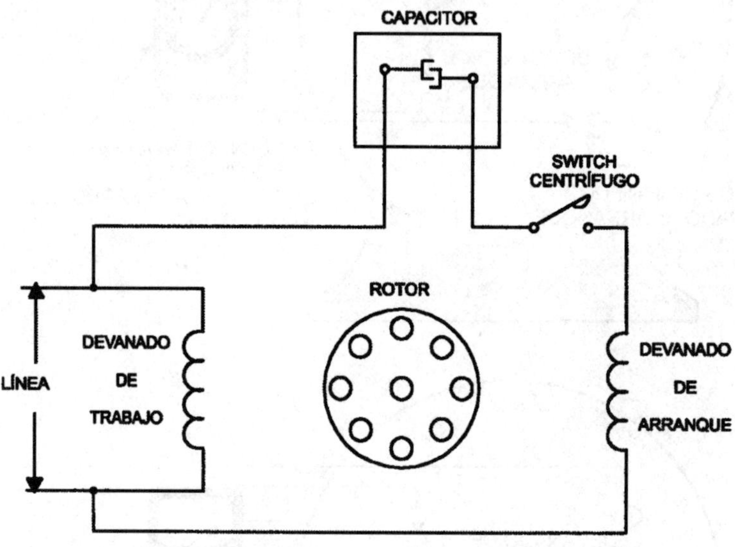

MOTOR DE ARRANQUE CON CAPACITOR

Los motores de arranque con capacitor están equipados también como los de fase partida, con devanados de trabajo y de arranque, pero el motor tiene un condensador (capacitor) que permite tener un mayor par de arranque. Como se muestra en la figura anterior, el capacitor se conecta en serie con el devanado de arranque y el switch centrífugo.

La corriente en el devanado de arranque que es liberada por el capacitor, se adelanta al voltaje en el devanado de trabajo, obteniendo de esta manera un desplazamiento angular mayor entre los devanados. Lo que proporciona un incremento en el par de arranque del motor. Para tener una idea de la magnitud de dicho par; un motor de fase partida con capacitor, tiene un par dos veces mayor que el motor de fase partida sin capacitor.

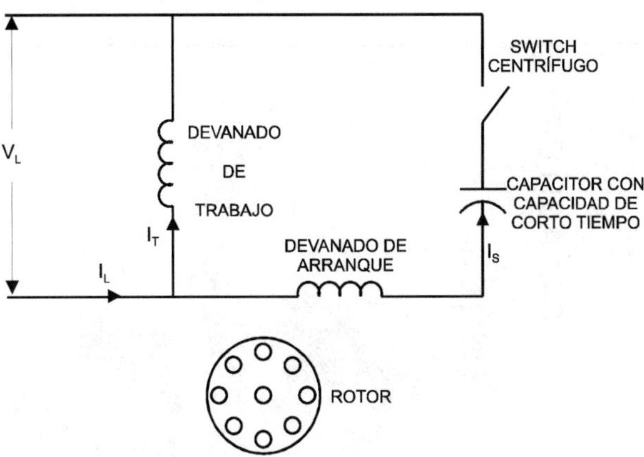

DIAGRAMA ESQUEMÁTICO DE LOS DEVANADOS DE UN MOTOR
DE C.A. MONOFÁSICO DE ARRANQUE CON CAPACITOR

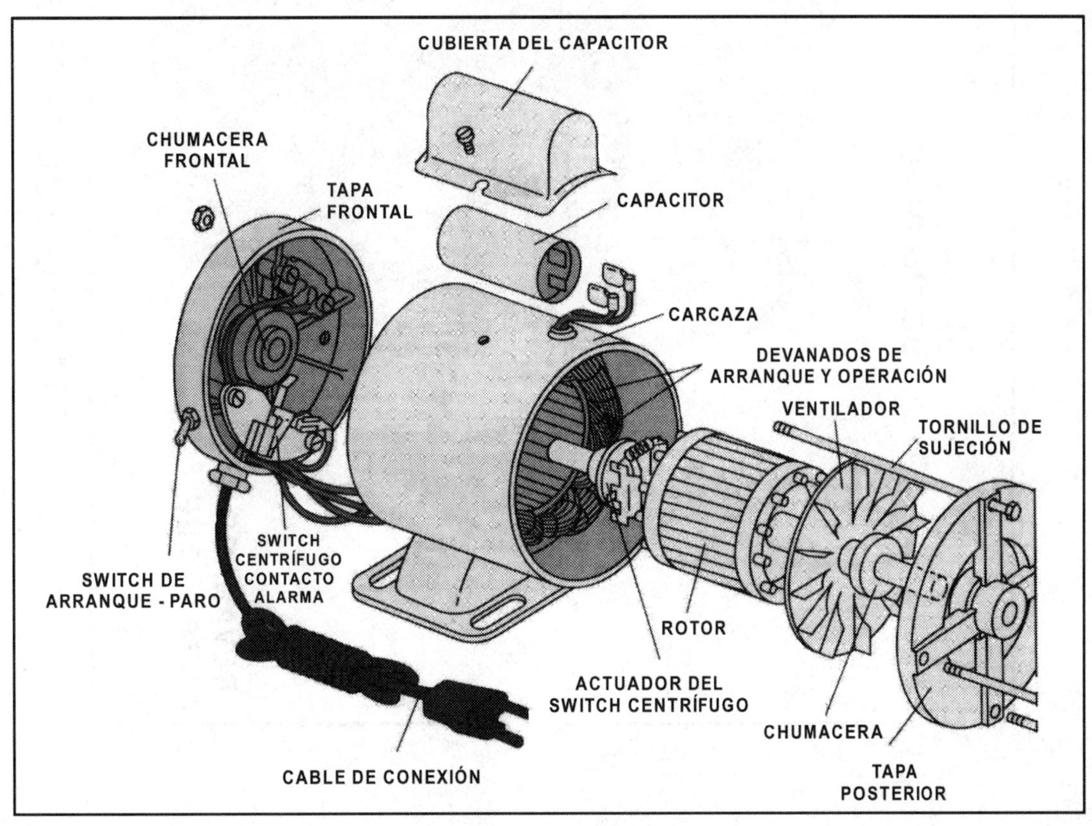

MOTOR DE FASE PARTIDA

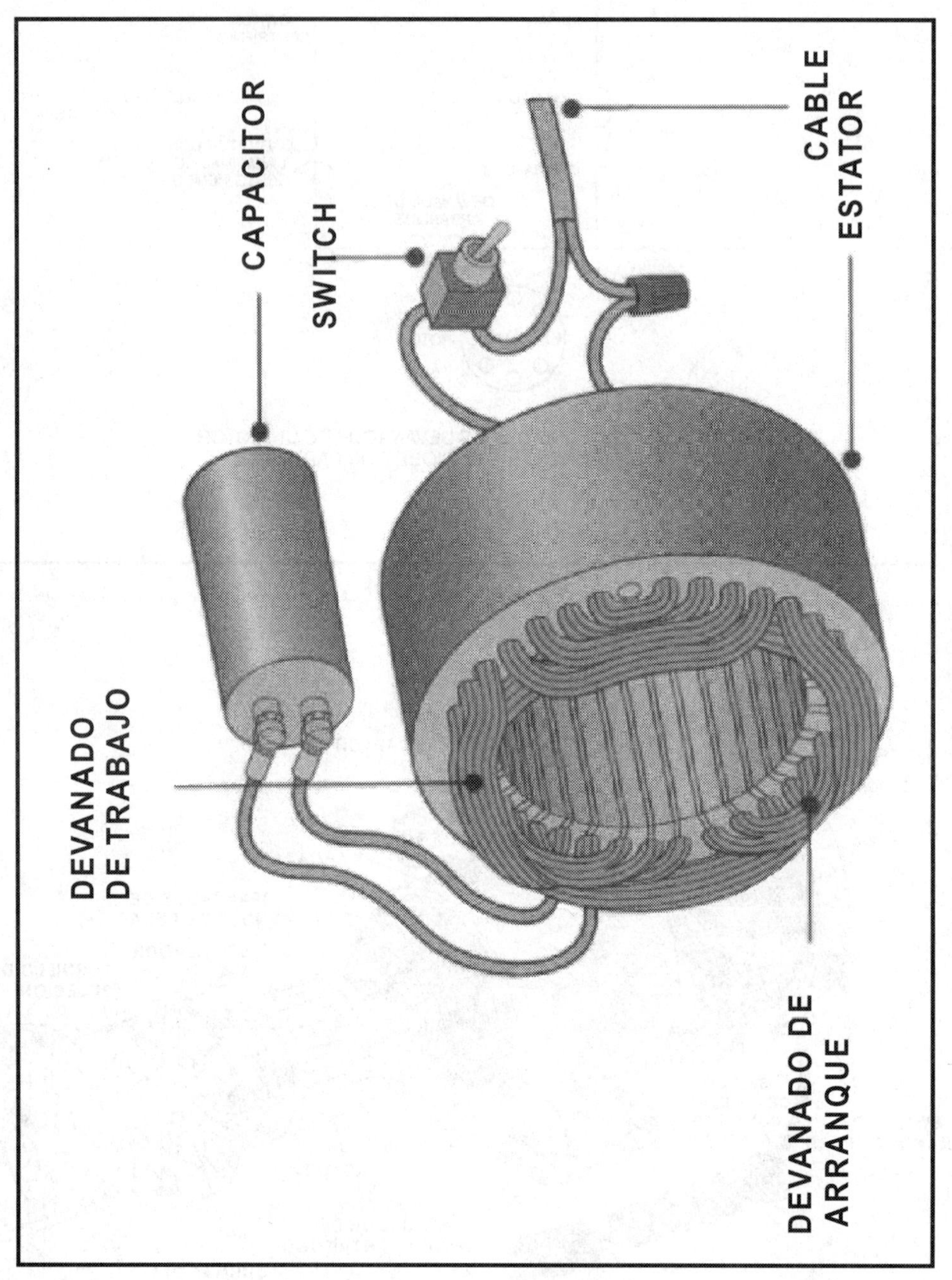

MOTOR DE FASE PARTIDA

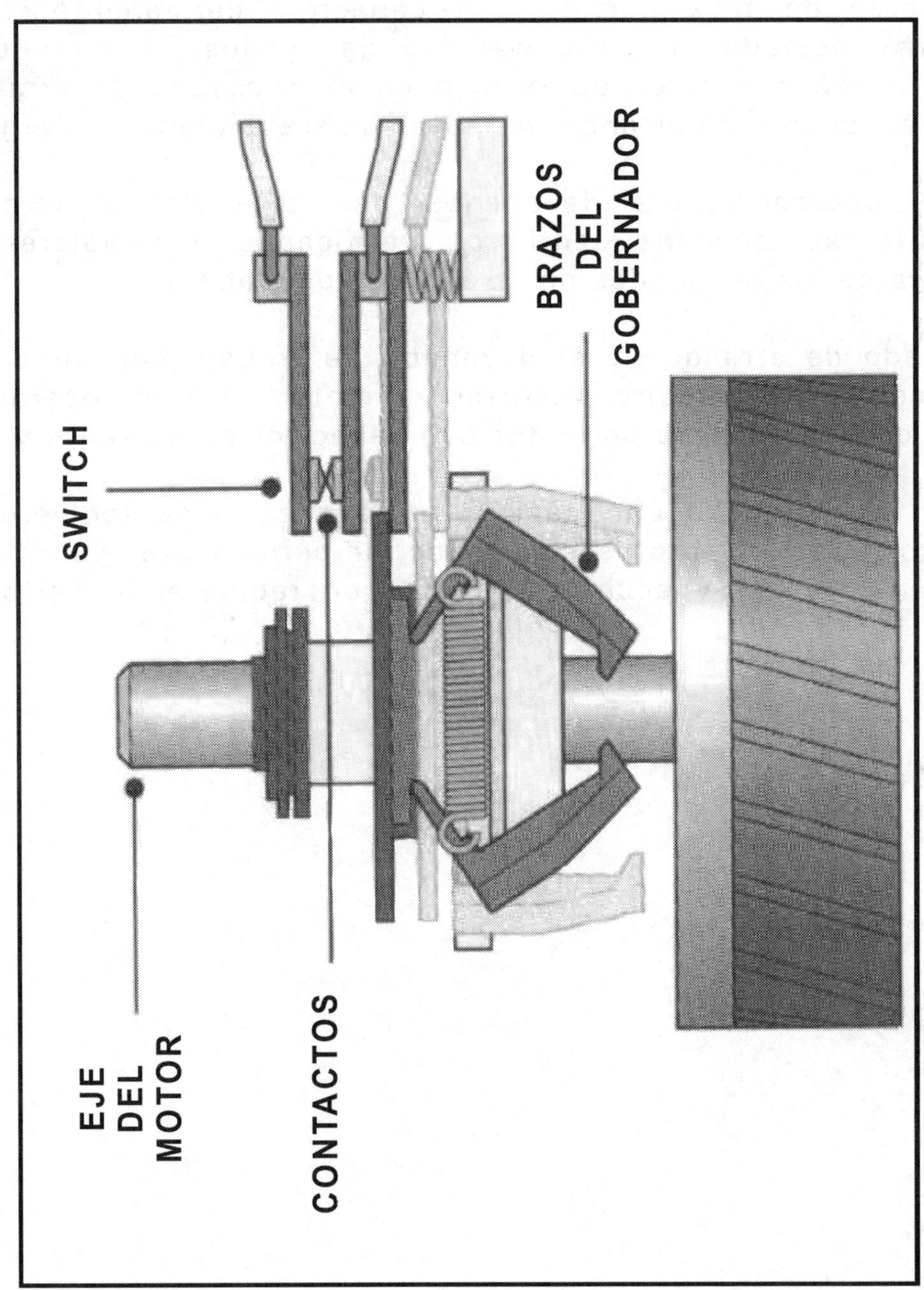
BRAZOS
DEL
GOBERNADOR
SWITCH
EJE
DEL
MOTOR
CONTACTOS

MOTORES DE FASE PARTIDA CON CAPACITOR PERMANENTE.

Los motores de fase partida con capacitor permanente, usan un capacitor conectado en serie con los devanados de arranque y de trabajo. El capacitor crea un retraso en el devanado de arranque, el cual es necesario para arrancar el motor y para accionar la carga.

En caso necesario, los devanados de un motor con capacitor permanente se pueden identificar verificando los valores de la resistencia de los devanados de arranque y de trabajo.

El devanado de arranque y el devanado de trabajo con su capacitor, permanecen en el circuito mientras el motor está en operación. La principal diferencia entre un motor con capacitor permanente y

un motor de arranque con capacitor, es que no se requiere switch centrífugo para los motores con capacitor permanente. Estos motores no pueden arrancar y accionar cargas que requieren un alto par de arranque.

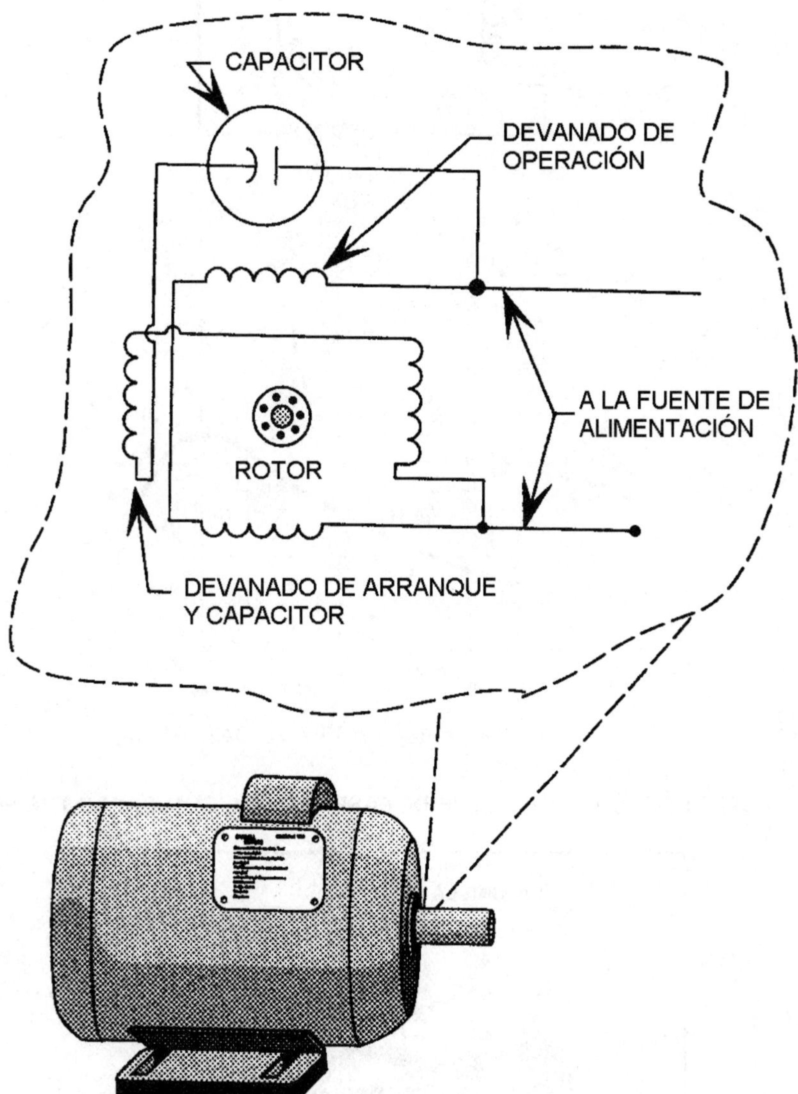

MOTOR DE FASE PARTIDA CON CAPACITOR PERMANENTE

LOS MOTORES DE FASE PARTIDA CON CAPACITOR PERMANENTE NO REQUIEREN DE SWITCH CENTRÍFUGO YA QUE EL CAPACITOR NO SE RETIRA NUNCA DEL CIRCUITO

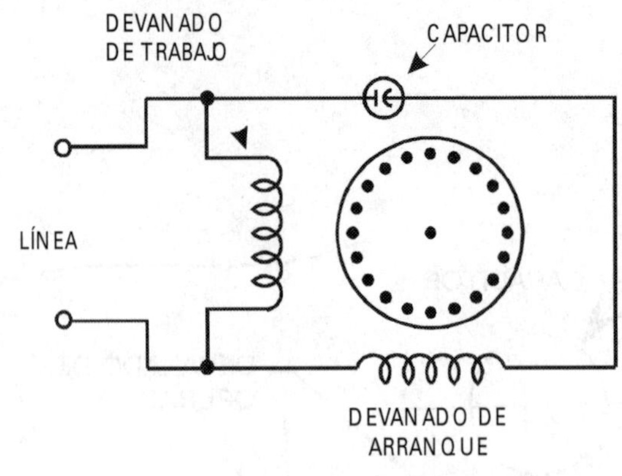

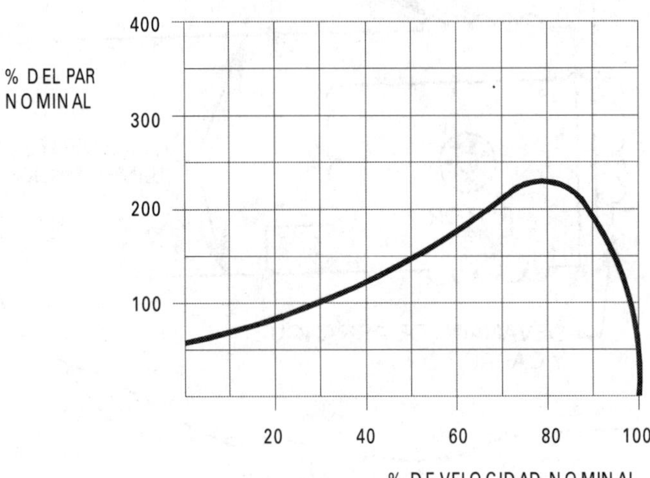

DIAGRAMA Y CARACTERÍSTICAS DE UN MOTOR DE FASE PARTIDA CON CAPACITOR PERMANENTE

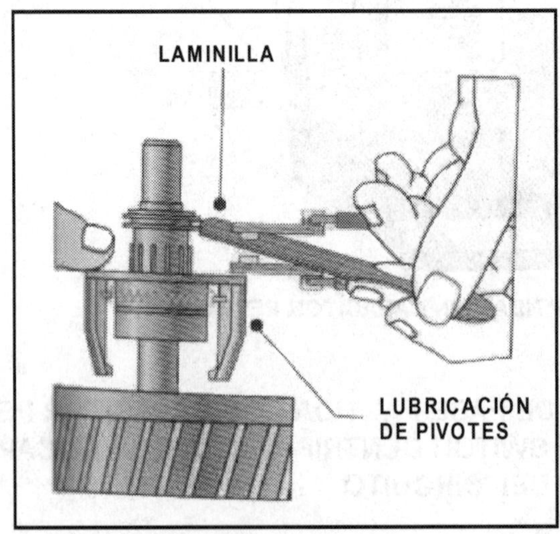

SWITCH CENTRÍFUGO

Si se mantiene en posición abierta, el motor no puede girar y si se queda cerrado, el motor se para en forma inmediata después de arrancar. Entonces, se debe verificar que no hallan contactos sucios o mecanismos atorados.

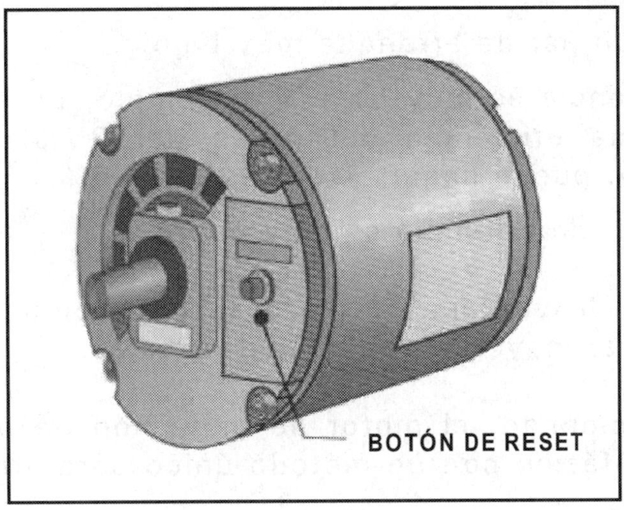

PROTECCIÓN MANUAL DE SOBRECARGA

Los motores tienen un botón de reset que permite arrancar un motor parado. Cuando el botón de reset es interno en el electrodoméstico, se debe apagar antes de intentar restablecer.

MOTOR DE POLOS SOMBREADOS.

Este tipo de motores es usado en casos específicos, como el de accionamiento de ventiladores o sopladores, que tienen requerimientos de potencia muy bajos. Su rango de potencia está comprendido en valores desde 0.0007 HP hasta 1/4 HP y la mayoría se fabrica en el rango de 1/100 a 1/20 de HP.

La principal ventaja de estos motores es su simplicidad de construcción, su confiabilidad y su robustez, además, tienen un bajo costo.

A diferencia de otros motores monofásicos de C.A., los motores de fase partida no requieren de partes auxiliares (capacitores, escobillas, conmutadores, etcétera) o partes móviles (switches centrífugos). Esto hace que su mantenimiento sea mínimo y relativamente sencillo.

Las principales desventajas de los motores de polos sombreados son:

- Tienen un par de arranque muy bajo.
- Su eficiencia es muy baja. Por ejemplo, un motor de 1/20 HP tiene una eficiencia del orden del 35%. Para motor más pequeño, puede llegar a ser hasta del 5%.
- Su factor de potencia es muy pobre.

A pesar de estas desventajas, cuando su aplicación es apropiada, las ventajas pueden ser mayores que las desventajas.

Como se ha mencionado, el motor de inducción de polos sombreados es un motor monofásico con un método único para arrancar la rotación del rotor.

El efecto de un campo magnético móvil es producido por la construcción del estator en una forma especial.

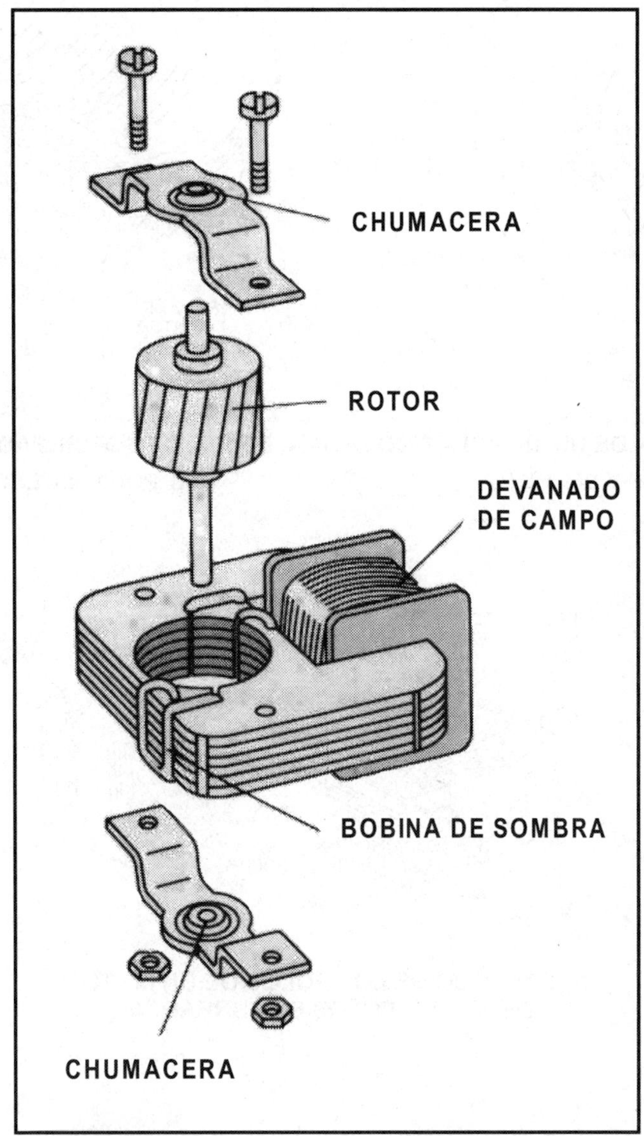

MOTOR DE POLOS SOMBREADOS

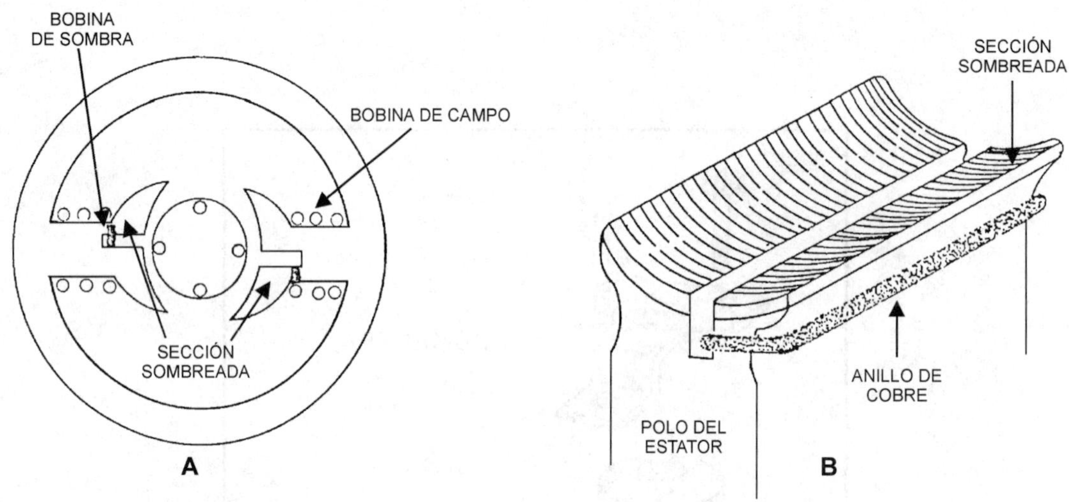

CONSTRUCCIÓN DE UN MONOFÁSICO DE C.A. DE POLOS SOMBREADOS

A. VISTA DEL ESTATOR Y DEL ROTOR B. POLO DEL ESTATOR

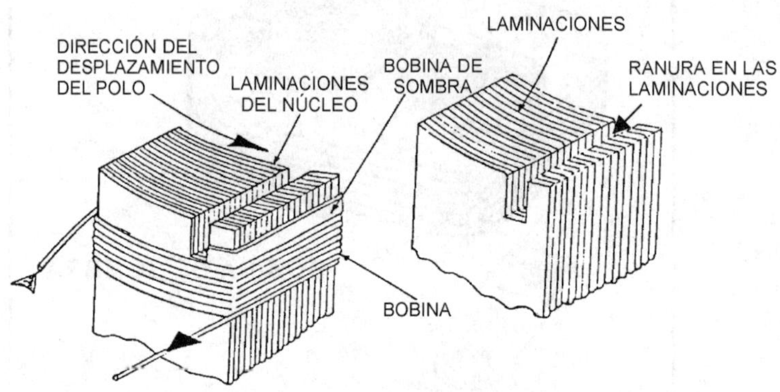

SOMBREADO DE LOS POLOS DE UN MOTOR DE C.A. DE POLOS SOMBREADOS

Las porciones de las superficies de la pieza polar están rodeadas por una tira o espira gruesa de cobre denominada ***"La bobina de sombra".***

La tira de cobre produce que el campo se mueva hacia atrás y pase a través de la cara de la pieza polar.

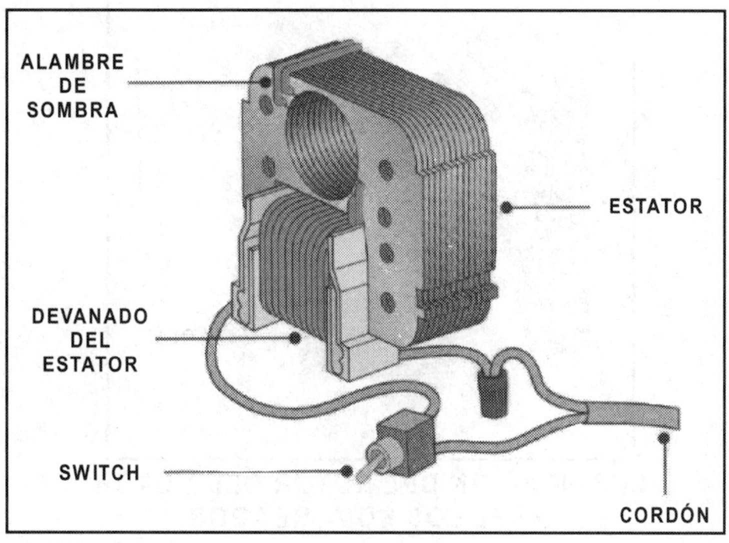

ASPECTOS DEL MANTENIMIENTO DE MOTORES

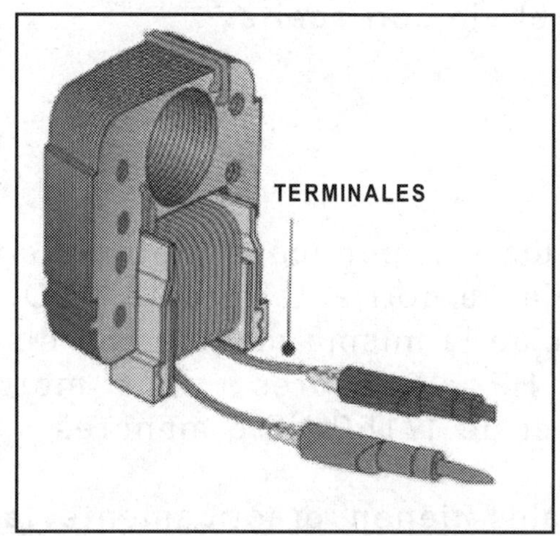

PRUEBA DE CONTINUIDAD EN MOTORES DE POLOS SOMBREADOS

Para probar la continuidad en un motor de polos sombreados, se debe desenchufar primero del electrodoméstico y haciendo uso de un multímetro se aplican a las terminales de los devanados. Si la lectura indica (en la escala de ohms) infinito, significa que el motor tiene falla y hay que reemplazarlo.

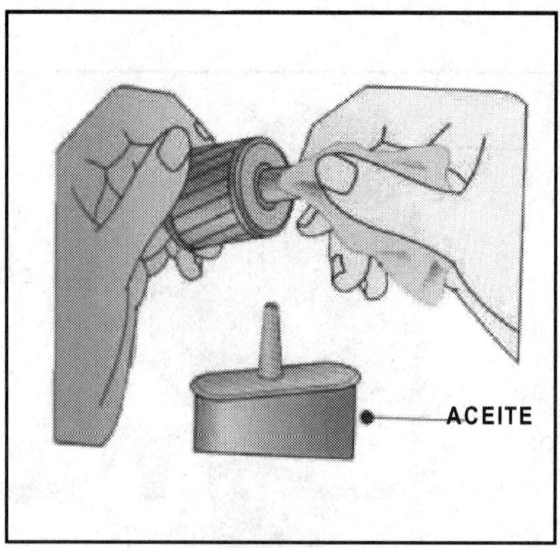

LUBRICACIÓN DEL ROTOR DEL MOTOR DE POLOS SOMBREADOS

Para lubricar el rotor de un motor de polos sombreados, se retira el rotor del campo, se limpia la suciedad, corrosión, con un limpiador eléctrico y se lubrica el eje con aceite.

MOTORES UNIVERSALES.

Los motores universales son pequeños motores con devanado en serie, que operan con voltaje de corriente directa (C.D.) o de alterna (C.A.), y se deben comportar de la misma manera. Se diseñan y construyen en tamaños de 3/4 de HP o menores. Los motores universales tipo fraccionario pueden ser de 1/150 HP o menores.

Los motores universales tienen prácticamente la misma construcción que los de C.D., ya que tienen un devanado de campo y una armadura con escobillas y conmutador. El conmutador mantiene a la armadura girando a través del campo magnético del devanado de campo. También cambia el flujo de corriente con relación al devanado de campo y la armadura, es decir, cumple con una función de empujar y jalar; esta acción está creada por los polos norte y sur de los devanados de campo y armadura.

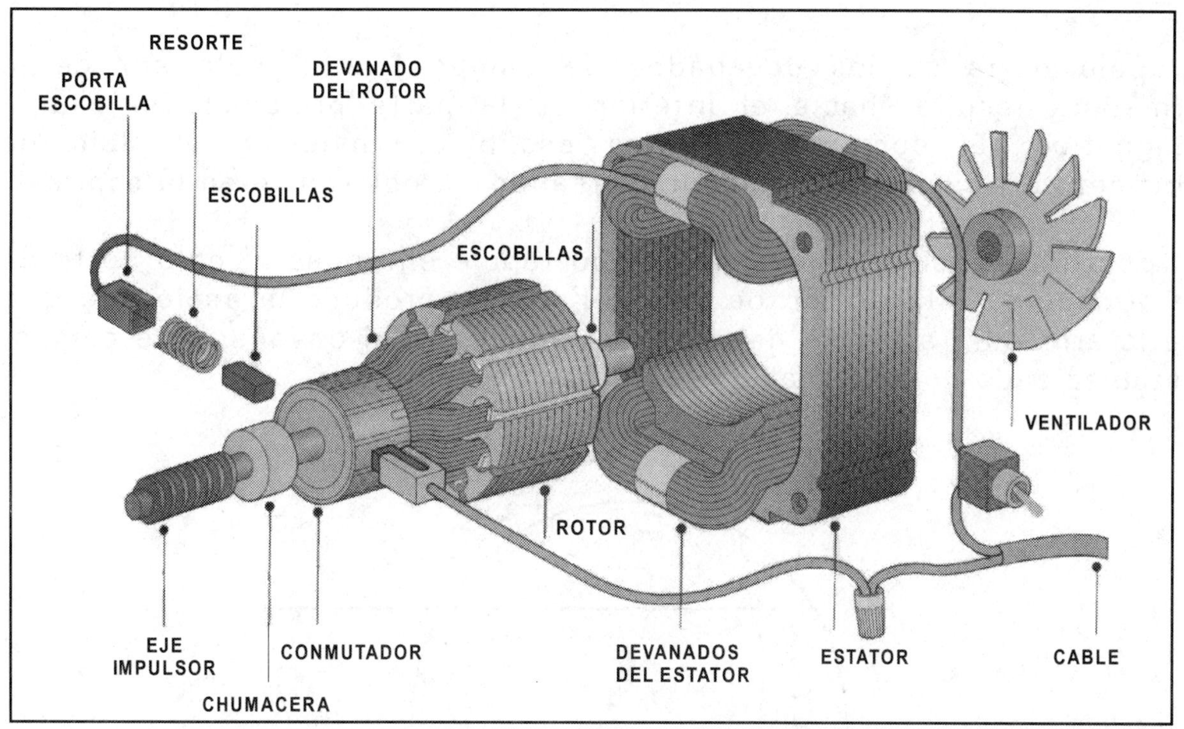

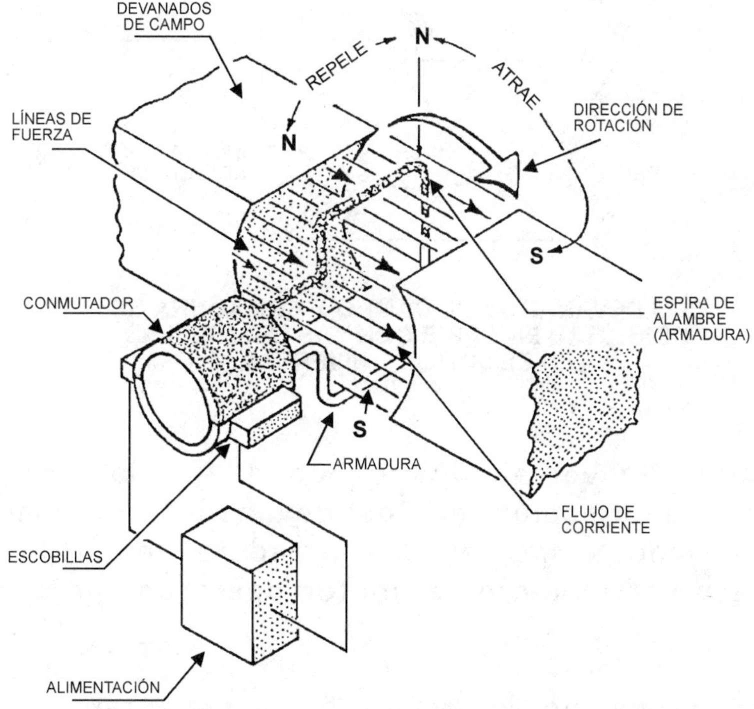

UN MOTOR UNIVERSAL TIENE DEVANADO DE CAMPO, UN CONMUTADOR Y LA ESPIRA DE ALAMBRE QUE REPRESENTA LA ARMADURA

El polo norte de los devanados de campo jala al polo sur de la armadura (espira) hacia el interior de la parte principal del campo magnético. El conmutador y las escobillas invierten el flujo de corriente a través de la armadura, creando un polo norte en la espira.

El polo norte del devanado de campo repele entonces al polo norte de la armadura. Esta acción de empujar y jalar produce la acción de giro de la armadura a través del campo magnético del devanado de campo, estableciendo de esta manera la operación del motor.

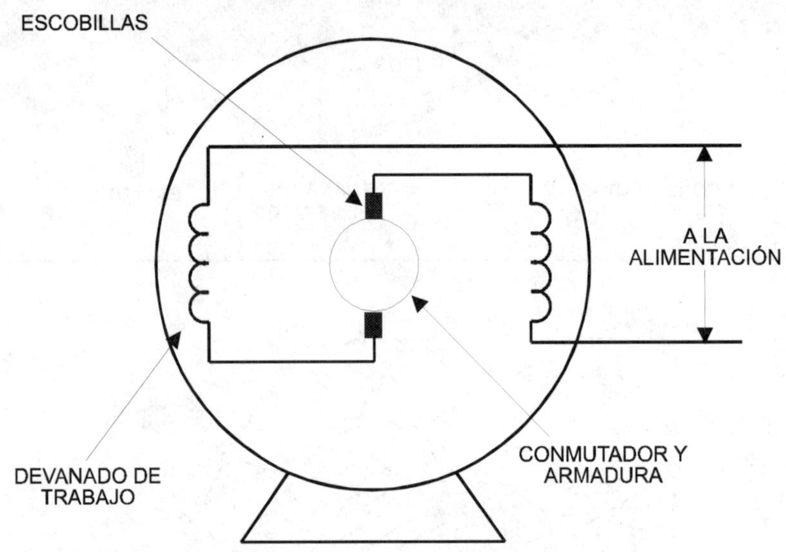

LOS DEVANADOS DE CAMPO Y ARMADURA SE CONECTAN EN SERIE CON LAS ESCOBILLAS EN EL MOTOR UNIVERSAL

Cuando el motor universal opera con C.A., la corriente cambia constantemente de dirección en los devanados de campo. Tanto el devanado de campo como el de armadura invierten la corriente simultáneamente, por lo tanto, el motor opera en forma similar a uno de inducción.

Los devanados de campo y armadura se conectan en serie en los motores tipo universal.

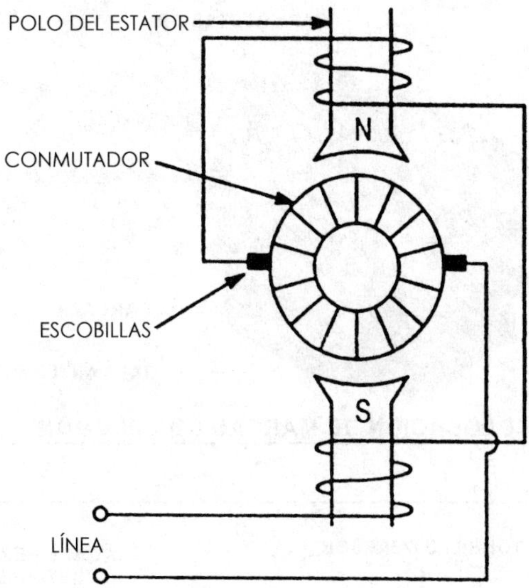
POLO DEL ESTATOR
N
CONMUTADOR
ESCOBILLAS
S
LÍNEA

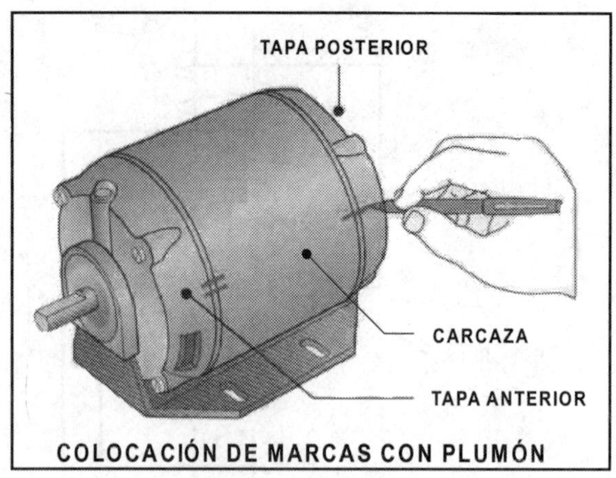

COLOCACIÓN DE MARCAS CON PLUMÓN

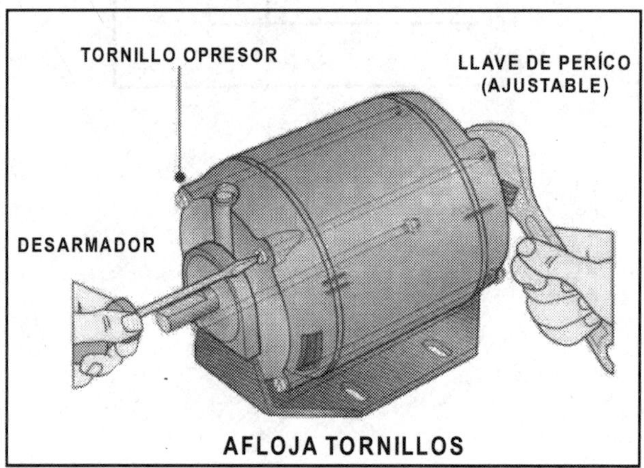

AFLOJA TORNILLOS

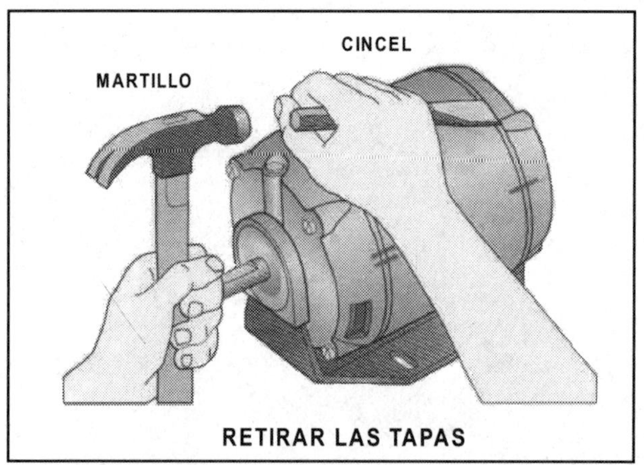

RETIRAR LAS TAPAS

PROCEDIMIENTO PARA DESARMADO DE MOTORES

PROBLEMAS EN MOTORES DE TIPO UNIVERSAL

Algunos problemas de mantenimiento en los motores eléctricos de tipo universal, usados en aparatos electrodomésticos se indican a continuación.

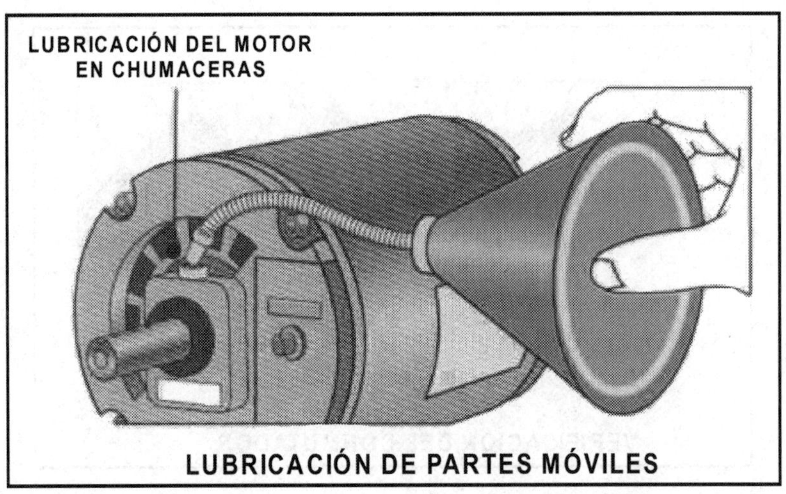

LUBRICACIÓN DE PARTES MÓVILES

Lubricación de las partes móviles generalmente se hace con aceitera usando aceite de designación SAE 10 ó 20 aplicando en las chumaceras en los extremos del motor a través de aceiteras localizadas para tal fin.

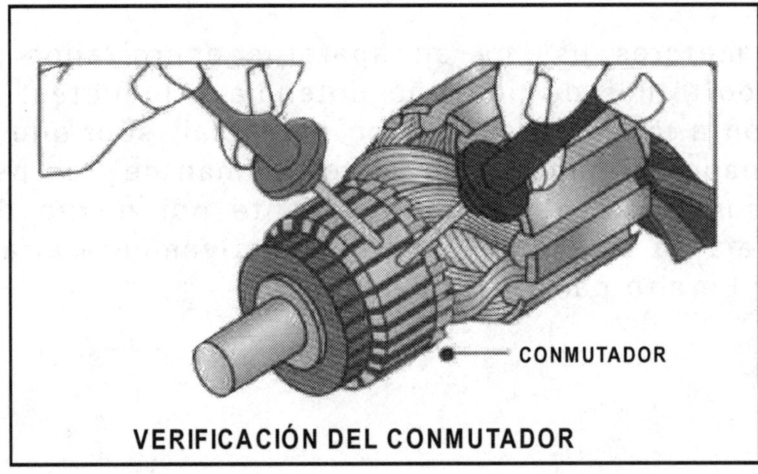

VERIFICACIÓN DEL CONMUTADOR

La verificación entreabras del conmutador se puede hacer con un multímetro, colocando las puntas de prueba entre barras adyacentes. Las lecturas deben ser similares. Un valor inusual elevado de ohms puede indicar un circuito abierto. Una lectura cero, indica un corto.

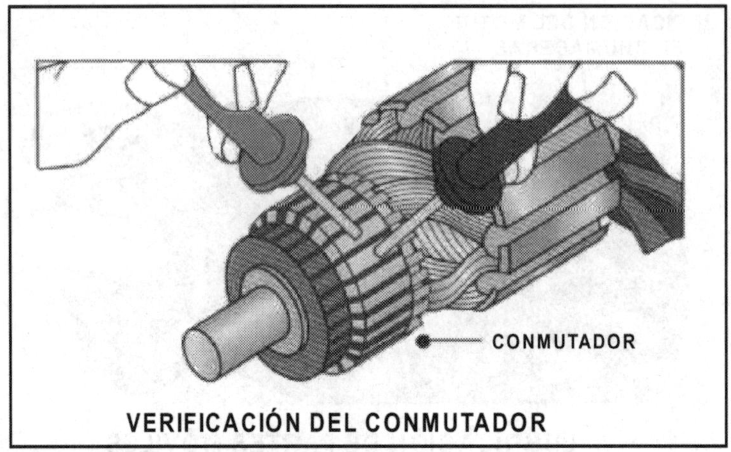

VERIFICACIÓN DEL CONMUTADOR

Se debe ajustar el multímetro en la escala baja y se aplican las puntas de prueba en las terminales de los devanados o bobinas: un elevado valor de ohms ó lectura infinito indica circuito abierto.

MOTORES DE CORRIENTE DIRECTA.

Este tipo de motores usados en aparatos energizados por baterías, herramientas portátiles de pequeña potencia y juguetes, es similar en su construcción a los motores de tipo universal, sólo que el estator no tiene un devanado de campo y consiste de imán de tipo permanente, la corriente se suministra al rotor únicamente por medio de escobillas, tienen la ventaja de tener una potencia relativamente alta con relación a su tamaño y un alto par a baja velocidad.

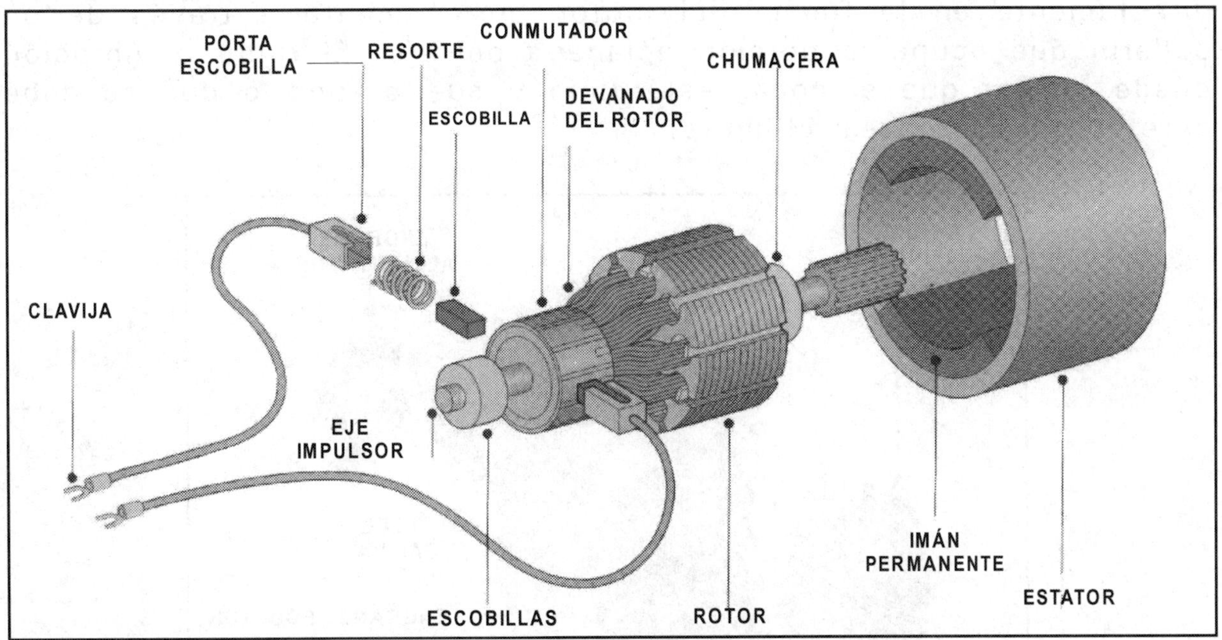

MECANISMOS DE ACCIONAMIENTO EN LOS APARATOS ELECTRODOMÉSTICOS

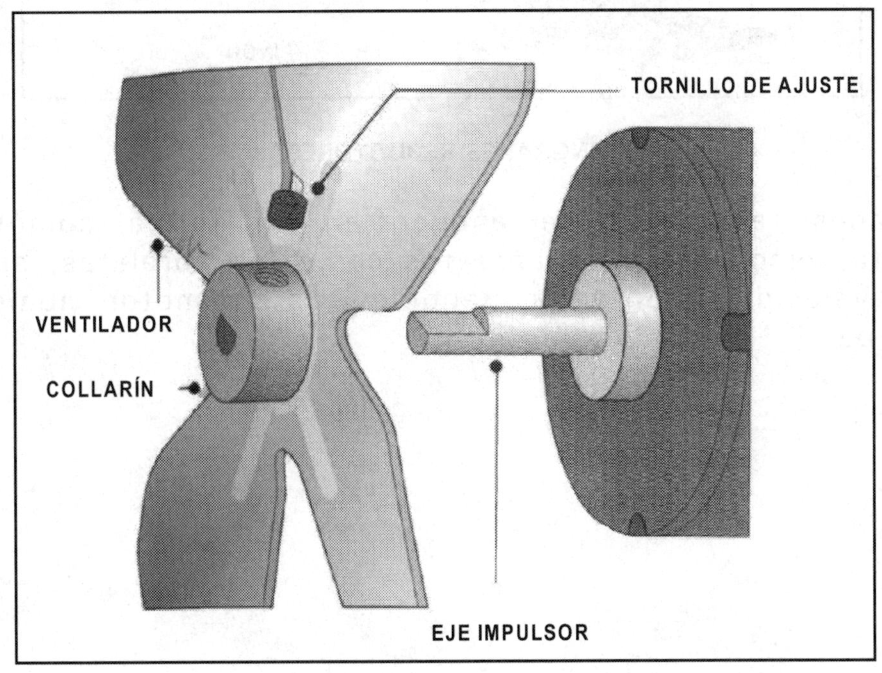

ACOPLAMIENTO DIRECTO

Algunas partes, tales como las hélices de los ventiladores, se montan directamente en la flecha del motor, normalmente a través de un collarín que ocupa la porción aplanada del eje. El ruido o vibración puede indicar que el collar está flojo o suelto, por lo que se debe apretar, sin sobrepasar el límite.

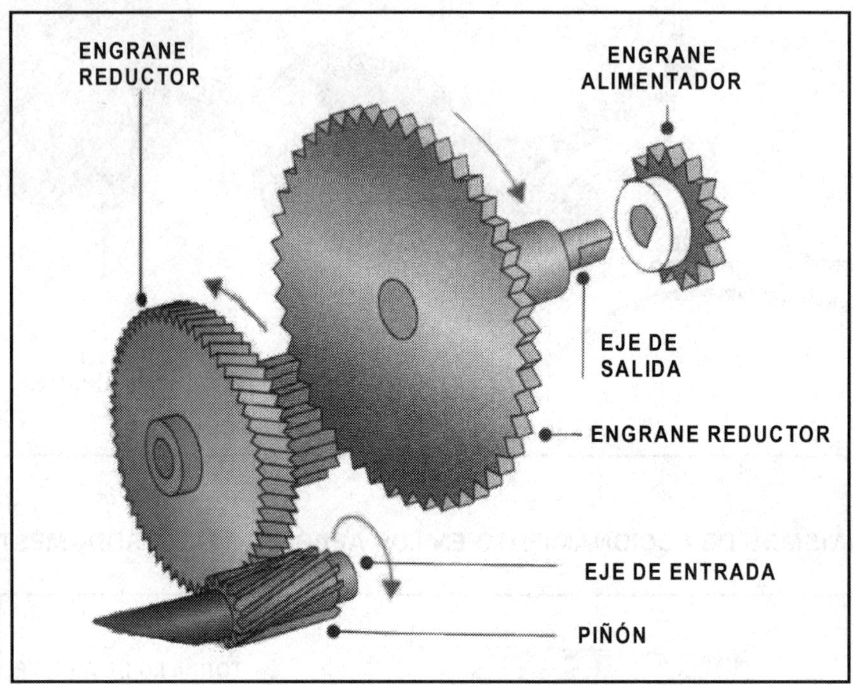

ENGRANES REDUCTORES

Los engranes reductores se encuentran en forma común en las herramientas eléctricas y en aparatos como los abrelatas, sirven para reducir la velocidad a un valor menor que la del motor, aumentando a cambio el par.

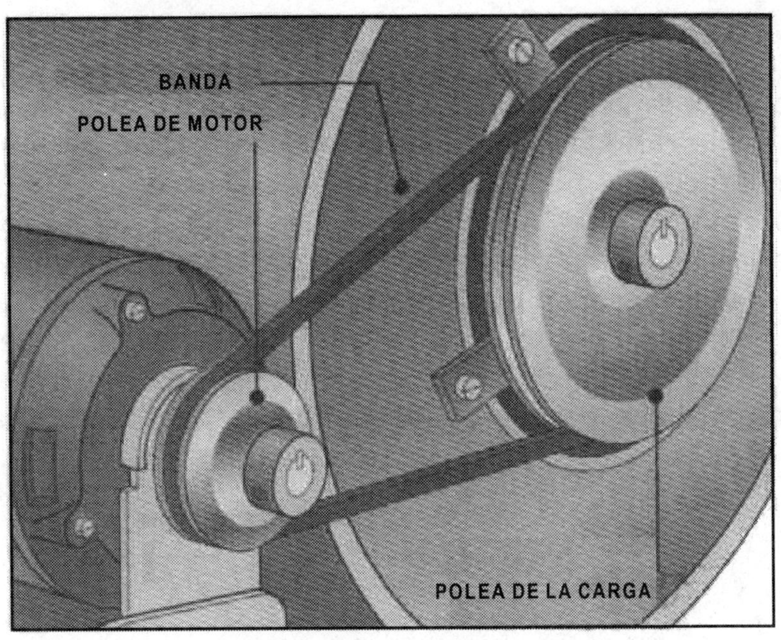

MECANISMOS ACCIONADORES

ACCIONAMIENTO POR BANDA Y POLEA

Las poleas y bandas de accionamiento transfieren potencia en los electrodomésticos mayores, tales como: máquinas lavadoras y ventiladores. Las poleas se montan en el eje del motor.

1.14 MEDIDAS DE SEGURIDAD EN LA INSPECCIÓN.

Para resistores conectados en serie, el hecho de que se encuentren adyacentes no significa

Si se tiene sospecha de que un motor tiene algún tipo de falla, es **necesario desconectarlo** antes de tocarlo o al electrodoméstico que lo contiene, en caso de que no tenga clavija, o si al tocar la clavija se puede poner uno en contacto con agua, entonces se debe desconectar el circuito desde el desconectador o interruptor, o bien remover el fusible que lo controla. Antes de hacer una revisión o servicio a un motor, se debe desconectar de su fuente de alimentación. **Nunca se debe trabajar** sobre un motor en un área mojada o con humedad.

Cuando se tengan que hacer pruebas que requieran electricidad, se debe colocar el motor sobre una superficie aislante seca tal como madera o una placa de hule.

Un motor eléctrico que este húmedo se debe secar antes de darle servicio o ponerlo en operación. Para secar un motor se debe colocar en un horno y ajustarlo a la mínima temperatura (no mayor de 65 °C) y dejar la puerta abierta hasta que el motor no emita vapor **se deben descargar los capacitores.** Antes de dar servicio a un motor, ya que los capacitores almacenan energía y pueden producir un shock aun cuando el motor este desenergizado. **Cuando se reinstala** un motor se debe estar seguro que la conexión a tierra se haga antes de su energización.

Antes de arrancar un motor se debe asegurar que las poleas y cadenas (en su caso) esten bien aseguradas, y se deben mantener, ropa, herramientas, manos y cabello fuera de su trayectoria de movimiento.

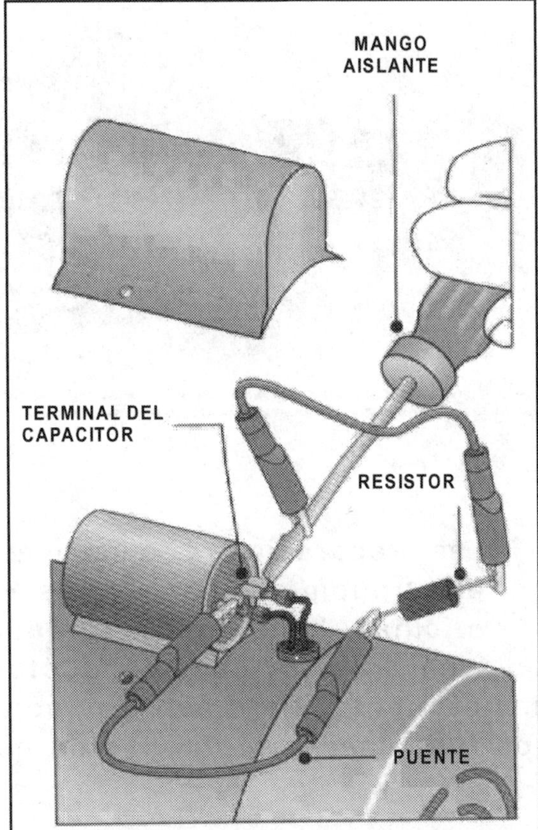

DESCARGADO DEL CAPACITOR

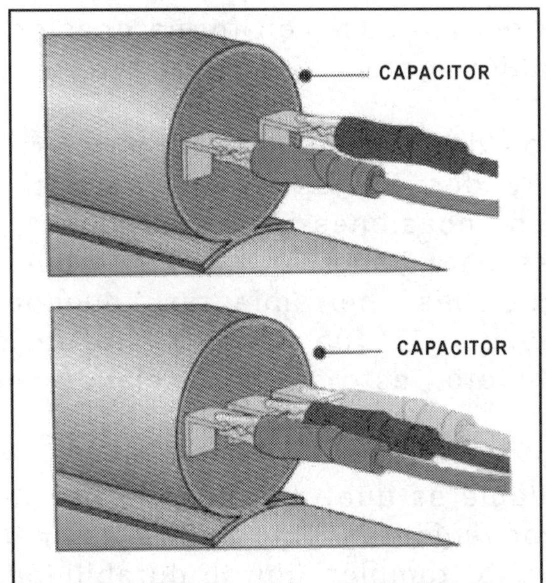

VERIFICANDO SI UN CAPACITOR ESTÁ DESCARGADO

LAS HERRAMIENTAS EN LA REPARACIÓN DE APARATOS ELECTRODOMÉSTICOS

2.1 INTRODUCCIÓN

Las reparaciones eléctricas en los aparatos electrodomésticos y otros equipos en casas y oficinas, hacen necesario que se tengan ciertos conocimientos básicos del trabajo con conductores, conectores y motores eléctricos principalmente. Para esto, es conveniente hacer una revisión de los aspectos fundamentales del uso de herramientas y de su correcta aplicación.

Muchas de las herramientas que se requieren para el trabajo eléctrico y la reparación de aparatos electrodomésticos incluyen como uso fundamental las pinzas, desarmadores, navaja de electricista y algunos probadores, cosas que se podrían considerar como el juego de herramientas básicas en una casa; en forma ocasional se podría requerir de equipo para soldadura ligera.

De hecho, la selección de herramientas es en cierto modo una cosa de tipo personal, no hay dos juegos de herramientas profesionales que sean idénticos y en ocasiones dos personas pueden seleccionar herramientas distintas para hacer un mismo trabajo. Por otra parte, se debe considerar que las herramientas pueden tener un costo relativamente elevado, por lo que normalmente no se compra un juego de herramientas completo, ésto se va haciendo en la medida que se requieran.

Un aspecto recomendable es que, aún cuando las herramientas de mano sean costosas, es conveniente comprar las de mejor calidad, no sólo porque dan un mejor uso, también por su durabilidad.

En las siguientes figuras, se muestran algunas de las herramientas comunes que pueden formar parte de un **"estuche o caja de herramientas"** para reparaciones eléctricas y de aparatos electrodomésticos.

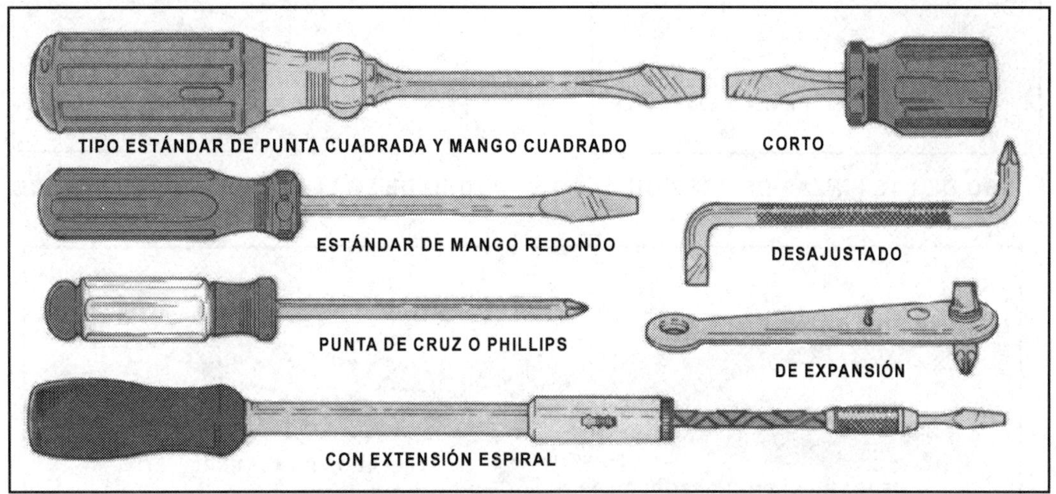

DISTINTOS TIPOS DE DESARMADORES (DESTORNILLADORES)

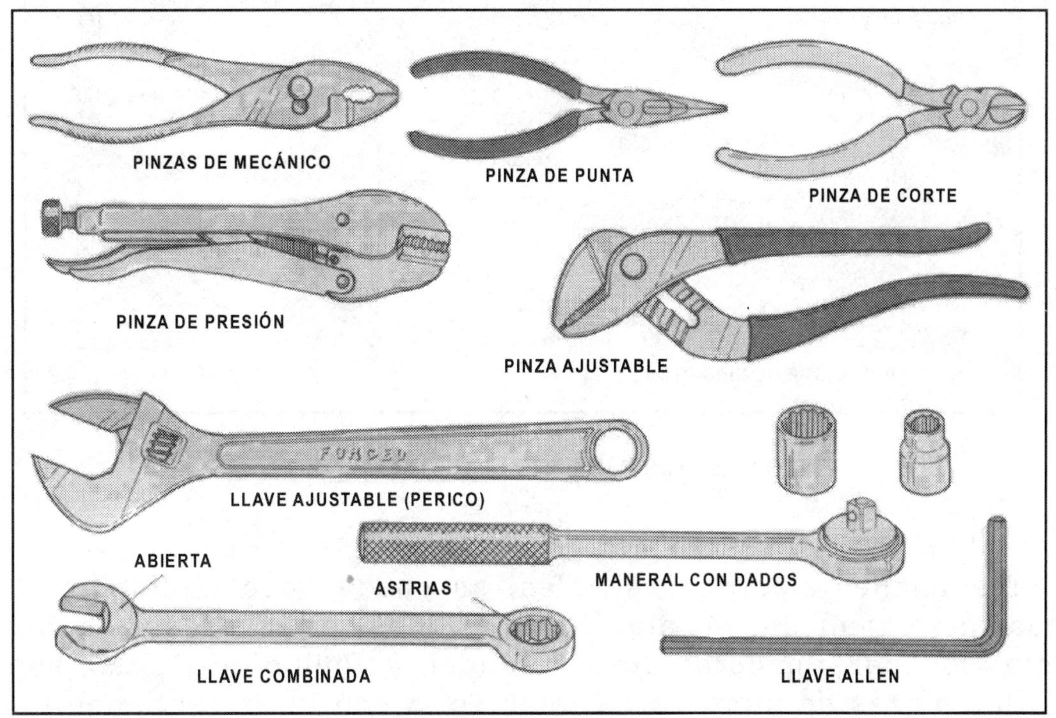

DISTINTO TIPO DE LLAVES

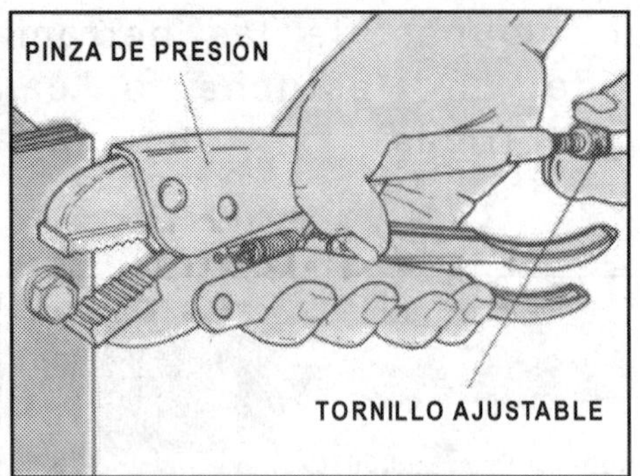

USO DE LAS PINZAS DE PRESIÓN

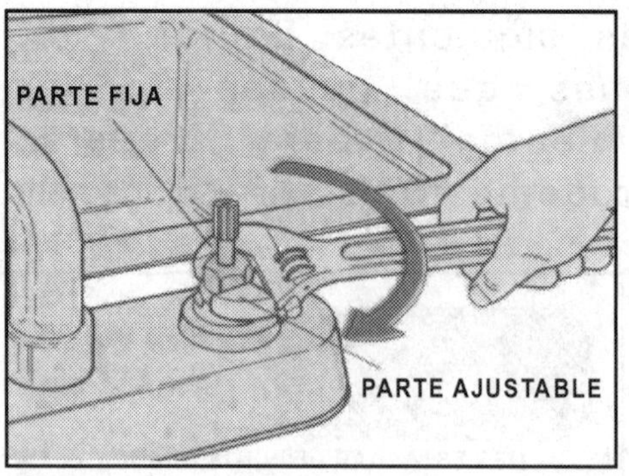

USO DE LA LLAVE AJUSTABLE (PERICO)

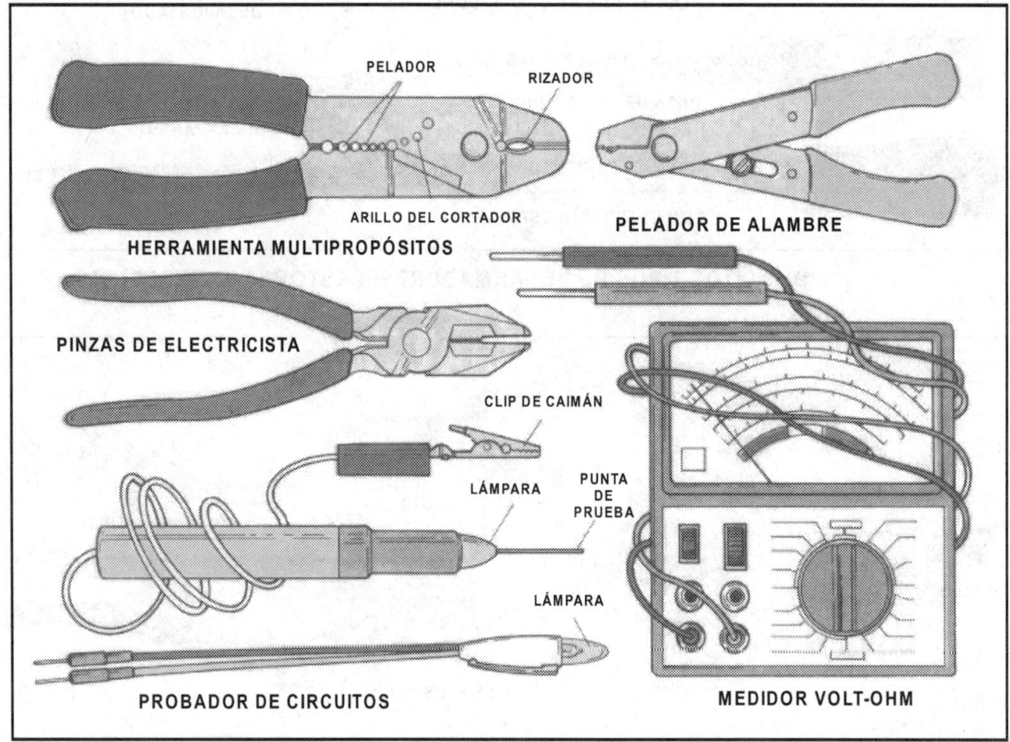

HERRAMIENTAS PARA REPARACIONES ELÉCTRICAS

Para reparaciones eléctricas simples, se pueden necesitar herramientas básicas, pero también, en algunas ocasiones, otras especializadas. Por ejemplo, los desarmadores tipo Estándar y Phillip (de cruz) son muy útiles, las pinzas de punta larga también lo son (preferentemente con el mango aislado) para doblar alambres en forma de lazos, las pinzas de corte diagonal, para cortar alambres, las llaves allen, etc., éstas son algunas de las herramientas básicas que se deben complementar también **con algunos tipos de probadores.** Algunas de las herramientas mencionadas anteriormente, se indican a continuación, con una breve descripción de sus aplicaciones, pero por supuesto lo mejor es estar familiarizado con ellas prácticamente.

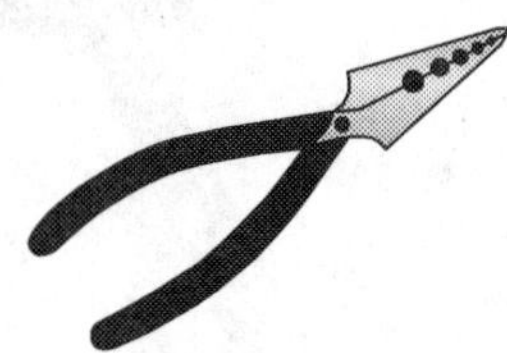

PINZA PELADORA: SIRVE PARA RETIRAR EL AISLAMIENTO DE CABLES Y CORDONES, Y EXISTEN DISTINTOS TIPOS DE ESTAS PINZAS.

LLAVE ESPAÑOLA: SIRVE PARA AFLOJAR O APRETAR TUERCAS EN SUPERFICIES PLANAS O LIBRES. **NO** SE RECOMIENDA SU USO PARA GOLPEAR TUERCAS.

LLAVE PERICO: SIRVE PARA AFLOJAR Y APRETAR TUERCAS EN SUPERFICIES PLANAS O LIBRES, SE DEBE APOYAR PARA SU USO EN LA MORDAZA FIJA.

PINZAS DE PUNTA: SE USA PARA LA EXTRACCIÓN DE ALAMBRES Y LA SUJECIÓN DE CONEXIONES. **NO** SE RECOMIENDA SU USO PARA APRETAR TUERCAS.

PINZAS DE MECÁNICO: SE USA PARA SUJETAR PIEZAS, SE RECOMIENDA EMPLEARLA EN TUERCAS DE ACABADO RÚSTICO.

PINZAS DE ELECTRICISTA: SE USA PARA EL CORTE DE ALAMBRES Y LA ELABORACIÓN DE CONEXIONES, NO SE RECOMIENDA SU USO PARA EL CORTE DE ALAMBRES ACERADOS O PARA GOLPEAR PIEZAS.

PINZAS DE PRESIÓN: ESTE ES UN TIPO ESPECIAL DE PINZAS, PERMITE SUJETAR TORNILLOS O TUERCAS QUE SE ENCUENTRAN DAÑADOS Y NO SE PUEDEN SUJETAR POR LLAVES ESPAÑOLAS, DE ASTRIAS O PERICO.

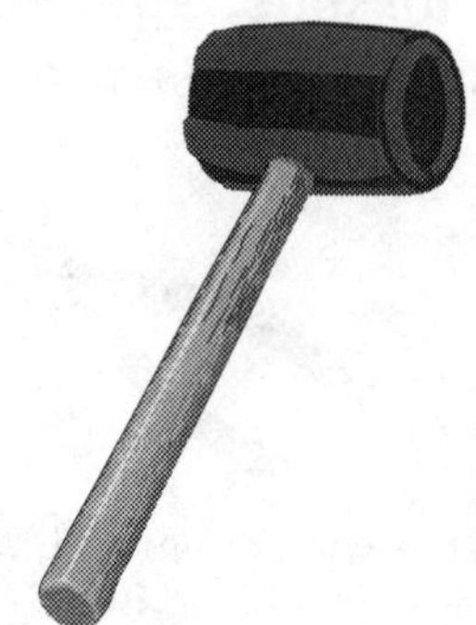

TIJERAS DE CORTE: SE USA PARA CORTAR CINTAS Y TELAS AISLANTES, ASÍ COMO PAPELES.

MAZO DE HULE: USADO PARA ACENTAR PARTES O DEVANADOS DE MOTORES. **NO** SE DEBE USAR PARA GOLPEAR

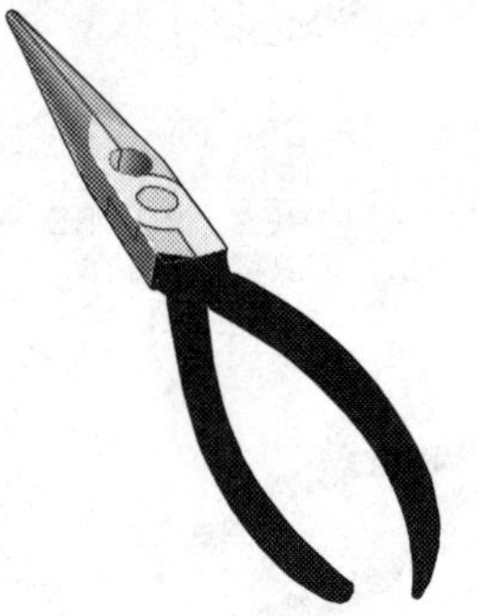

PINZAS DE PUNTA

PINZAS DE PUNTA CON AISLAMIENTO EN EL MANGO

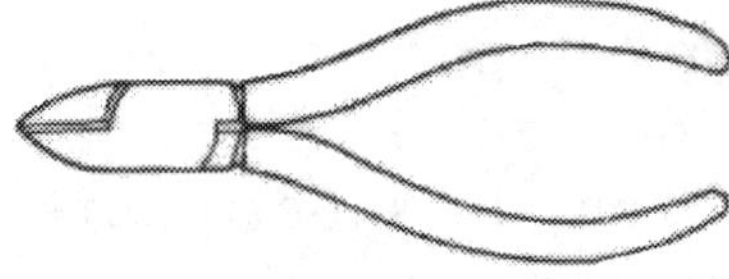

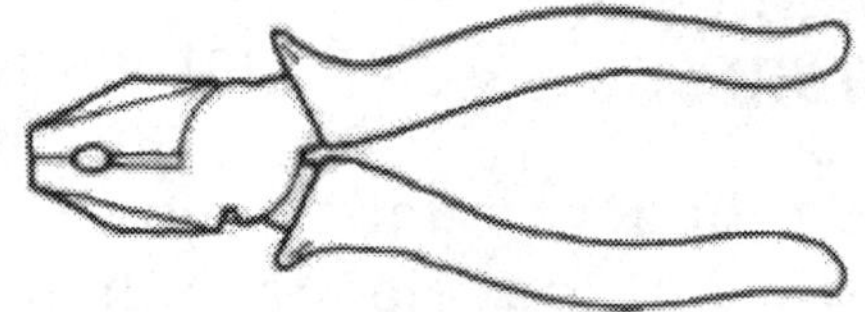

PINZAS DE CORTE DIAGONAL: USADAS PARA CORTAR ALAMBRE DE PEQUEÑA SECCIÓN.

PINZAS DE ELECTRICISTA

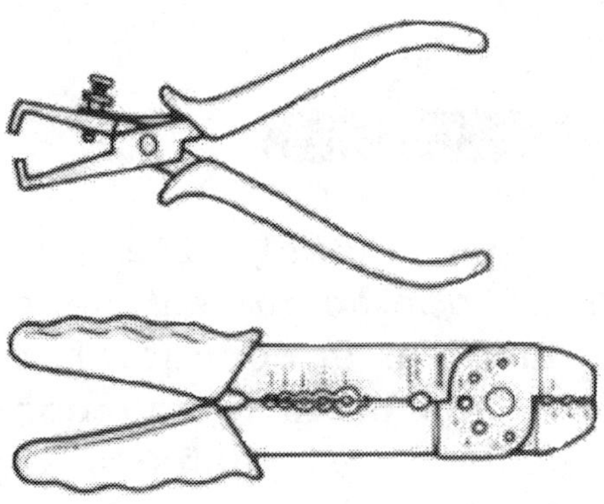

PELADERA DE ALAMBRE: ESTOS TIPOS DE PINZAS SIRVEN PARA RETIRAR EL AISLAMIENTO DE CABLES Y CORDONES, ES DE MULTIPROPÓSITOS.

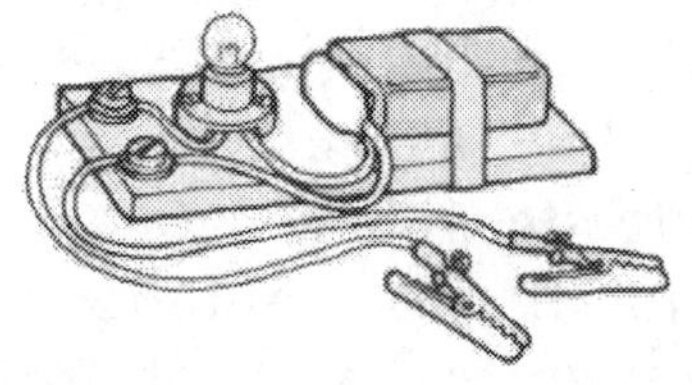

PROBADOR: ESTE ES UN PROBADOR DE CIRCUITOS QUE SIRVE PARA VERIFICAR QUE AÚN CUANDO ESTÉ DESNERGIZADO O APAGADO UN CIRCUITO, SE OBTENGA CERTEZA. TIENE UNA PEQUEÑA LÁMPARA EN EL MANGO QUE PRENDE CUANDO LA PUNTA DE DESARMADOR TOCA UNA PARTE VIVA O ALAMBRE ENERGIZADO. TIENE UN BOTÓN DE PRUEBA QUE SIRVE PARA VERIFICAR QUE ESTÁ EN BUEN ESTADO.

PROBADOR DE CONTINUIDAD: UN PROBADOR DE CONTINUIDAD PERMITE SABER CUANDO UN CIRCUITO ESTÁ COMPLETO O ALGUNA PARTE DE LA INSTALACIÓN O ALGÚN APARATO ESTÁ A TIERRA O CONECTADO A TIERRA EN FORMA APROPIADA. ESTOS PROBADORES SE PUEDEN COMPRAR O SE PUEDEN HACER CON UNA BATERÍA, UNA PEQUEÑA LÁMPARA, PEQUEÑOS CONDUCTORES Y CAIMANES DE CONEXIÓN.

2.2 TRABAJANDO CON CONDUCTORES.

El trabajar con alambres o conductores en las actividades del hogar, no requiere de una gran inversión en herramientas, de hecho, se puede hacer mucho con unas pinzas de electricista, unas pinzas de punta y una navaja de bolsillo, pero si en ocasiones se hace algo más en la instalación eléctrica o con la reparación de algún aparato doméstico, entonces es conveniente disponer de algunas herramientas para trabajar con alambres, como por ejemplo pinzas de electricista y pinzas de multipropósitos para pelar y realizar amarres con alambres.

RETIRANDO EL AISLAMIENTO DE LOS ALAMBRES.

Para retirar el aislamiento de un conductor, se debe hacer en ocasiones con una navaja, pero esta operación se debe realizar en forma cuidadosa ya que se puede lastimar el conductor. Para trabajos mejores y más limpios, se puede usar una **pinza removedora de aislamiento** que retira el aislamiento en forma limpia sin dañar el alambre en el interior. Estas pinzas tienen **muescas graduadas** de acuerdo a las dimensiones o calibre de los conductores estándar y tiene un cortador de alambre cerca de la unión.

Cuando el extremo de un alambre en una conexión eléctrica está fracturado o dañado, se puede usar el pelador de alambre como cortador del extremo (a). Posteriormente, se inserta en forma aproximada de 1.5 a 2.0 cm de alambre en el pelador (b) en la muesca correspondiente al tamaño del alambre, se cierra la herramienta y se gira suavemente hacia el frente y hacia atrás hasta que el aislamiento se corte; entonces se jala y se retira.

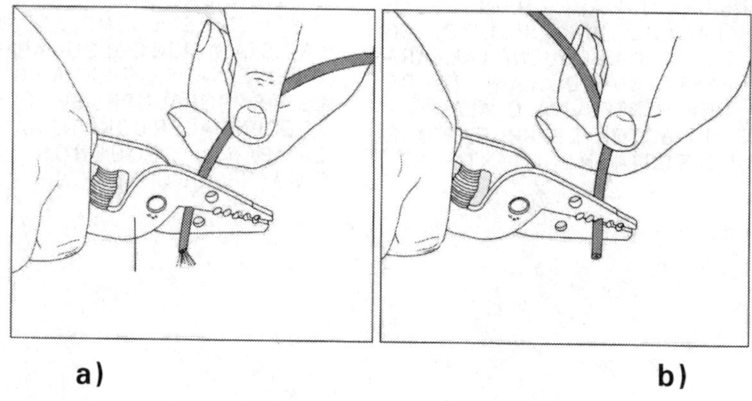

a) b)

UNIÓN DE UN ALAMBRE SÓLIDO CON UN ALAMBRE CABLEADO.

Manteniendo las dos puntas de los alambres en paralelo, se enrolla el conductor o alambre cableado en forma de espiral alrededor del alambre sólido figura (c), con unas pinzas de electricista se dobla el extremo del alambre sólido sobre la porción enrollada figura (d), se aprieta y se coloca un capuchón de conexión para dar seguridad, para esto, se coloca el capuchón y posteriormente se le pone cinta aislante.

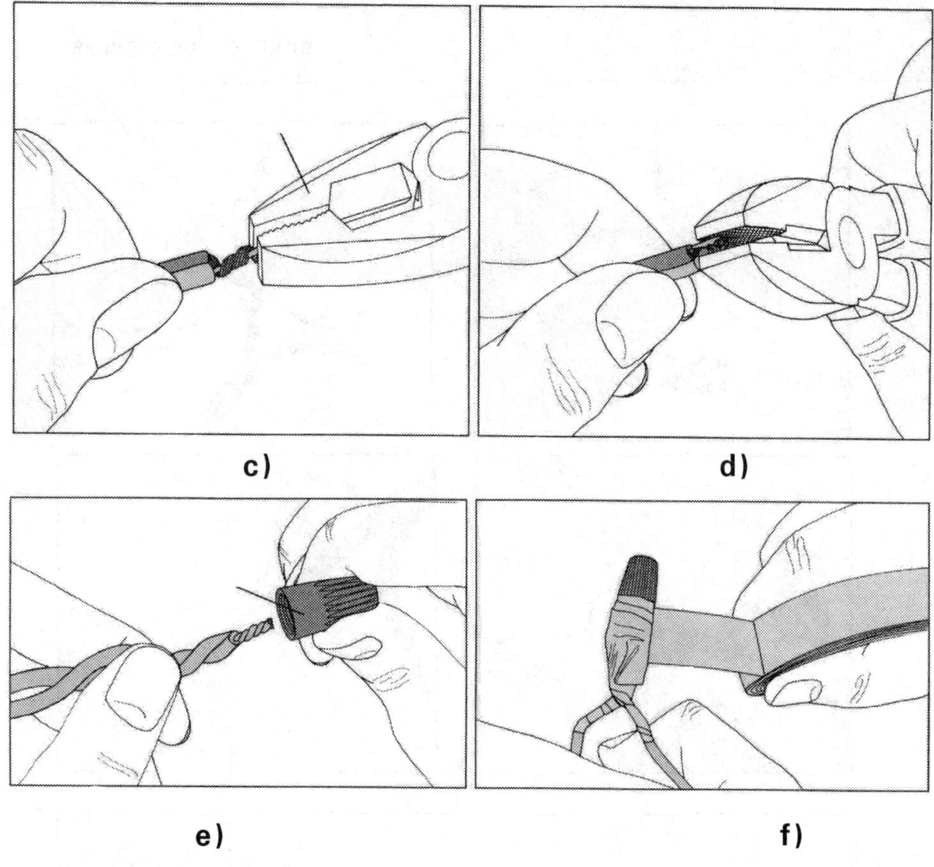

c) d)

e) f)

2.3 INSTALACIÓN DE CONECTORES A PRESIÓN.

Para instalar conectores a presión, se debe comprar el tamaño correcto de conector y tipo de acuerdo al calibre o tamaño del conductor, se desliza el conector en el conductor y aprieta con las pinzas apropiadas.

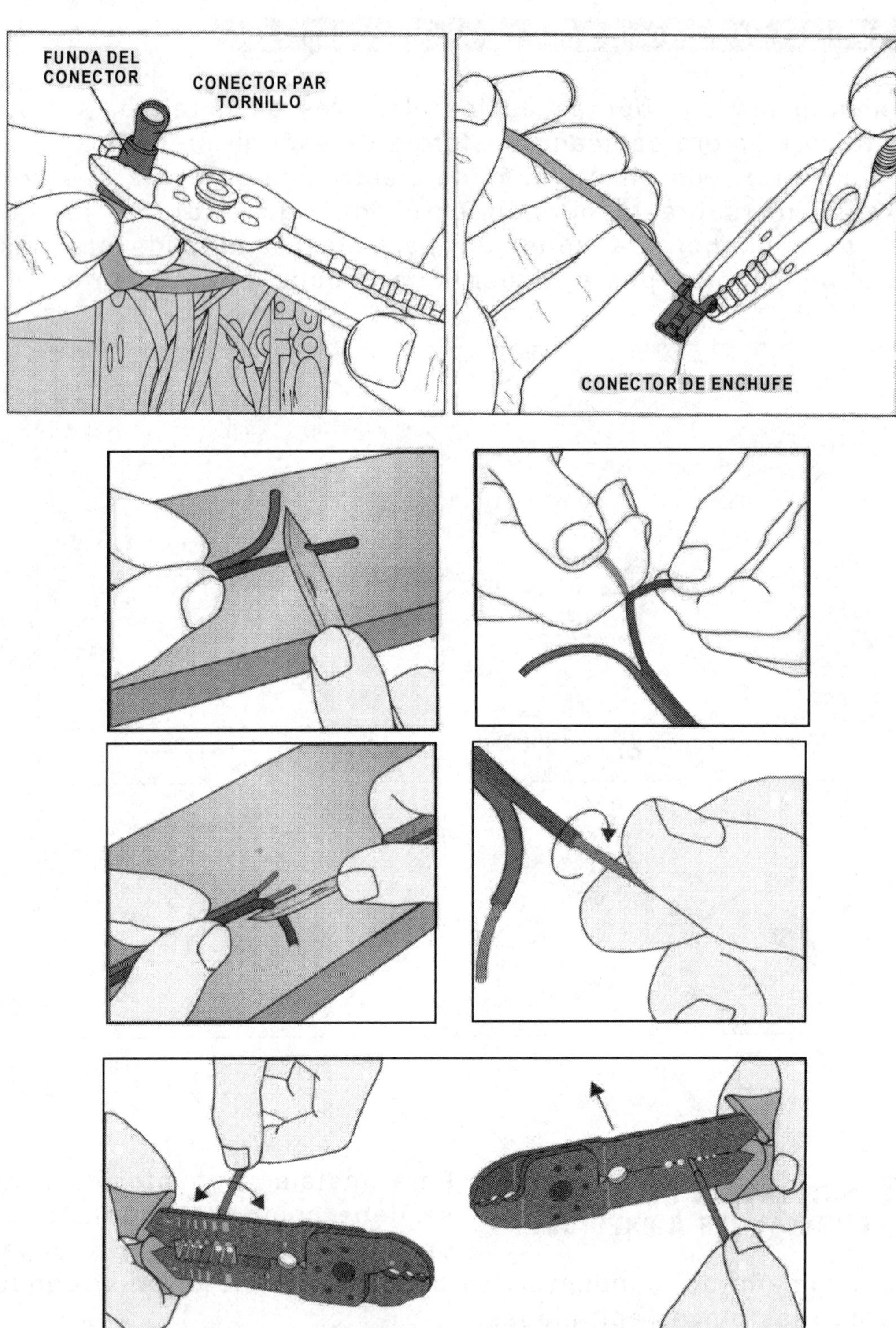

COMO PELAR UN ALAMBRE

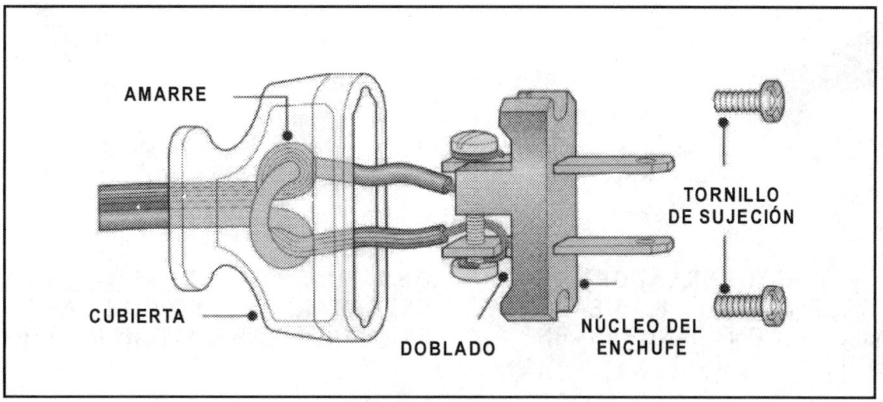

REEMPLAZO DE CLAVIJA

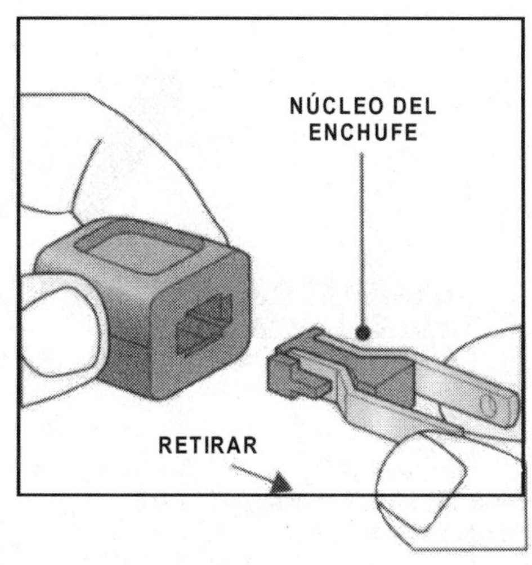

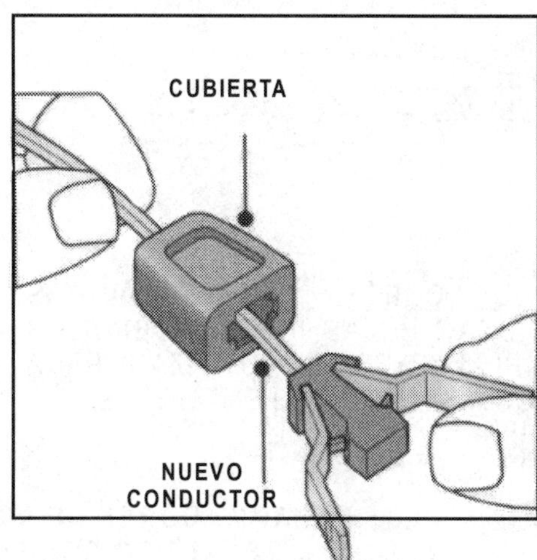

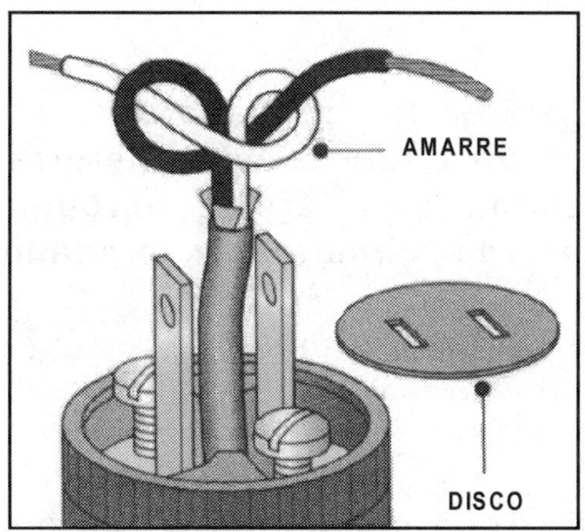

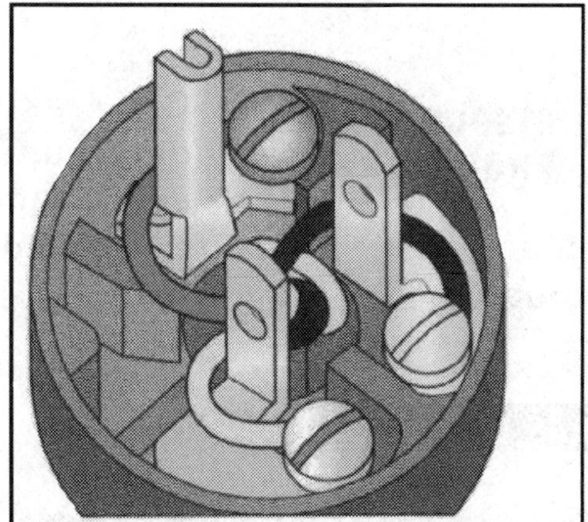

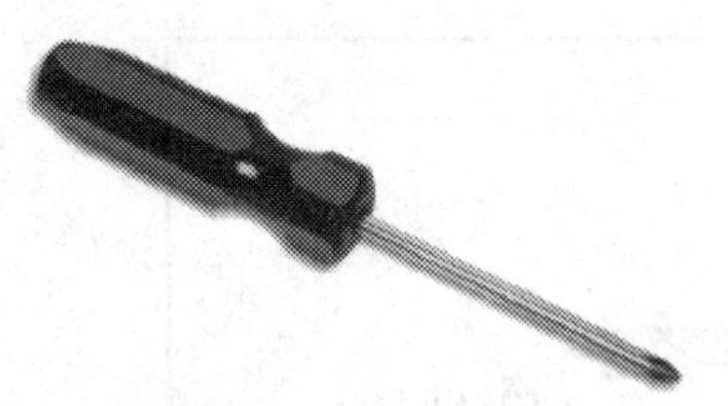

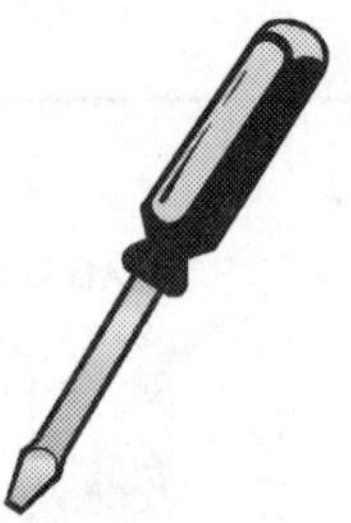

DESARMADOR (DESTORNILLADOR) DE PUNTA DE CRUZ O PHILLIPS: (USADO PARA TORNILLOS CON RANURAS EN FORMA DE CRUZ).

DESARMADOR (DESTORNILLADOR) TIPO ESTÁNDAR O PLANO CON CABEZA CUADRADA PARA DAR UNA RESISTENCIA EXTRA

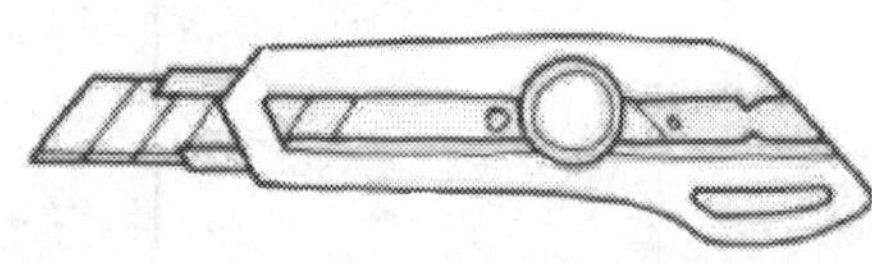

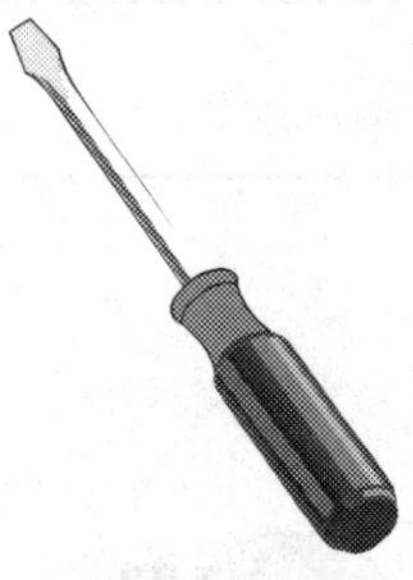

NAVAJA DE CORTE: ESTAS NAVAJAS PUEDEN USAR HOJAS INTERCAMBIABLES O REEMPLAZABLES. SE UTILIZAN PARA PELAR LOS AISLAMIENTOS EXTERNOS.

DESARMADOR (DESTORNILLADOR) TIPO ESTÁNDAR O PLANO: USADO PARA TORNILLOS CON RANURA RECTA.

LOS DESARMADORES DE ACERO FORJADO Y MANGOS DE PLÁSTICO SON LOS MÁS DURABLES

2.4 DISPOSITIVOS PROBADORES.

Con este tipo de probadores se puede determinar si un circuito está energizado y si está operando en forma apropiada, se denominan genéricamente **probadores de circuitos y probadores de continuidad**.

LÁMPARAS DE PRUEBA.

Una lámpara de prueba es un **pequeño foco** conectado a dos puntas de prueba que da una **indicación visual** de cuando el voltaje está presente en un circuito. El tipo de lámpara de prueba más común es la llamada

"Lámpara de Neón", que es una lámpara que está llena con gas neón y que usa dos electrodos para encender el gas.

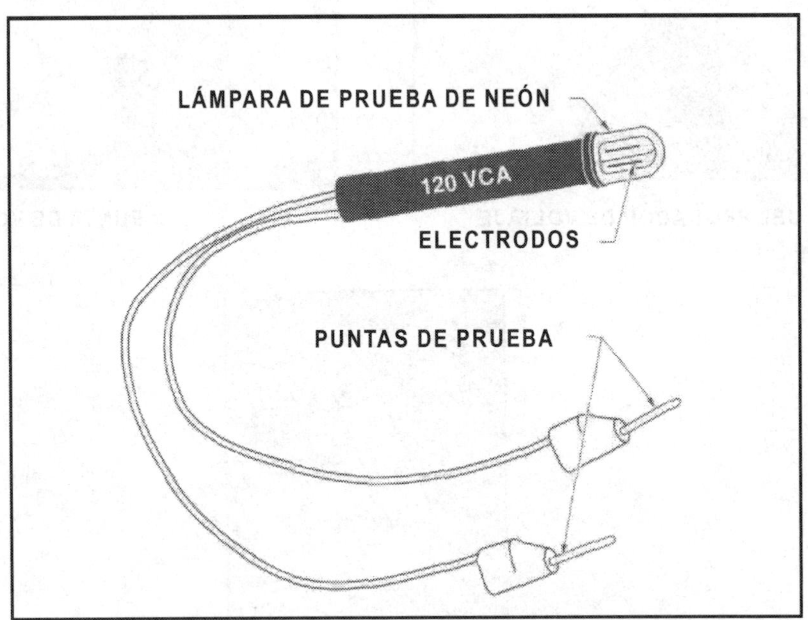

LA LÁMPARA DE PRUEBA CONECTA LAS DOS PUNTAS Y DA UNA INDICACIÓN VISUAL CUANDO HAY VOLTAJE PRESENTE EN EL CIRCUITO

La lámpara **prende o enciende** cuando hay voltaje presente en un circuito. Si prenden ambos lados del bulbo, el voltaje es de corriente alterna, si sólo prende un lado, entonces se trata de un voltaje de corriente directa. La lámpara se ilumina más intensamente, mientras más alto es el voltaje.

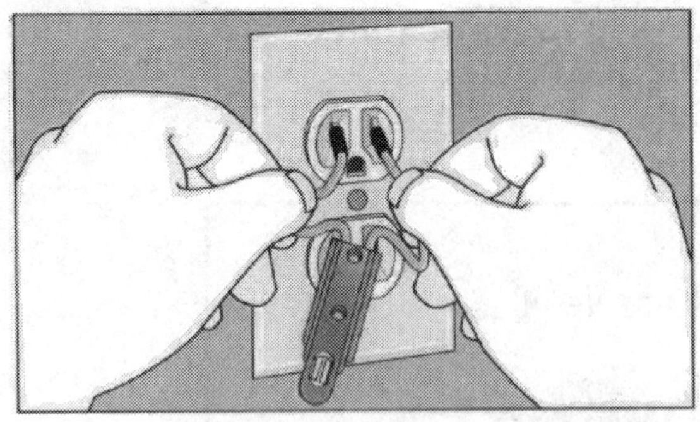

USO DEL PROBADOR DE VOLTAJE

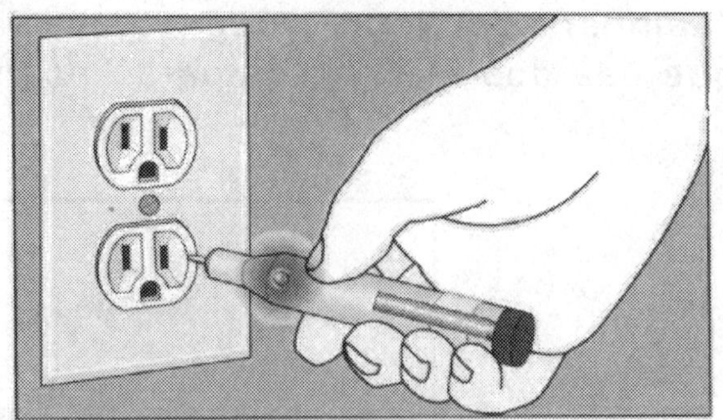

PUNTA DE VOLTAJE

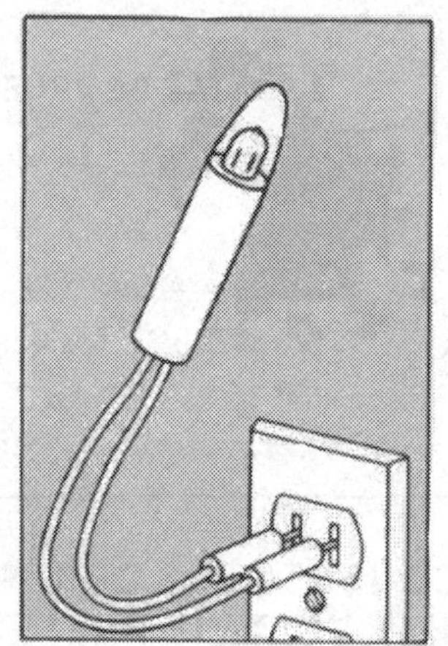

LÁMPARA DE PRUEBA DE NEÓN

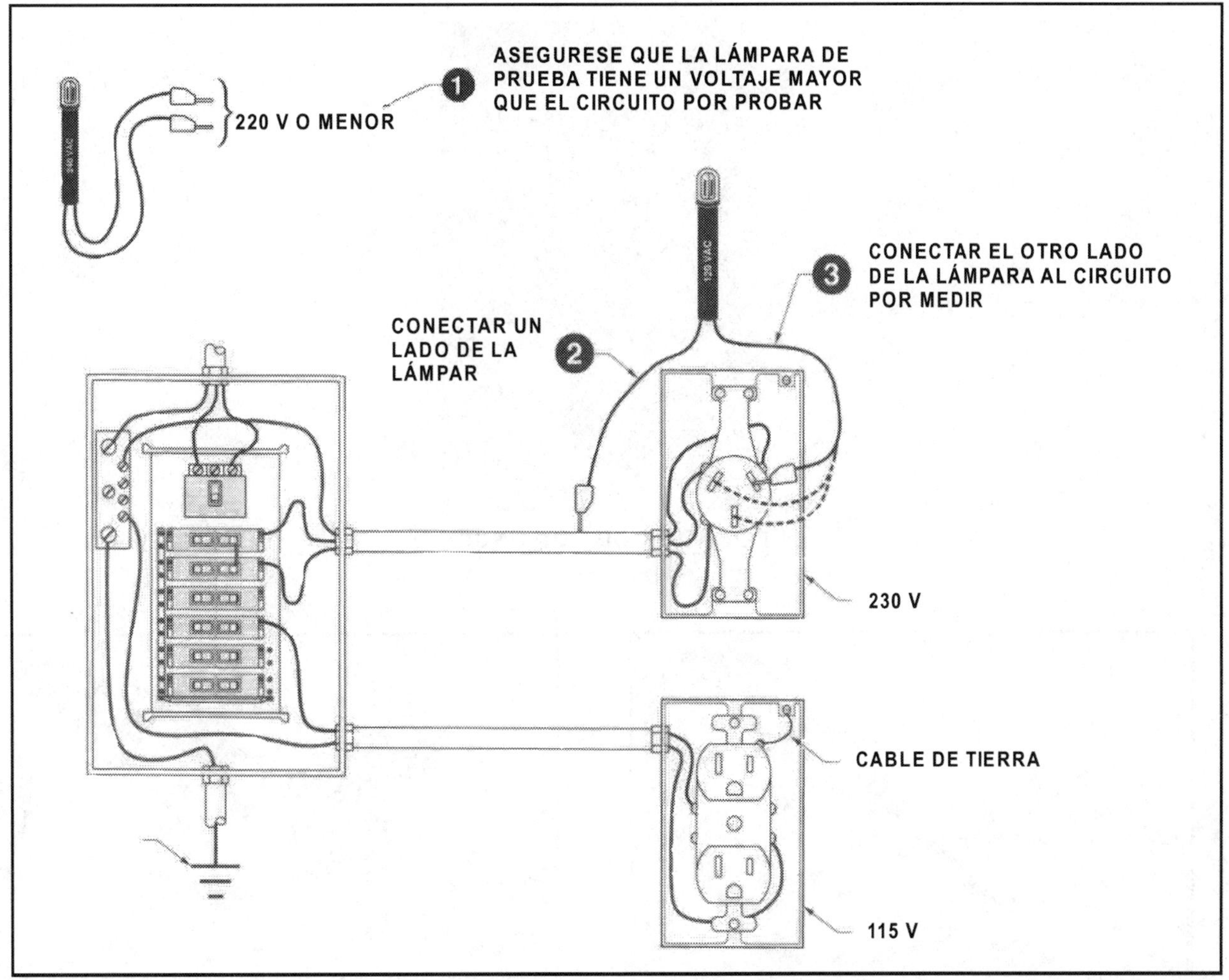

USO DE LA LÁMPARA DE PRUEBA

EL PROBADOR DE CONTINUIDAD.

Un probador de continuidad se usa para determinar circuitos abiertos o corto circuito. Estas pruebas de continuidad requieren frecuentemente de un puente (alambre de puente) que se puede hacer colocando dos puntas de caimán en sus extremos.

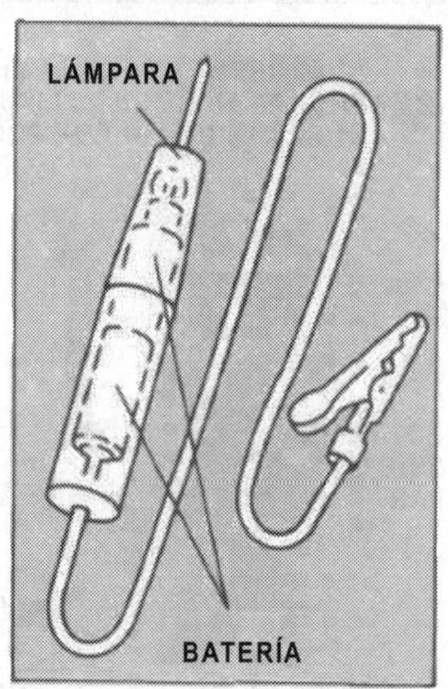

PROBADOR DE CONTINUIDAD

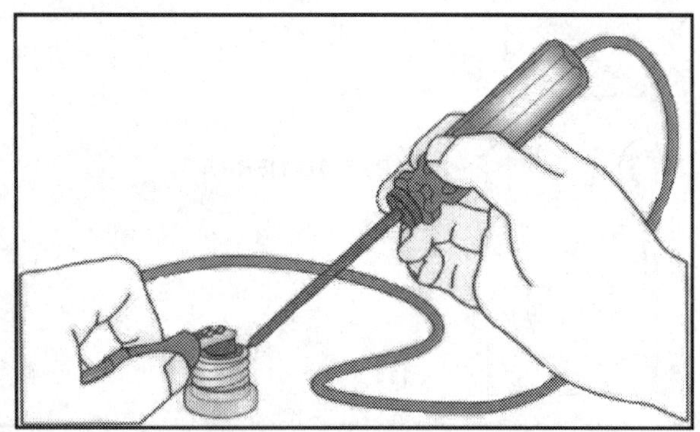

USO DEL PROBADOR DE CONTINUIDAD

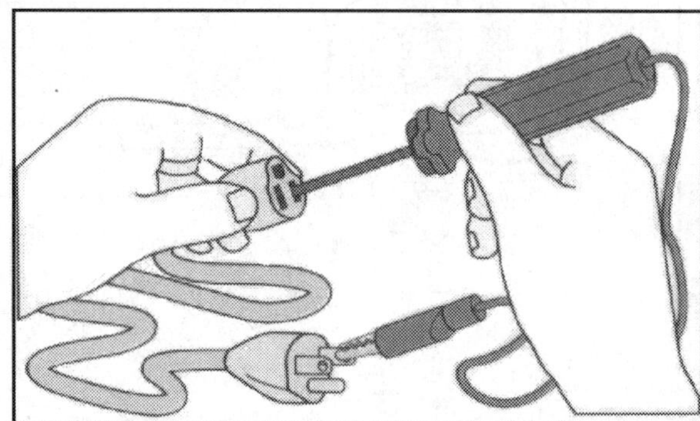

PRUEBA DE UN CABLE O EXTENSIÓN

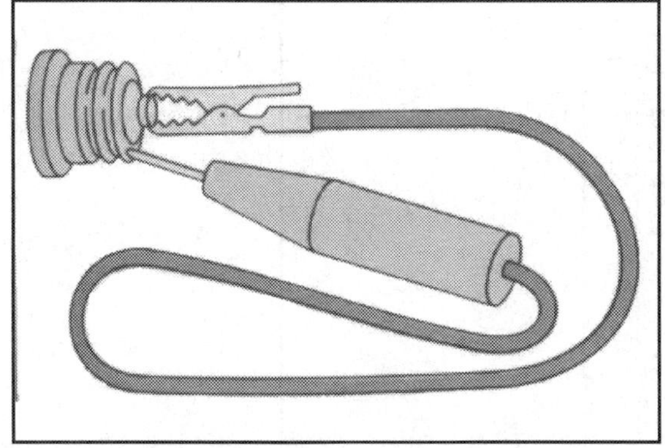

PROBADOR DE CONTINUIDAD APLICADO A LA PRUEBA DE UN FUSIBLE

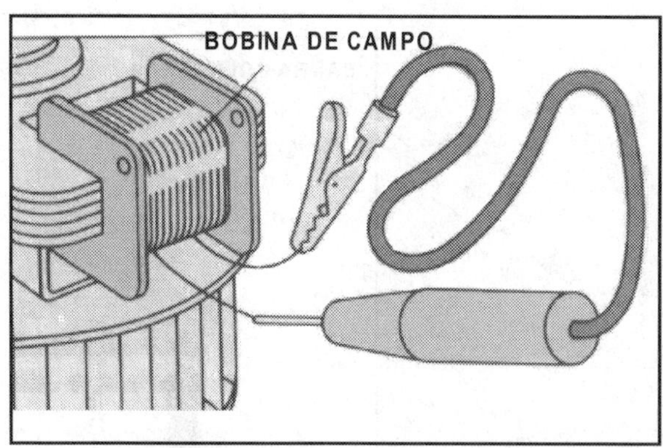

APLICACIÓN DEL PROBADOR DE CONTINUIDAD A UN MOTOR

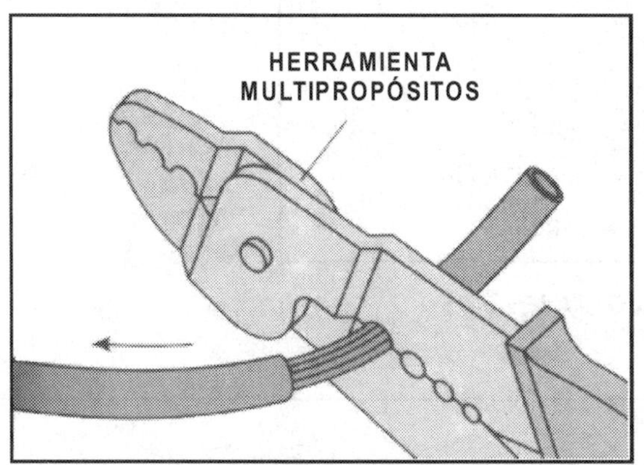

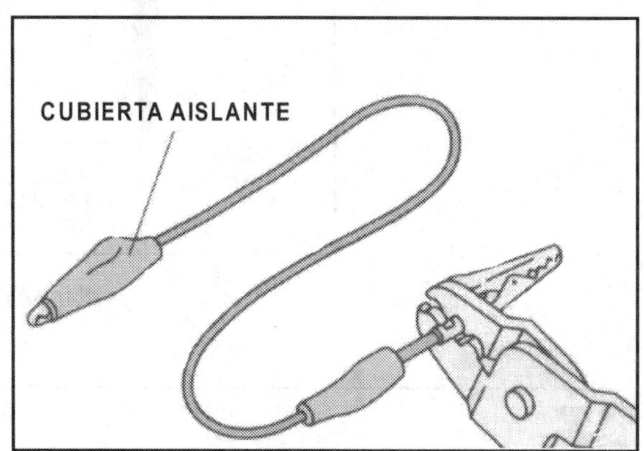

ELABORACIÓN DE UN PUENTE PARA PROBAR CONTINUIDAD CON UNA HERRAMIENTA MULTI PROPÓSITO

EL PROBADOR DE VOLTAJE.

Un probador.de voltaje es un dispositivo que indica en forma aproximada el nivel y tipo de voltaje (corriente alterna o corriente directa) por medio del movimiento y vibración de una aguja sobre una escala. Generalmente estos probadores contienen una escala marcada con 120 VCA, 240 VCA, 480 VCA, 600 VCA, 120 VCD, 240 VCD y 600 VCD.

Algunos probadores de voltaje tienen puntas de colores para indicar la polaridad de las puntas de prueba. La punta roja es positivo o vivo y la negra negativo o tierra

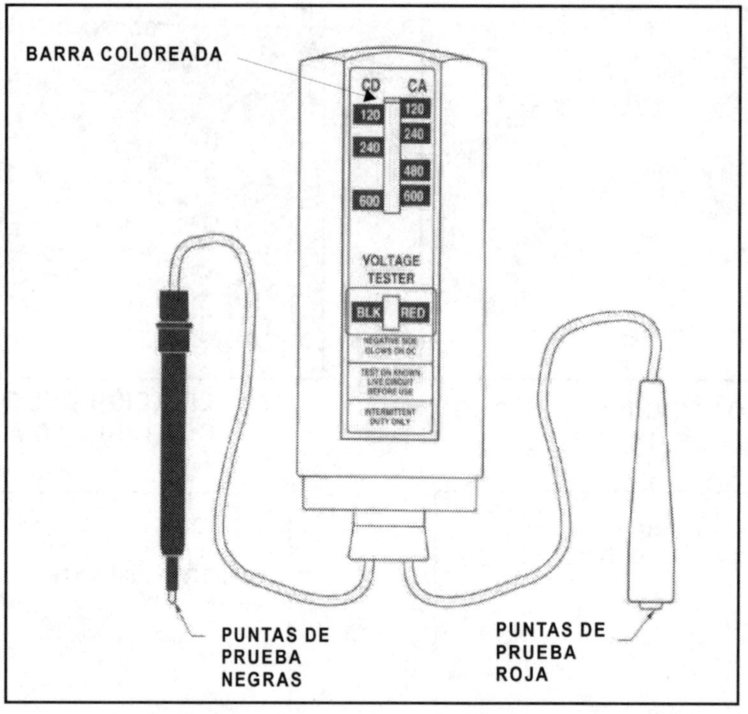

PROBADORES DE VOLTAJE

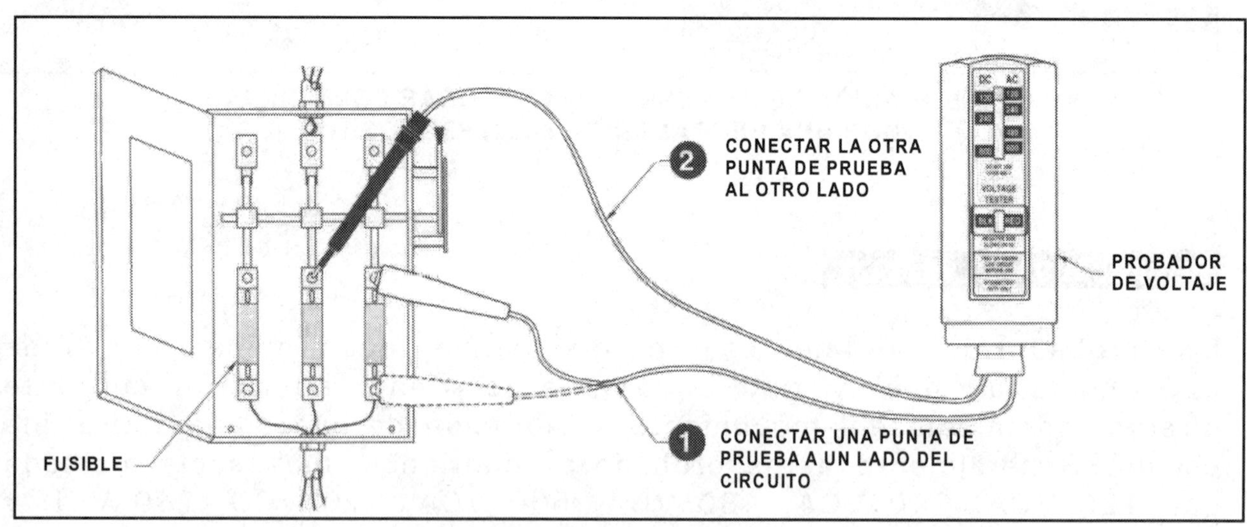

USO DEL PROBADOR DE VOLTAJE

2.5 APLICACIONES DEL PROBADOR DE VOLTAJE.

Los probadores de voltaje son útiles para probar el trabajo que se hace, verificando las conexiones a tierra apropiadas o determinando cuando un conductor está energizado.

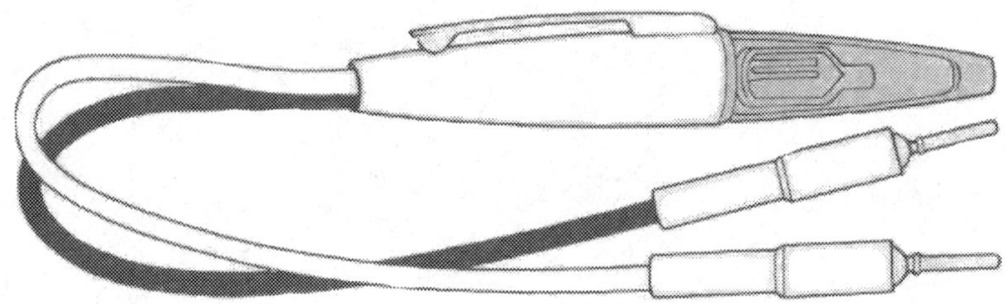

PROBADOR DE VOLTAJE

Un probador de voltaje es un dispositivo simple y de bajo costo que indica si hay corriente eléctrica en un cable, apagador o un contacto.

El probador no tiene voltaje por sí mismo, pero aparece un voltaje entre sus puntas o terminales, en la medida que circula corriente a través de ellos, prendiendo una pequeña lámpara de neón, la cual prende en presencia de una corriente.

PRUEBA DE CONTACTOS.

Para determinar si un contacto está energizado o trabajando, se inserta una punta del probador en cada ranura del contacto, **si la lámpara del probador prende o se ilumina,** entonces el contacto está energizado, en caso contrario, el contacto está defectuoso, o bien el fusible del circuito que lo alimenta está fundido.

Para determinar si el problema es sólo en un contacto, entonces se prueban los otros contactos del mismo circuito, si se determina que sólo es el problema en un contacto, se desenergiza el circuito en el tablero o baja el switch y se reemplaza el contacto por otro en buen estado.

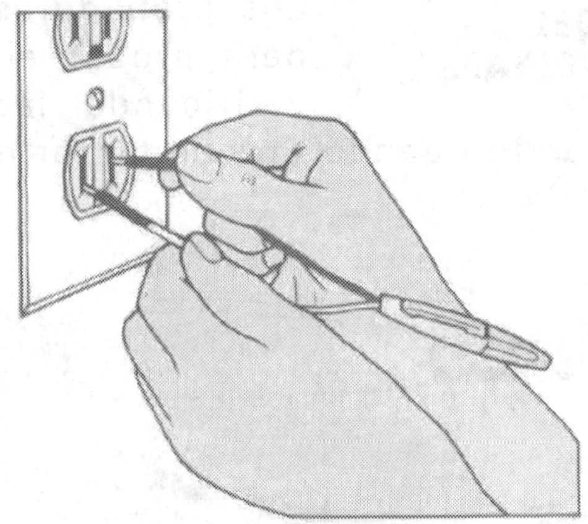

PRUEBA DE UN CONTACTO

LOCALIZACIÓN DEL CONDUCTOR ENERGIZADO EN UNA LUMINARIA O CONTACTO.

Cuando se trabaja en un apagador, contacto o luminaria cuya caja tenga dos o más conductores del mismo color, es necesario determinar cuál de los conductores es el **"conductor vivo"** o energizado, también, siempre es posible que alguno de los conductores, aún respetando el código de colores, puede estar cambiado de origen durante el cableado. **Para encontrar cuál es el alambre energizado o vivo**, se deben separar los conductores en la caja, de manera que no hagan contacto uno con otro, entonces se coloca una punta del probador a la caja metálica y la otra a los conductores o alambres uno a uno. **El primero que prenda o encienda, es el conductor vivo.**

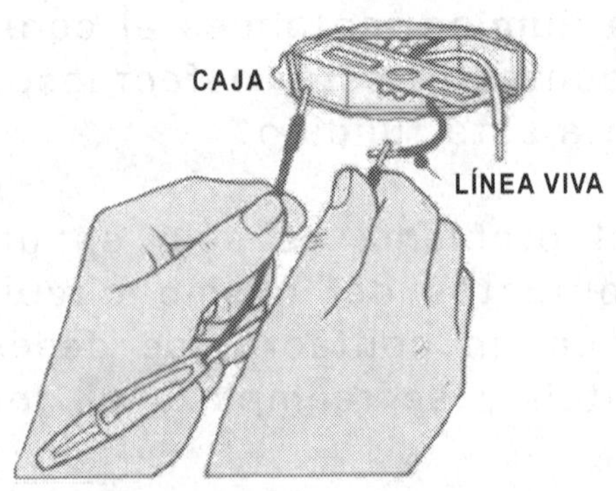

PRUEBA DE UNA LUMINARIA

VERIFICACIÓN DE LA CONEXIÓN A TIERRA APROPIADA.

La conexión a tierra de los contactos en forma apropiada es muy importante por razones de seguridad del sistema eléctrico, para verificar esto, se usa el probador de voltaje para asegurarse que cada contacto está conectado a tierra en forma apropiada. **Se inserta una punta del probador en la ranura viva** del contacto y se toca con la otra punta el tornillo de la cubierta (en los contactos nuevos, la ranura más pequeña corresponde al conductor vivo).

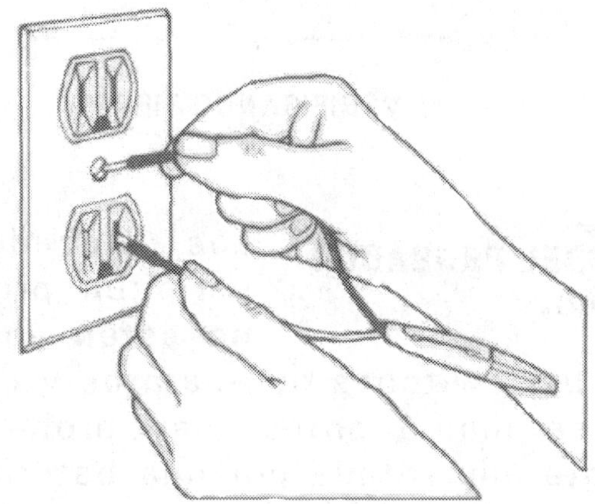

LOCALIZACIÓN DEL CONDUCTOR VIVO

Cuando el tornillo de la placa tiene pintura, ésta se debe remover en algún punto. **El probador debe encender en forma brillante**, en caso de que la luz sea débil, entonces es una pobre conexión.

PROBANDO UN APAGADOR.

Para determinar si un apagador está energizado, se debe retirar la cubierta y tocar con una punta de prueba, del probador a la caja metálica o barra del conductor a tierra, entonces se toca con la otra punta a cada una de las terminales de los otros alambres. **Si la lámpara prende con cada una de estas terminales, el switch está energizado.**

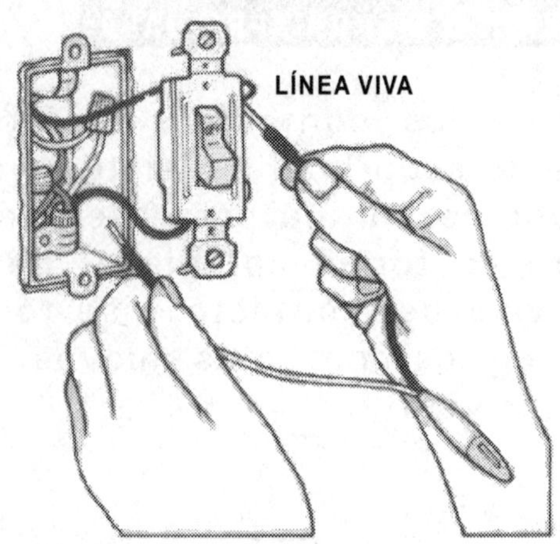

VERIFICANDO TIERRA

2.6 APLICACIONES DEL PROBADOR DE CONTINUIDAD.

Los probadores de continuidad permiten probar conductores que **no estén energizados**, lo que los hace ideales para probar switches de aparatos y conexiones en general. Aún cuando, como se indicó antes, hay probadores de voltaje que tienen su propia fuente alimentada por una batería y los probadores de continuidad siguen este mismo principio.

En un probador de continuidad, la pequeña lámpara integrada **se enciende** cuando su circuito está cerrado a través de un switch o apagador, por un conductor o por un aparato. Es imporante desenergizar el circuito que se va a probar antes de usar el probador de continuidad, ya que su lámpara se puede fundir.

PROBANDO FUSIBLES.

Para determinar si un fusible está en condiciones de trabajo se debe tocar con la punta del probador la parte metálica roscada del fusible y con el clip del caimán la base del contacto del fusible, **si el fusible está en buen estado, la luz del probador enciende.**

Para probar fusibles de cartucho, simplemente coloque una punta del probador en un extremo y el caimán en el otro, **si el fusible completa el**

circuito, es decir que está en buenas condiciones, la lámpara del probador enciende.

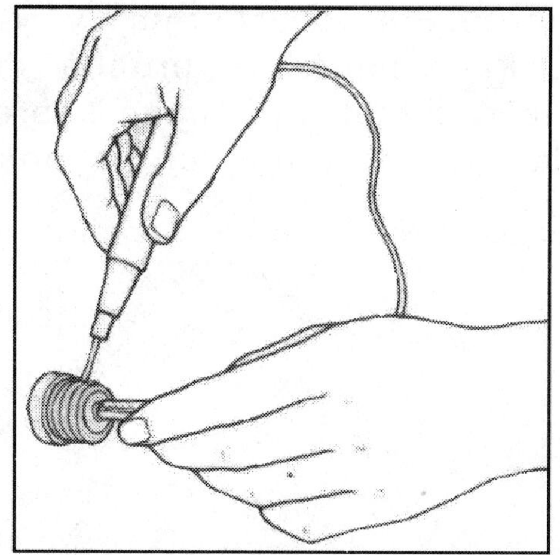

PRUEBA DE UN FUSIBLE DE BASE EDISON

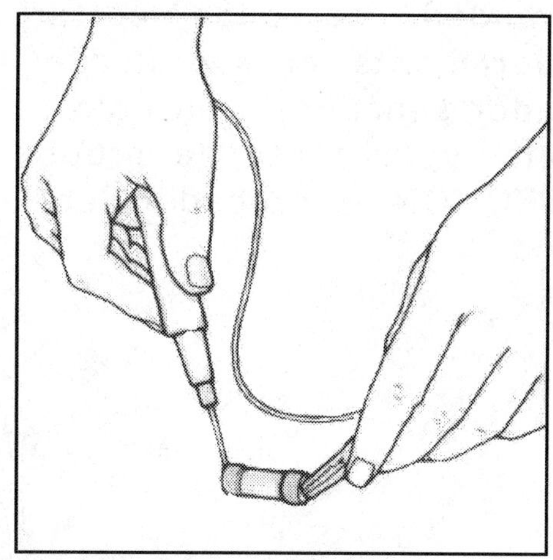

PRUEBA DE UN FUSIBLE TIPO CARTUCHO

PROBANDO APAGADORES DE LÁMPARA (SOCKET CON APAGADOR).

Para probar un portalámparas con apagador se debe retirar la lámpara y se fija la terminal de caimán a la terminal de color bronceado, fijando al tornillo y se toca con la otra punta de prueba al contacto de la base de la lámpara, que está en el interior del portalámpara o socket, cuando se gira el apagador a la posición de energizado, la lámpara del probador debe prender (se ilumina), en caso que no lo haga, el switch o apagador está en mal estado.

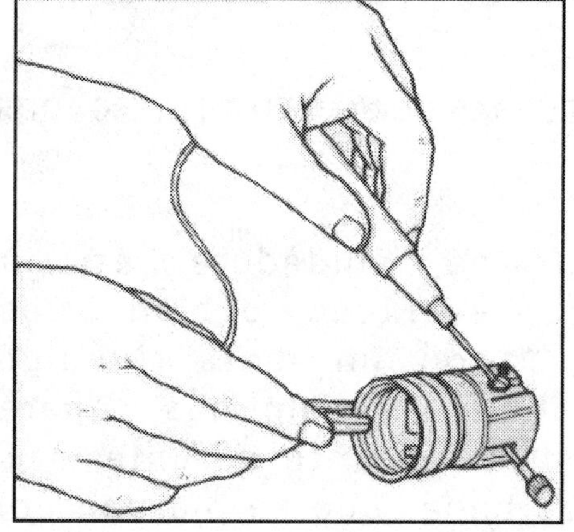

PRUEBA DE UN SWITCH DE UNA LÁMPARA

PROBANDO UN APAGADOR TIPO PALANCA.

Cuando se prueba cualquier apagador o switch con un probador de continuidad, se debe cortar la alimentación o energía y **retirar completamente el switch de su caja.** Para hacer la prueba de un apagador sencillo de un polo se coloca la terminal de caimán sobre una terminal y la punta de prueba sobre la otra, estando en la posición DENTRO (ON) el probador debe encender.

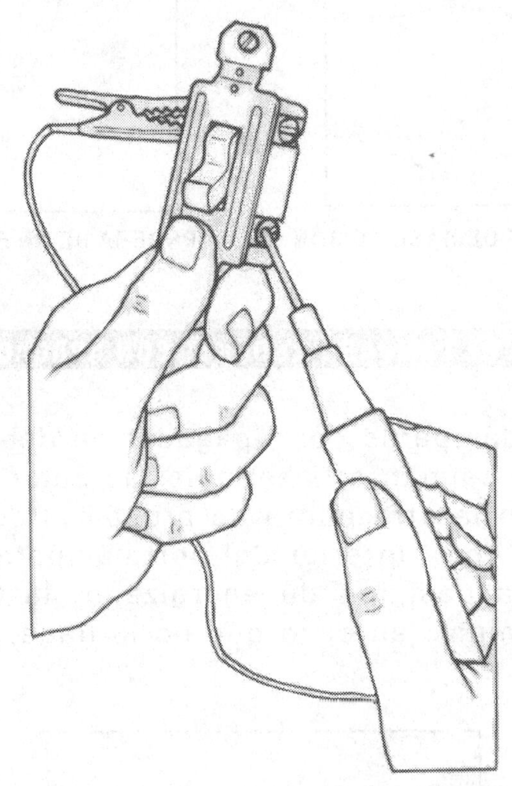

PRUEBAS DE UN SWITCH (APAGADOR)

2.7 ¿CÓMO SOLDAR Y DESOLDAR?.

La soldadura es una técnica de unir alambres, o bien otras superficies metálicas con un metal fundido. En el caso de los aparatos electrodomésticos y algunos aparatos electrónicos, la soldadura juega un papel importante durante la etapa de reparación, en donde la vibración puede hacer que se pierdan conexiones en los puntos de unión.

HERRAMIENTAS PARA SOLDAR.

Para soldar los alambres finos que se encuentran en los pequeños aparatos electrodomésticos, se puede usar un cautín de barra o pluma o bien un cautín de pistola de 25 a 50 watts. En potencias bajas, se usa preferentemente el cautín tipo pluma, ya que el tipo pistola, de mayor potencia, es mejor para alambres más robustos usados en electrodomésticos de mayor tamaño.

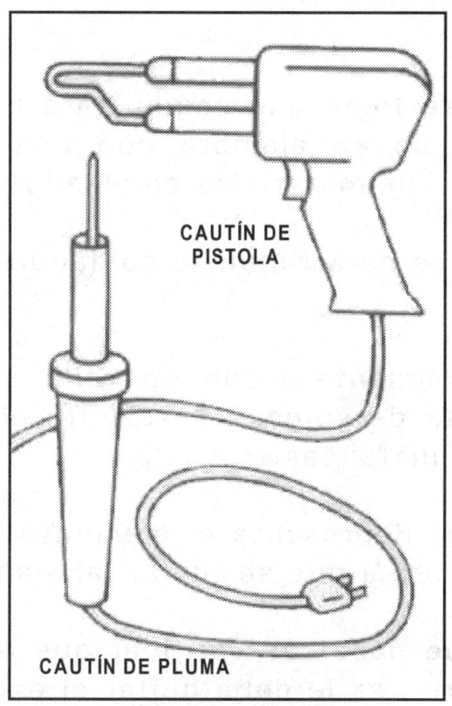

CAUTÍN DE PISTOLA Y
CAUTÍN DE PLUMA

SOLDADURAS Y PASTAS DE SOLDAR.

La soldadura más fuerte para trabajo eléctrico y la más fácil de usar es una mezcla de 60% de estaño y 40% de plomo. El procedimiento de aplicación de la soldadura indica que antes de aplicar soldadura a unión, se debe cubrir las partes a soldar con una pasta que retire el barniz de los conductores y limpie, de manera que ayude a que penetre la soldadura en la unión.

La pasta de soldar más recomendable es la que es a base de colofonía, ya que las que contienen ácidos pueden dañar al cobre.

La soldadura fundida se coloca uniendo los dos puntos o alambres metálicos que al enfriarse vuelven al estado sólido, quedando de esta manera unidos todos los puntos soldados.

PROCEDIMIENTO

El procedimiento que se tiene que seguir para poder soldar dos cables, dos alambres, o bien un en alambre con una superficie metálica es básicamente el mismo. Los materiales empleados en este proceso son:

1) ***El cautín***, que sirve para fundir la soldadura y colocarla en el lugar requerido.

2) ***Soldadura,*** generalmente viene en rollo y actualmente ya tiene contenida la pasta de soldar, representa el elemento que une dos o más terminales metálicas.

3) ***Pasta para soldar:*** Representa el elemento fundente, es decir, que ayuda a la soldadura a que se funda rápidamente.

Lo primero que se debe hacer es verificar que la punta del cautín esté limpia, en caso contrario, se le debe quitar el exceso de soldadura, para esto, se puede usar un tornillo de banco y una lima, o bien se calienta el cutín y se sacude con un trapo húmedo o con una esponja húmeda.

Después, cuando está limpia la punta del cautín (estando caliente) se mete a la pasta durante 3 segundos aproximadamente, se saca y se sacude para quitar el exceso de pasta. Se aplica soldadura en la punta del cautín hasta que se forma una pequeña gota. Se acerca el cautín a las partes por soldar, quedando así soldadas, si se desea que la unión sea más rápida, se le puede soplar a la soldadura, de manera que solidifica más rápidamente.

Después se debe sacudir el cautín para quitar el exceso de soldadura. Actualmente existe soldadura que en su interior contiene la pasta, de manera que se trabaja más rápido.

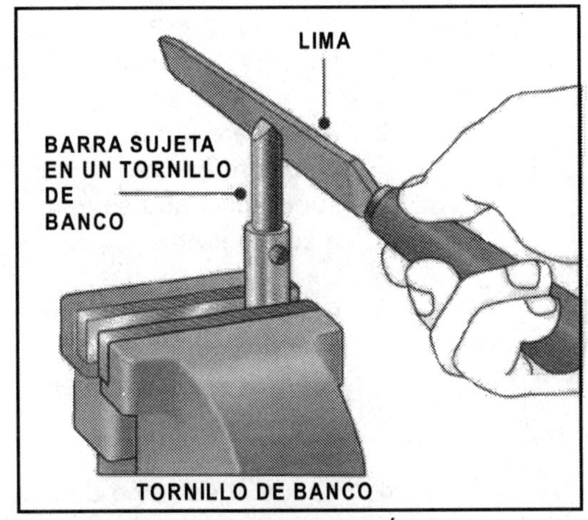

LIMPIAR LA PUNTA DEL CAUTÍN CON UNA LIMA, QUITANDO EL EXCESO DE SOLDADURA.

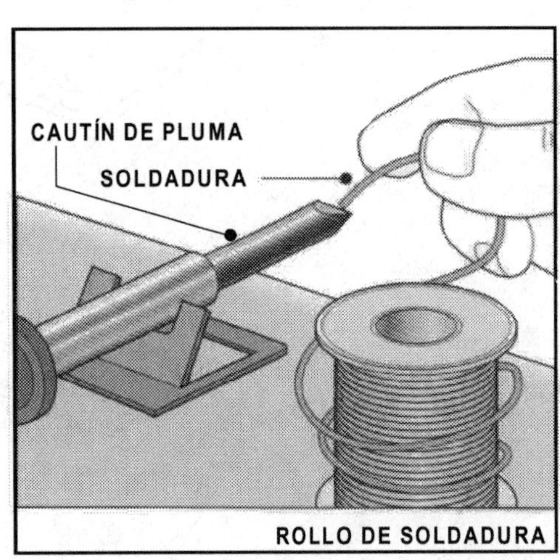

SE APLICA SOLDADURA A LA PUNTA DEL CAUTÍN HASTA FORMAR UNA PEQUEÑA GOTA

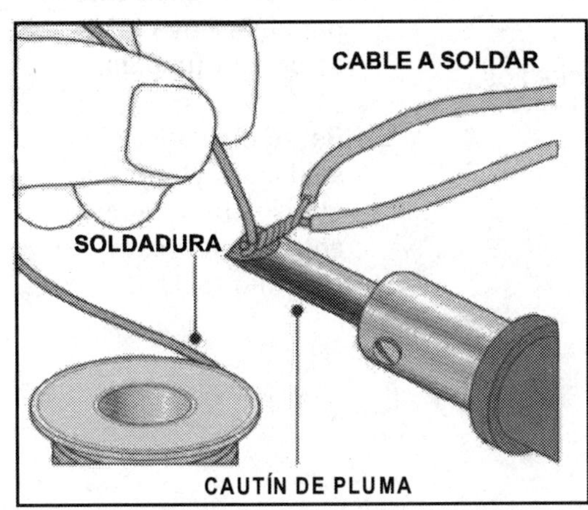

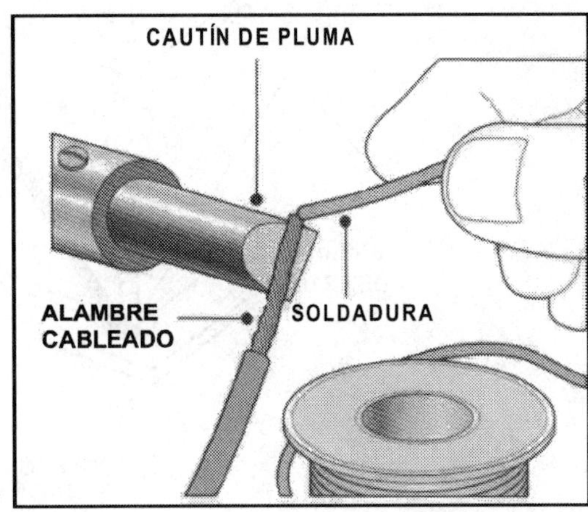

SE ACERCA EL CAUTÍN A LAS PARTES POR SOLDAR, QUEDANDO ASÍ SOLDADAS

Algunos aparatos electrodomésticos usan componentes electrónicos, con circuitos impresos. El proceso de soldar se resume a continuación:

¿Cómo soldar? :

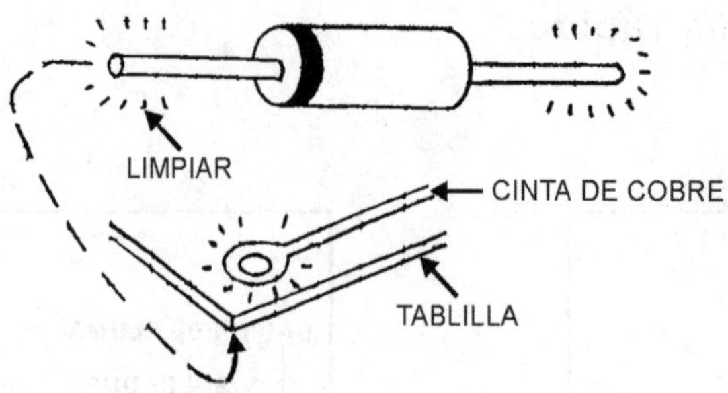

1. Prepare las superficies por soldar removiendo el óxido, grasa, adhesivo y partículas.

2. Asegure en una posición fija las superficies que se van a soldar juntas.

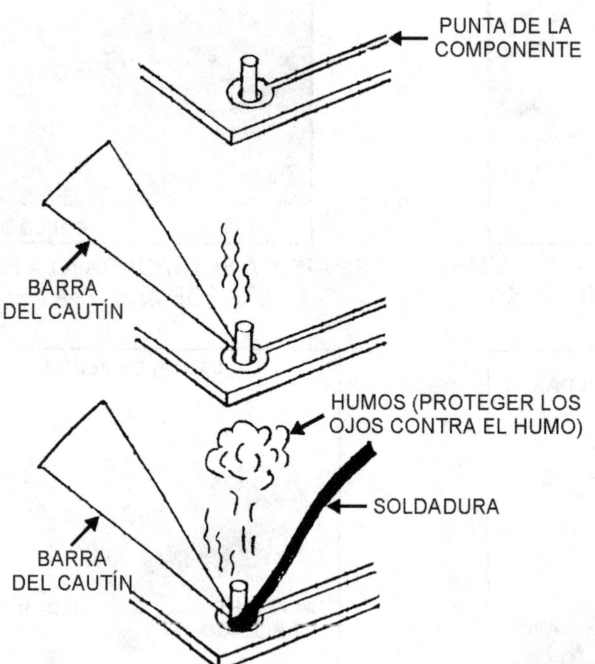

3. Caliente las superficies a soldar por unos cuantos segundos con un cautín caliente.

4. Toque el extremo de una cinta de soldar con la unión previamente calentada para que fluya la soldadura fundida.

5. Retire el cautín y la soldadura y permita que se enfríe la unión antes de retirar la tarjeta o tablilla.

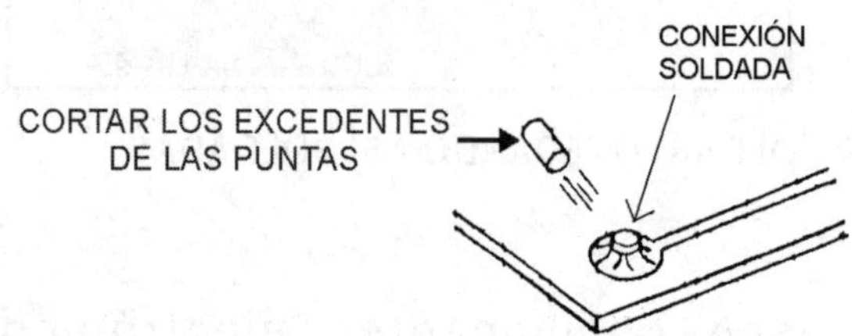

2.8 ¿CÓMO DESOLDAR?

Cuando se trata de retirar grandes depósitos de soldadura, se recomienda el uso de las llamadas **"Bombas de desoldar".** Se debe fundir la soldadura con el cautín, sin sobrecalentar el área de trabajo, ya que se pueden dañar las partes.

Se debe presionar la pequeña bomba del cautín para absorber la soldadura retirada, debiéndose limpiar la bomba después de su uso.

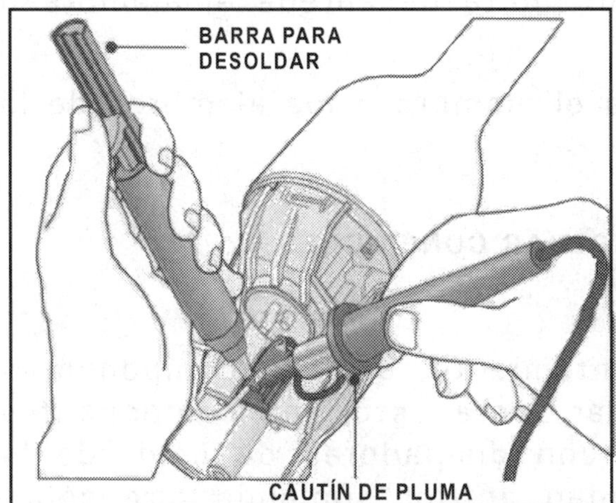

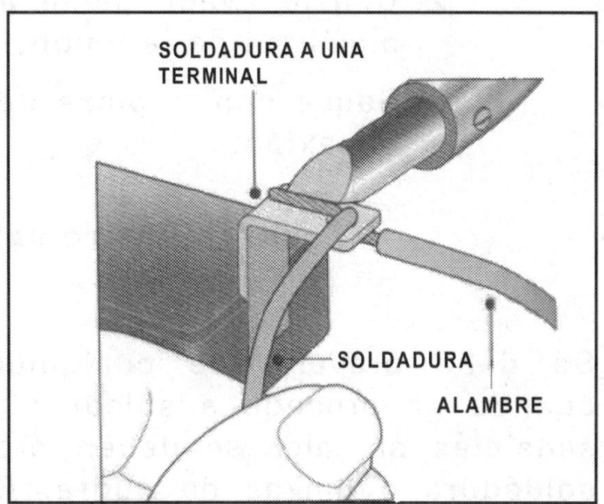

PROCEDIMIENTO PARA DESOLDAR

Cuando se trata de desoldar, como ocurre en muchos de los trabajos con componentes electrónicos, ya sea para comprobar su estado o bien para cambiar las partes falladas o defectuosas, se debe aplicar un procedimiento simple de acuerdo a las recomendaciones que se indican a continuación, para de esta manera evitar quemar los aislantes de los conductores cercanos o dañar otras componentes cercanas.

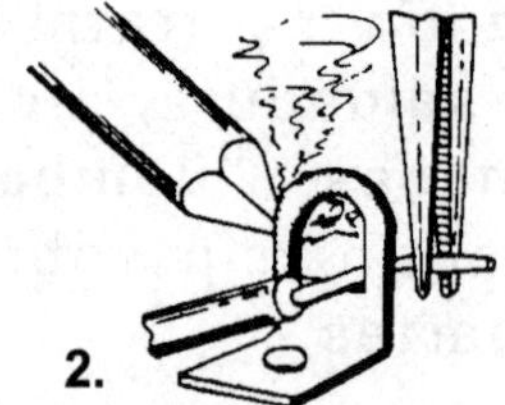

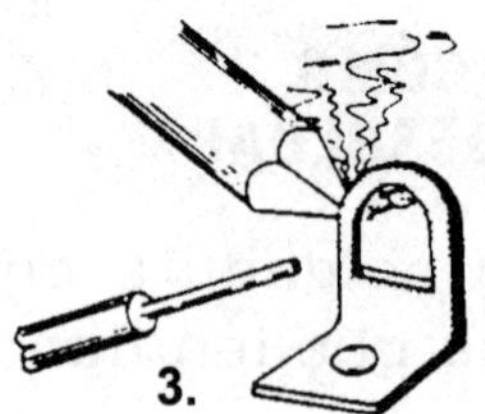

1. Mantenga el calor del cautín sobre la conexión hasta que la soldadura se derrita.
2. Con la ayuda de la pinza de punta desenrede el alambre o alambres de la unión.
3. Saque con la pinza de punta el alambre o los alambres de la conexión.

PROCEDIMIENTO PARA DESOLDAR CONEXIONES

Se debe prevenir de cualquier calentamiento en las componentes cuando se procede a soldar o desoldar, para esto, las componentes sensibles al calor se deben proteger con disipadores de calor de la soldadura o pinzas de punta. Se pueden enfriar soplando aire sobre ellos, pero no sobre las conexiones después de soldar.

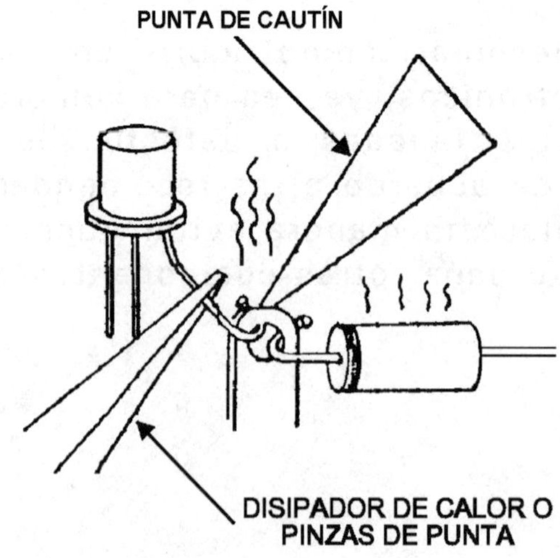

Cuando se trabaja con partes en un circuito impreso y es necesario desoldar, el trabajo se facilita cuando la soldadura sobre la conexión se retira, para esto, se puede usar un pequeño punzón especial con gancho en uno de los extremos y un pequeño cepillo de cerdas metálicas, con esto se extrae la terminal de la componente y se limpia dejando libre la perforación.

En la siguiente figura, se muestra el punzón usado como herramienta auxiliar para desoldar.

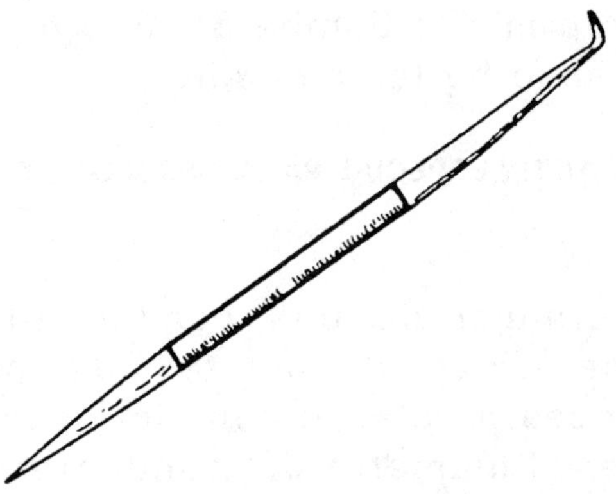

PEQUEÑO PUNZÓN CON GANCHO EN UN EXTREMO USADO COMO HERRAMIENTA ESPECIAL PARA DESOLDAR CIRCUITO IMPRESOS

También se puede aplicar para desoldar partes de los circuitos impresos un sistema de vacío que absorbe la soldadura que queda fuera de la conexión y de tablilla.

Para esto, se requiere de un sistema especial a base de cautín con una pequeña bomba manual (de hule) que se aprieta al aplicar el cautín de la soldadura, y cuando está derretida se libera, de manera que el vacío que se produce jala la soldadura hacia un tubo pequeño en la punta del cautín; para expulsar la soldadura, se aprieta nuevamente la bomba.

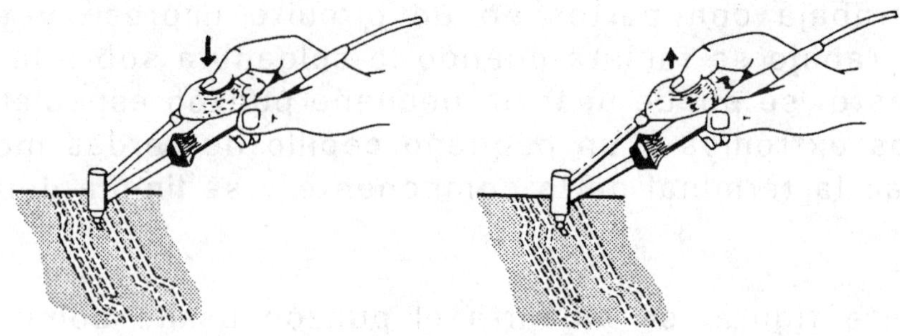

1. Se oprime la bomba de hule para hacer el vacío.
2. Se absorbe la soldadura.

APLICACIÓN DEL CAUTÍN ESPECIAL PARA DESOLDAR CIRCUITOS IMPRESOS

4. Para doblar una terminal de una componente, se debe sujetar el conductor con una pinza de puntas de nariz larga, cerca del dispositivo y, entonces, doblar el conductor con un dedo. El radio del doblez debe exceder el diámetro del conductor.

   Doblar conductores sin pinzas de punta puede formar fracturas entre el conductor y el dispositivo.

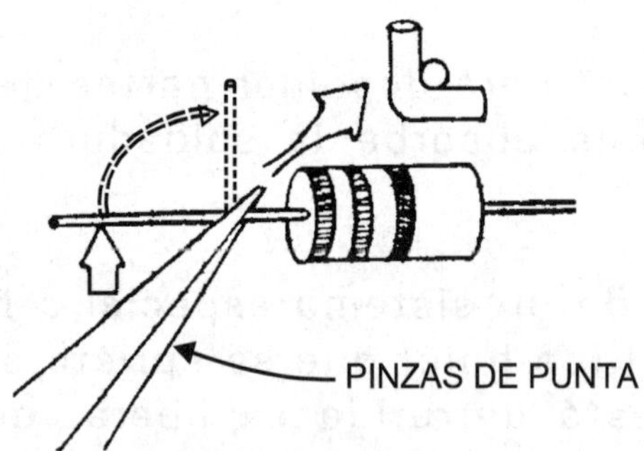

FORMA DE DOBLAR UNA TERMINAL DE UNA COMPONENTE

5. Colocación y soldadura de componentes en circuitos impresos.

   Como se sabe, muchas de las componentes usadas en circuitos de control, se montan en circuitos impresos, entonces, las partes electrónicas se introducen en las perforaciones hechas en la tablilla por la parte superior, de tal forma que las terminales de los capacitores, resistores, etcétera, o bien, partes que quedan colocadas sobre las cintas de cobre del circuito impreso, se puedan soldar de acuerdo al procedimiento siguiente:

a) INTRODUZCA LOS COMPONENTES POR LA PARTE SUPERIOR DE LA TABLETA

b) DOBLE LAS TERMINALES DE LAS PARTES HACIA LA TIRA DE COBRE

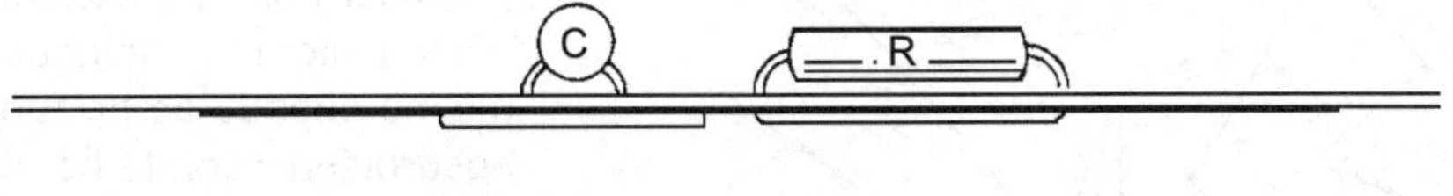

c) CORTE EL EXCEDENTE DE LAS TERMINALES

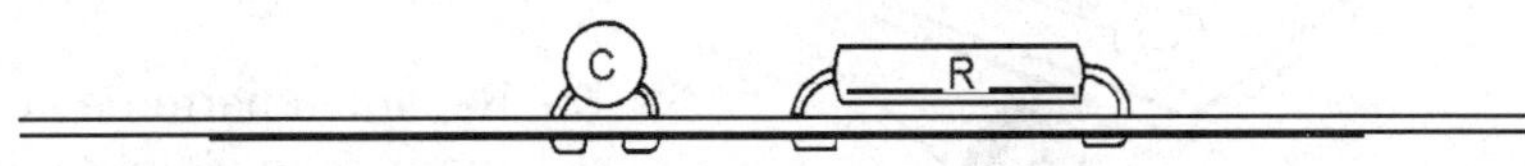

COLOCACIÓN DE LAS COMPONENTES EN UN CIRCUITO IMPRESO

El uso de un calor excesivo en los circuitos impresos puede producir daño, y como las conexiones son pequeñas, es recomendable usar poco calor para soldar, basta un pequeño cautín tipo lápiz de 10 a 30 watts.

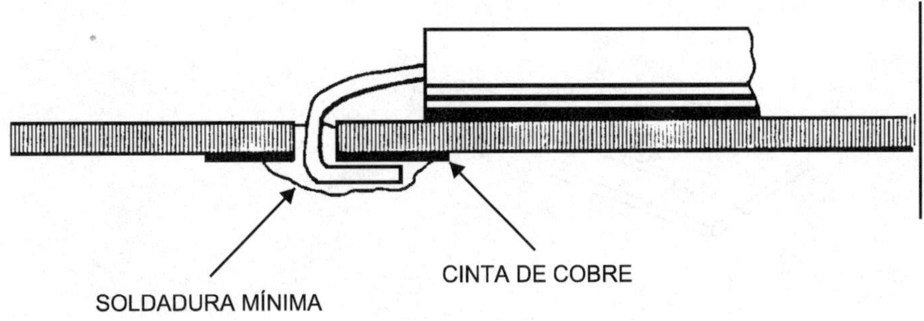

FORMA DE SOLDAR UNA COMPONENTE EN UN CIRCUITO IMPRESO

¿Cómo desoldar? :

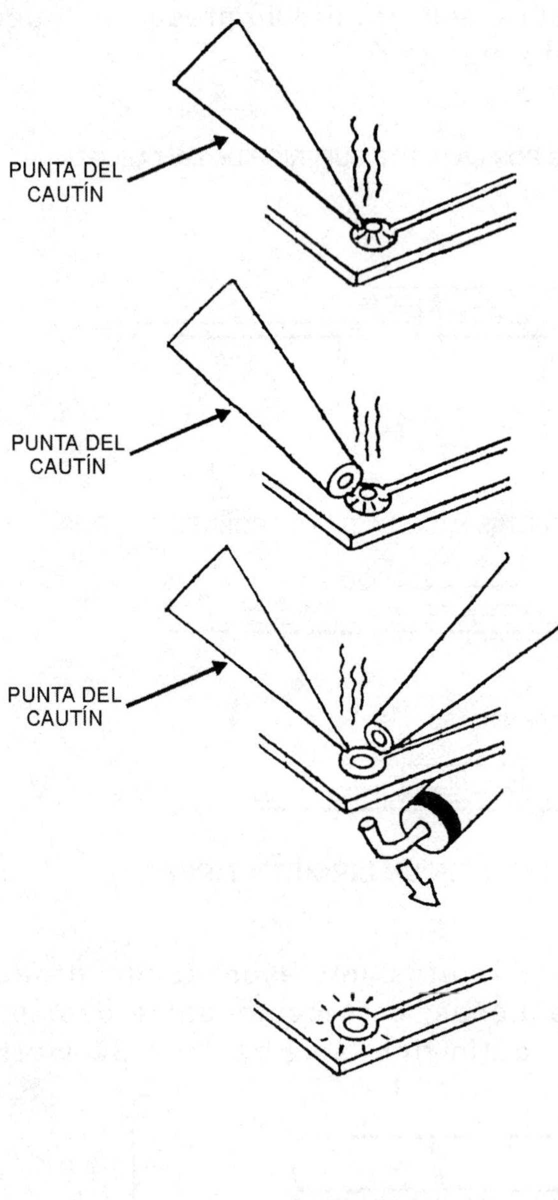

1. Caliente la unión a ser desoldada con un cautín caliente hasta que la soldadura se funda o,

2. Caliente la unión con un cautín caliente hasta que se funda la soldadura.

3. Usando una herramienta para desoldar con una pequeña bomba de vacío caliente la soldadura y retire la misma cuando se ha fundido, absorbiendo con la bomba.

4. Limpie las terminales.

5. Repare la parte de la cinta que se rompa con alambre usado como puente (cuando es necesario).

NORMAS DE SEGURIDAD AL SOLDAR Y DESOLDAR:

- Es importante recordar que el cautín puede producir serias quemaduras, por lo que es necesario evitar tocar su punta cuando esté caliente o intentar sujetar alambres o componentes cuando se solda sin la ayuda de una pinza de punta.

- Cuando se usa el cepillo metálico para remover soldadura, debe prevenirse que la soldadura caliente no caiga sobre la piel o en los ojos, por lo que este trabajo debe hacerse con mucha precaución.

- El uso de un soporte metálico para colocar el cautín cuando se solda, es recomendable para evitar quemaduras en las mesas de trabajo.

- Desconecte el cautín cuando no se esté usando, ya que puede producir quemaduras.

- Evite la presencia de humos y vapores en el área de soldar.

HERRAMIENTAS NECESARIAS PARA EL MANTENIMIENTO DE EQUIPO CON COMPONENTES ELECTRÓNICOS

DENOMINACIÓN	APLICACIONES	U S O
Pinza de corte	Corte de hilos, cables y terminales.	Imprescindible
Pinza de pelar	Corte de cubiertas de hilos y cables.	Imprescindible
Pinza puntas rectas	Manipulación de componentes.	Imprescindible
Pinza puntas en ángulo	Manipulación de componentes.	Medio
Pinzas de electricista	Manipulación de componentes.	Medio
Conformador de componentes	Preformado de terminales.	Bajo
Soldador	Soldadura de componentes.	Imprescindible
Desoldador	Separación de componentes unidos por soldadura.	Imprescindible
Desarmador de ajuste	Ajuste final de circuitos montados .	Imprescindible
Pinza para inserción de terminales	Engaste, por presión, de terminales.	Medio
Desarmador de punta plana	Montaje de tornillos.	Imprescindible
Desarmador de punta en estrella	Montaje de tornillos.	Imprescindible
Llaves de tubo	Montaje de tuercas.	Imprescindible
Desarmador con lámpara de neón	Buscapolos en la red eléctrica.	Alta
Lima plana fina	Acabado de piezas mecánicas.	Alta
Lima redonda fina	Acabado de piezas mecánicas.	Medio
Sierra para metales	Corte de piezas mecánicas y circuitos impresos.	Alto
Máquina de taladrar miniatura	Taladro de circuitos impresos.	Medio
Soporte vertical	Fijación de máquina de taladrar .	Medio
Cuchilla con mango	Retoques en circuito impreso, pelado de cables.	Medio
Pinza extractora de circuitos integrados	Extracción de circuitos integrados de un circuito impreso.	Medio
Tornillo de banco universal	Sujeción de piezas o circuitos en cualquier posición.	Alto
Calibre	Medidas de dimensiones de piezas .	Bajo
Caja clasificadora	Clasificación de componentes y piezas.	Medio

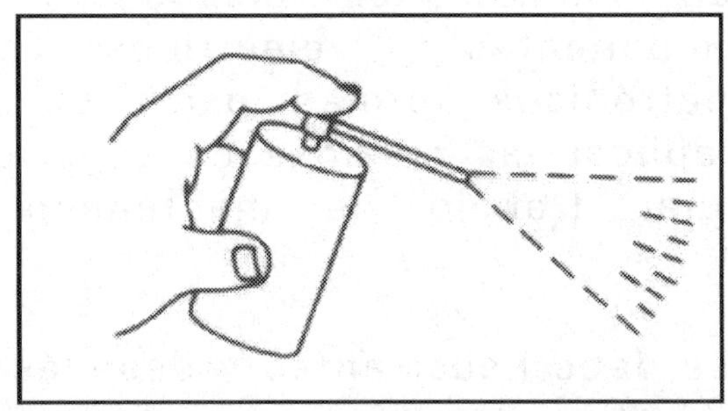
LIMPIADOR DE CONTACTO ELÉCTRICO

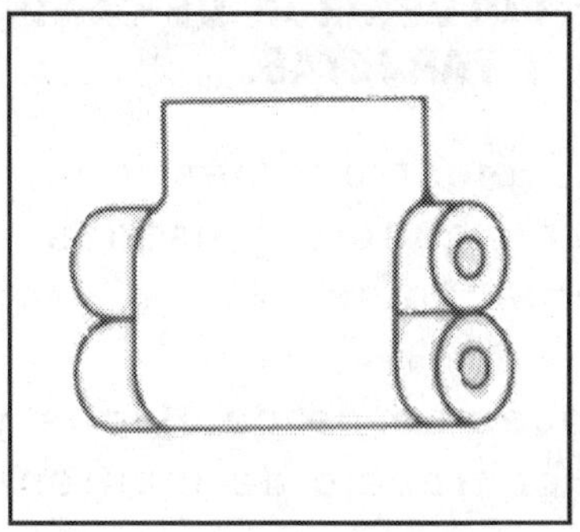
BATERÍAS

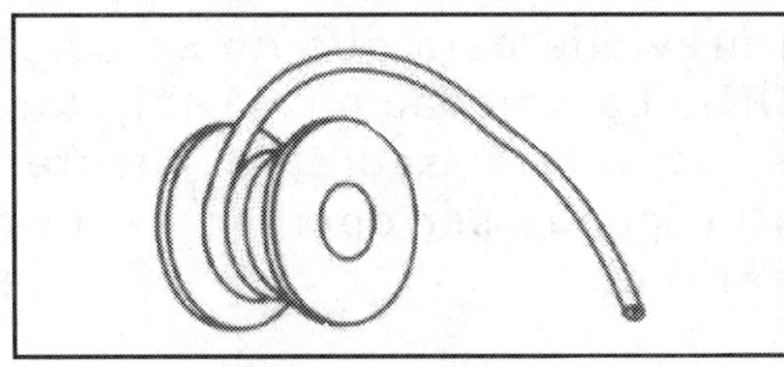
SOLDADURA

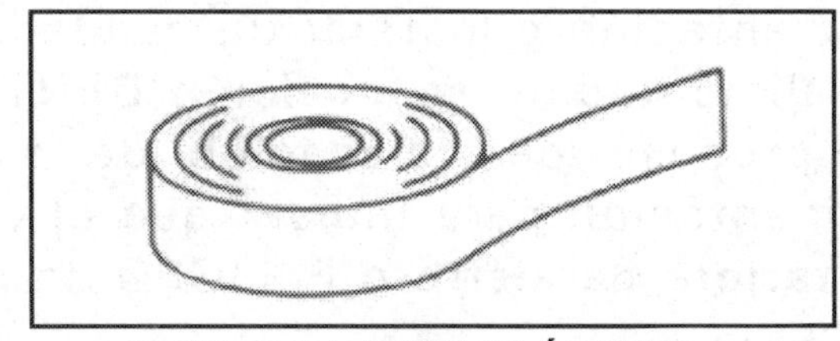
CINTA AISLANTE PLÁSTICA

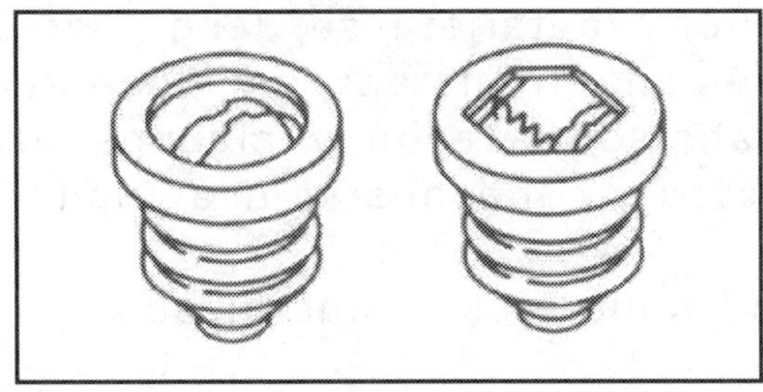
FUSIBLES

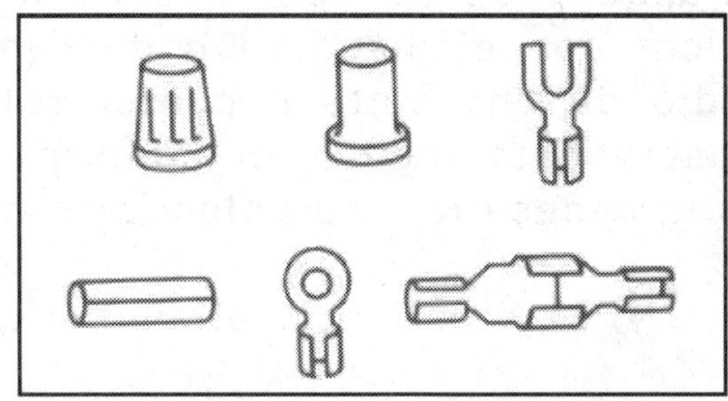
TERMINALES Y CONECTORES

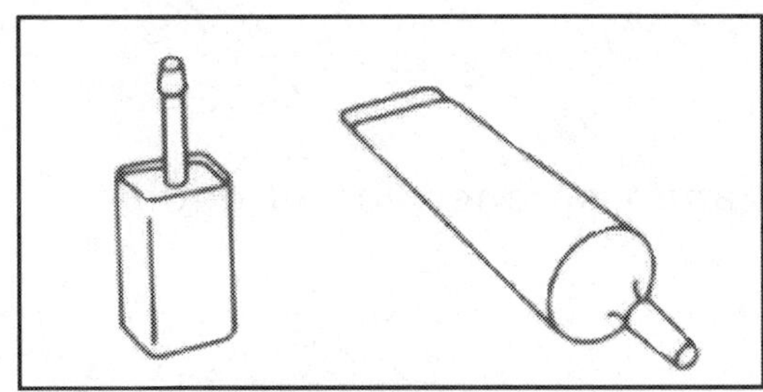
LUBRICANTES

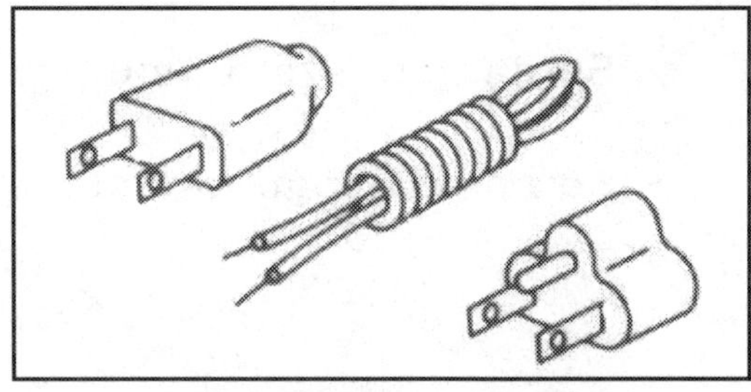
CORDONES Y CLAVIJAS

SUMINISTROS PARA REPARACIÓN

2.9 COLOCACIÓN DE CANDADOS Y TARJETAS.

Aún cuando los dispositivos y componentes eléctricos y electrónicos forman parte de los equipos electrodomésticos, se deben aplicar las medidas de seguridad de tipo general usadas en cualquier trabajo de mantenimiento electromecánico.

La colocación de **candados y tarjetas** se debe hacer antes y después de cualquier trabajo de mantenimiento preventivo o servicio al equipo.

La colocación de **candados** es el proceso de remover la fuente de alimentación e instalar un candado que previene para que no se coloque la alimentación en posición DENTRO (ON). La colocación de tarjetas es el proceso de colocación de tarjetas de alerta sobre la fuente de alimentación para indicar que el equipo no puede ser operado hasta que la **tarjeta de alerta** o PELIGRO se haya retirado.

Una tarjeta de alerta tiene la misma importancia y propósito que un candado y se usa por sí misma sólo cuando el candado no se puede aplicar con el dispositivo de desconexión, la tarjeta se debe fijar por medio de una cinta o cordel suficientemente resistente, y debe tener espacio para indicar el nombre del trabajador, fecha y algunos otros datos necesarios. La colocación de tarjetas y candados se usa cuando:

- Se da servicio al equipo que no requiere estar energizado.
- Se remueve o puentea una máquina o algún otro dispositivo de seguridad.
- Se da limpieza al equipo.
- Se corre riesgo de accidente cuando se energice el equipo.

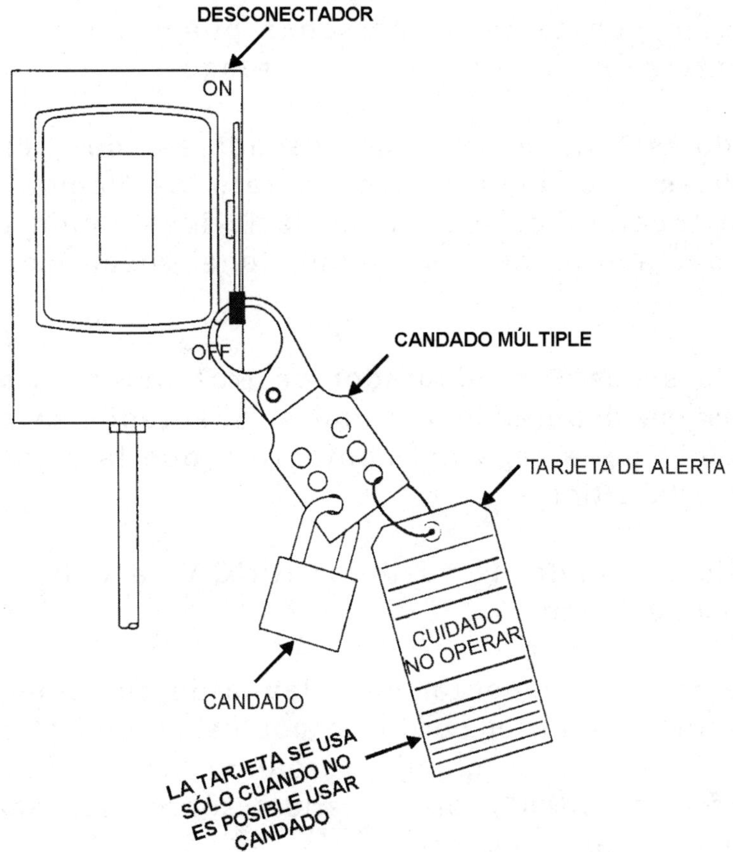

ELEMENTOS DE SEGURIDAD: CANDADOS Y TARJETAS

2.10 LA SEGURIDAD EN EL TRABAJO.

Uno de los aspectos que más intimidan de la electricidad, es su capacidad para producir lesiones e inclusive la muerte, sin embargo, con algunas pocas precauciones se puede eliminar el factor de peligro y trabajar sin el temor a ser lastimado. Esto se logra aplicando algunas medidas de seguridad básicas como las siguientes:

- Desconectar siempre la energía eléctrica o alimentación principal para poder trabajar sobre cualquier circuito de la instalación.

- No sobrecargar los contactos con adaptadores y extensiones.

- No instalar extensiones debajo de alfombras o tapetes ya que el tráfico constante de personas puede dañar el aislamiento y presentarse incluso el riesgo de fuego.

- Cuando se haga uso de secadoras de pelo, rasuradoras eléctricas o cualquier otro aparato de cocina o baño, no se deben tocar tubos metálicos de la instalación de plomería, ya que la mayoría de las instalaciones usan como tierra estos tubos.

- Cuando se use un adaptador de tres patas o terminales a uno de dos, se debe asegurar que el adaptador se conecte a tierra al tornillo de la tapa del contacto y que la caja del mismo este conectada a tierra.

- Cuando se funda un fusible, NUNCA se debe instalar otro de mayor capacidad.

- No se debe desconectar una clavija de cualquier aparato, de su contacto, jalando el cordón o cables ya que el cordón se afloja del interior de la clavija, creando lo que se conoce como "puntos calientes", produciendo sobrecalentamiento y riesgo del fuego eventualmente.

- Siempre se debe desconectar un aparato o una lámpara, antes de intentar repararlo.

- Antes dc iniciar cualquier trabajo, se debe usar un probador de voltaje para estar seguro que el circuito esta sin energía.

- No se deben usar escaleras de aluminio cuando se trabaje cerca de las líneas aéreas de la compañía suministradora o cuando se pruebe circuitos energizados.

- Si por alguna razón se debe trabajar en piso mojado, entonces se deben usar botas de hule y pararse en tablas de madera ya que de esta manera se aisla de la humedad.

- Debido a que la mayoría de las instalaciones eléctricas usan a las instalaciones de plomería como tierra, por lo que no se deben tocar NUNCA los tubos.

2.11 EL TRATAMIENTO DEL SHOCK ELÉCTRICO.

Un shock eléctrico severo puede producir un paro en el corazón e interrumpir los impulsos de respiración controlados por el corazón. Frecuentemente, cuando alguien tiene contacto con un cortocircuito eléctrico, no tiene posibilidad de alejarse. Por esta razón, cuando se observa una persona en estas condiciones, es decir electrocutado, se debe usar una toalla o un pedazo de madera o cualquier otro objeto que sea un pobre conductor eléctrico para alejarlo del punto de contacto con la corriente eléctrica.

En caso de que no tener al alcance ninguno de los objetos antes mencionados, se recomienda retirar, de preferencia, con el pie o con una mano, pero tratando de tener contacto por un lapso de tiempo mínimo, ya que de lo contrario se corre el riesgo de formar parte del cortocircuito y estar electrocutado; **mientras más tiempo pasa una persona en contacto con un cortocircuito, mayor es el daño**, es decir, se tiene muy poco tiempo para reaccionar y moverse rápidamente.

PRIMERA ACCIÓN A TOMAR ES AISLAR A LA VÍCTIMA DEL CORTOCIRCUITO

ABRIR LOS ACCESOS DE AIRE AL CUERPO

A menos que los accesos de aire de la víctima esten abiertos, el aire no puede penetrar a los pulmones y si la víctima no está respirando, pueden estar bloqueados los accesos de aire, para esto: se debe limpiar la boca de obstrucciones, como: comida, goma de mascar y otros objetos. La dentadura postiza sólo se debe remover cuando obstruya el conducto del aire. Coloque a la víctima sobre sus espaldas y mueva su cabeza ligeramente hacia atrás colocando la mano sobre su frente y bajando su mejilla con la otra mano, esto ayuda a mantener la lengua sin bloquear la entrada de aire.

SE DEBEN RETIRAR OBJETOS DE LA BOCA PARA EVITAR OBSTRUCCIONES

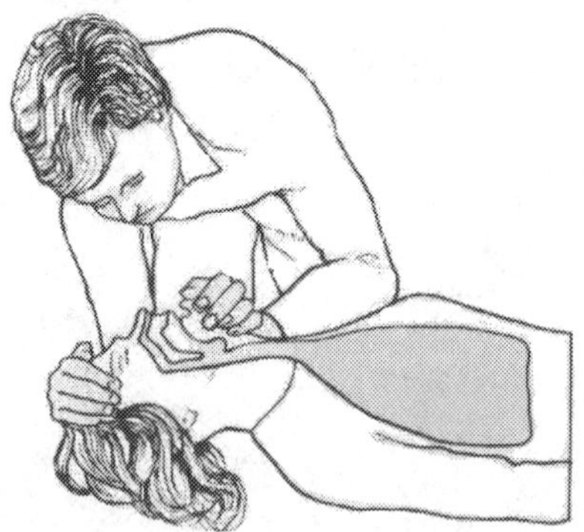

INCLINAR LA CABEZA HACIA ATRÁS PARA FACILITAR EL ACCESO DE AIRE

VERIFICAR LA RESPIRACIÓN

Una vez que el acceso de aire este abierto, verificar signos de respiración, observe si el pecho de la víctima se eleva y retrae, verifique si hay exhalación de aire y escuche con sus oídos si se escapa aire por la nariz y boca de la víctima. **si la victima no respira, se inicia el proceso de respiracion artificial.**

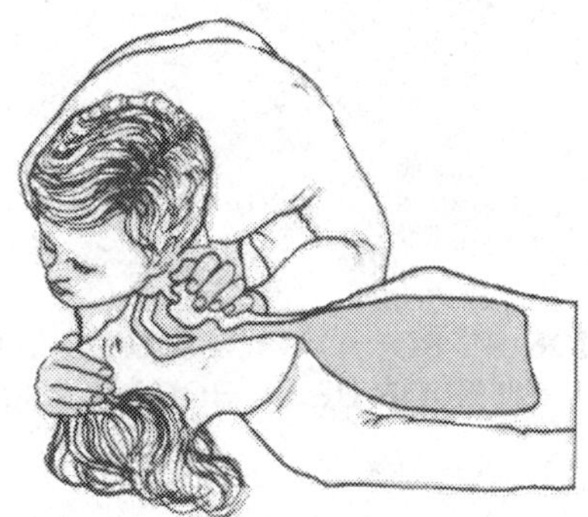

VERIFICAR SI HAY RESPIRACIÓN

RESPIRACIÓN DE BOCA A BOCA

Manteniendo su cabeza inclinada hacia su espalda con una de las manos en su frente, cerrar la nariz con los dedos pulgar e índice, tomar aire en forma profunda y cubrir la boca de la víctima con la propia haciendo una especie de sello y sople en forma profunda y lenta en el interior de la boca de la víctima, observando si hay movimiento en su pecho. Esa operación se repite al menos dos veces con respiraciones lentas y profundas.

Después de las dos primeras respiraciones, se continúa dando una respiración cada **cinco** segundos, tanto tiempo como sea posible y verificamos si la víctima respira por sí misma.

Si por alguna razón no es posible dar respiración de boca a boca (por ejemplo que la boca de la víctima esté quemada), entonces se puede dar de **boca a nariz**, manteniendo también la cabeza de la víctima inclinada y cerrando su boca con la mano libre. La boca se coloca sobre la nariz y se aplica el mismo procedimiento de boca a boca.

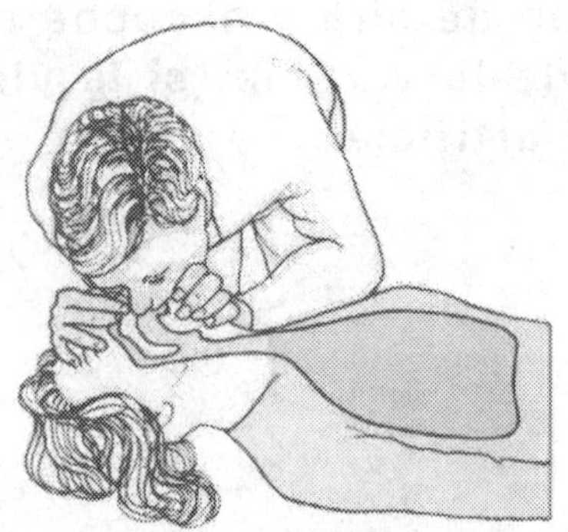

RESPIRACIÓN DE BOCA A BOCA O DE BOCA A NARIZ SOPLANDO EN EL INTERIOR DE LA BOCA O NARIZ DE LA VÍCTIMA

RECUPERACIÓN

Una vez que la victima empieza a respirar, colocar en posición semi-inclinada y obsérvela cuidadosamente para ver si continua respirando regularmente, mantenerla a buena temperatura por medio de frazadas hasta que la ayuda médica llegue.

3 LOS INSTRUMENTOS ELÉCTRICOS EN LOS TRABAJOS DE REPARACIÓN Y MANTENIMIENTO EN EL HOGAR

3.1 INTRODUCCIÓN.

Para la realización de trabajos de reparación de aparatos eléctricos y de mantenimiento en las instalaciones en el hogar, con frecuencia es necesario establecer diagnósticos de las condiciones en que se encuentra un aparato o la componente o parte de una instalación, para esto, es necesario que se hagan diagnósticos a base de mediciones con instrumentos y/o aparatos o elementos de medición para cantidades eléctricas.

Existe una variedad de instrumentos de medición analógicos y digitales para medir cantidades eléctricas y otras relacionadas, tales como: voltaje, corriente, resistencia, potencia, velocidad, temperatura, etc. Normalmente antes de usar cualquier equipo de prueba, se recomienda referirse a las instrucciones dadas por los fabricantes, sobre seguridad y manejo del equipo. Las precauciones básicas para el uso de instrumentos de medición incluyen:

- Asegurarse que las puntas del medidor estén conectadas a las terminales o jacks correctas.
- Estar seguro que el switch selector esté en la función y rango correctos.
- Tener conocimiento de los límites de precisión del instrumento.
- Cuando se tienen mediciones en que la precisión es crítica, tomar el promedio de varias lecturas.

- Cuando se miden cantidades desconocidas, iniciar con el rango más alto.
- Verificar que las puntas de medición no tengan dañado el aislamiento.
- No tomar mediciones en lugares húmedos o mojados.
- Asegurarse que el área de trabajo, zapatos y manos estén secos.

3.2 SISTEMA DE UNIDADES.

Para asegurar una comunicación técnica apropiada entre las personas involucradas en las disciplinas técnicas, es necesario usar un conjunto de unidades de medición bien definidas, el ***sistema métrico de unidades*** proporciona tal comunicación y ha sido adoptado por la mayoría de las disciplinas técnicas, en particular en los sistemas de control. Debido a que aún existe una cantidad importante de trabajo técnico desarrollado en el sistema inglés, se sigue usando este y se establece un sistema de conversión entre ambas unidades.

El sistema internacional de unidades está basado en la ***definición de las unidades para 8 cantidades físicas***, el grupo básico de estas unidades fundamentales es el siguiente:

1. **Longitud**. Está definida por el **metro (m)** medido como 1,650,763.73 de longitud de onda en vacío de radiación de **2 p10 a 5d5 en Kripton-86.**

2. **Masa**. Está definida por el **Kilogramo (Kg)** medido por un kilogramo estándar que se mantiene en la oficina internacional de pesos y medidas. El Kilogramo es el nombre completo de esta unidad, pero no quiere decir necesariamente 1000 con el prefijo **Kilo**.

3. **Tiempo**. Está definido como el **segundo** y está medido como 9,192,631,770 ciclos de radiación cesium-133 de (F=4, M_F = 0) a (F=3), M_F = 0) para transición.

4. **La corriente eléctrica**. Está definida por el **ampere (A).**

5. **Temperatura**. Está definida por el **Kelvin (K).**

6. **Luminancia**. Está definida por la **candela (Cd).**

7. **Ángulo plano**. Está definido por el **radian (rad).**

8. **Ángulo sólido**. Está definido por el **esteradian (sr).**

Todas las otras unidades del sistema internacional se pueden derivar de estas 8 unidades, aunque en algunos casos se usa un nombre especial para derivar la cantidad, por lo tanto, una fuerza se mide en Newton (N), donde 1N = 1 Kg m/s^2, la energía es medida por el Joule (J) o watt-segundo (W-s), dado por 1 J = 1 Kg m^2/s^2, etcétera. En la lista siguiente, se muestran las unidades derivadas más comunes y su descripción.

CANTIDAD SÍMBOLO	DEFINICIÓN DE LA CANTIDAD	NOMBRE DE LA UNIDAD	SÍMBOLO DE LA UNIDAD	DEFINICIÓN DE LA UNIDAD
F	FRECUENCIA	HERTZ	Hz	5^{-1}
W	ENERGÍA	JOULE	J	Kg m^2/s^2
F	FUERZA	NEWTON	N	Kg m/s^2
R	RESISTENCIA	OHM	Ω	Kg $m^2/(s^3.A^2)$
V	VOLTAJE	VOLT	V	A. Ω
P	PRESIÓN	PASCAL	PA	N/m^2
W	FRECUENCIA ANGULAR	RADIANES POR SEGUNDO	RAD/S	Rad/s
E	ILUMINANCIA	LUX	LX	Lm/ m^2
Q	CARGA	COULOMB	C	A.s
L	INDUCTANCIA	HENRY	H	Kg $m^2/(s^2.^{A2})$
C	CAPACITANCIA	FARAD	F	5^4. A^2/ Kg- m^2
G	CONDUCTANCIA	SIEMEN	S	Ω^{-1}
ϕ	FLUJO LUMINOSO	LUMEN	LM	Cd/sr
P	POTENCIA	WATT	W	J/s

Existe también ***el sistema inglés de unidades*** que ha sido usado históricamente en el Reino Unido y en los Estados Unidos de Norteamérica, donde es usado en varias aplicaciones tecnológicas y que para usos en el trabajo científico se relaciona con el sistema de unidades CGS (centímetro-gramo-segundo), que está basado en el centímetro (cm) como unidad de longitud, el gramo (g) como unidad de masa y el segundo (s) como unidad de tiempo. Las transformaciones se pueden hacer usando los factores de escala dados en la tabla siguiente:

CANTIDAD	SJ	CGS	INGLÉS
LONGITUD	1 METRO	100 CENTÍMETROS	3.28 PIES
MASA	KILOGRAMO	1000 GRAMOS	0.0685 SLUGS
TIEMPO	1 SEGUNDO	1 SEGUNDO	1 SEGUNDO
FUERZA	1 NEWTON	105 DINAS	0.2248 LIBRAS
ENERGÍA1	1 JOULE	107 ERGS	0.7376 LB-PIE
PRESIÓN	1 PASCAL	10 DINAS/CM2	1.45

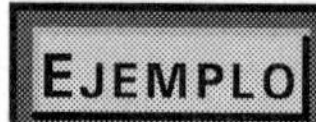

Expresar una presión de p= 21 x 103 dinas /cm^2 en pascal.

De la tabla anterior, recuérdese que:

$1\ pascal = 10\ dinas/cm^2 = 1\ N/m^2$

Y como: *100 cm = 1 m y 105 dinas = 1 newton*

Entonces:

$$P = (2.1 x 1000 \text{ dinas/cm}^2 (100 \frac{cm}{m})^2 (\frac{1N}{10^5 dinas})$$

$P = 210\ pascales.$

Calcular el número de pies que tienen 5.7 m.

Refiriéndose a la tabla de conversiones anterior.

1 m = 39.37 pulg, por lo tanto: $l = (5.7\,m)\ (39.37\ \frac{\text{pulg}}{\text{m}})\,(\frac{\text{1pie}}{\text{12 pulg}}) = 18.7\ \text{pies}$

Expresar 6 pies en metros.

Usando la conversión 39.37 pulg/m:

$$(6\ pies)\ (12\ pulg/pie)\ (\frac{\text{1 m}}{\text{39.37 pulg}}) = 1.829\,m$$

EJEMPLO

Calcular la masa en Kg de un objeto de 2 lb.

SOLUCIÓN

Se puede primero expresar la masa en slugs.

$$\text{m} = \frac{\text{2 lb}}{\text{32.17 pie/s}^2} = .062\ \text{slugs.}$$

como 1 *slug* = 1 *lb-pie/s*^{2}, m = (0.062 *slugs*) (14.59 $\frac{Kg}{slug}$) = 0.905 Kg

MEDIDAS MÉTRICAS EN EL SISTEMA INGLÉS EQUIVALENTES EN EL SISTEMA MÉTRICO MEDIDAS LINEALES	
1 centímetro	0.3937 pulgadas
1 pulgada	2.54 centímetros
1 pie	3.048 decímetros
1 yarda	0.9144 metros
1 metro	39.37 pulg..... 1.0936 yardas
1 Kilómetro	0.62137 millas
1 milla	1.6093 kilómetros

MEDIDAS DE SUPERFICIE	
1 cm^2	0.1550 pulg^2
1 pulg^2	6.452 centímetros cuadrados
1 pie^2	9.2903 decímetros cuadrados
1 m^2	1.196 yardas^2
1 yarda^2	0.8361 m^2
1 acre	4840 yardas^2
1 Km^2	0.386 millas^2
1 milla^2	2.59 Km^2

MEDIDAS DE VOLUMEN	
1 cm^3	0.061 pulg^3
1 pulg^3	16.39 cm^3
1 pie^3	28.317 decímetros cúbicos
1 m^3	1.308 yardas ^{3}
1 yarda^3	0.7646 m^3
1 galón	3.785 litros

PESOS	
1 gramo	0.03527 onzas
1 onza	28.35 gramos
1 kilogramo	2.046 libras
1 libra	0.4536 kilogramos
1 tonelada métrica	1.1023 toneladas inglesas
1 tonelada inglesa	0.9072 toneladas métricas

1 onza por pulg^2 = 0.127 pulg de mercurio.

1 pulg de agua = 0.0735 pulg de mercurio.

1 lb por pulg^2 = 16 onzas por pulg^2 = 2.03 pulg de mercurio.

= 277 pulg de agua.

1 atmósfera = 14.7 lb por pulg^2 = 760 mm de mercurio.

EL USO DE PREFIJOS.

Para evitar expresiones largas, se usan los prefijos para indicar unidades que son menores y mayores que la unidad base. Por ejemplo, 0.000001 A es igual a 1 micro-ampere (µA) y 10,000 W es igual a 10 kilowatts (kW). Los prefijos más comunes se muestran en la tabla siguiente:

PREFIJOS COMUNES		
SÍMBOLO	PREFIJO	EQUIVALENTE
G	GIGA	1,000,000,000
M	MEGA	1,000,000
K	KILO	1000
UNIDAD BASE	-------	1
M	MILI	0.001
µ	MICRO	0.000001
N	NANO	0.000000001
ρ	PICO	0.000000000001

CONVERSIÓN DE UNIDADES.

Para efectuar la conversión entre diferentes unidades, se puede usar la tabla siguiente, en donde se mueve el punto decimal a la izquierda o a la derecha, dependiendo de la unidad.

UNIDADES INICIALES	UNIDADES FINALES						
	GIGA	MEGA	KILO	UNIDAD BASE	MILI	MICRO	NANO
GIGA		3 Der.	6 Der.	9 Der.	12 Der.	15 Der.	18 Der.
MEGA	3 Izq		3 Der.	6 Der.	9 Der.	12 Der.	15 Der.
KILO	6 Izq	3 Izq.		3 Der.	6 Der.	9 Der.	12 Der.
UNIDAD BASE	9 Izq.	6 Izq.	3 Izq.		3 Der.	6 Der.	9 Der.
MILI	12 Izq.	9 Izq.	6 Izq.	3 Izq.		3 Der.	6 Der.
MICRO	15 Izq.	12 Izq.	9 Izq.	6 Izq.	3 Izq.		3 Der.
NANO	18 Izq.	15 Izq.	12 Izq.	6 Izq.	6 Izq.	3 Izq.	

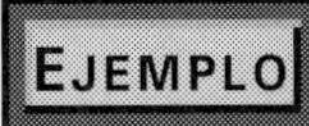

Convertir 0.000001A a términos más simples.

Se mueve el punto decimal seis lugares a la derecha, es decir:

$A = 1.0\ \mu A$

CANTIDADES ELÉCTRICAS COMUNES.

Para cantidades eléctricas comunes, se usan generalmente abreviaciones para simplificar sus expresiones, las más comunes se muestran en la tabla siguiente:

CANTIDADES ELÉCTRICAS COMUNES		
VARIABLE	NOMBRE	UNIDADES DE MEDIDA Y ABREVIACIÓN
E	Voltaje	Volts - E
I	Corriente	Amperes - A
R	Resistencia	Ohms -Ω
P	Potencia	Watts - W
P	Pot. aparente	Volts-amp-VA
C	Capacitancia	Farads - F
L	Inductancia	Henry - H
Z	Impedancia	Ohms - Ω
G	Conductancia	Siemens - S
F	Frecuencia	Hertz - Hz

3.3 TOMANDO MEDICIONES DE TIPO ESTÁNDAR.

En la mayoría de los circuitos eléctricos, electrónicos y de fluido de potencia, se toman mediciones cuando se presume que hay algún problema, o bien para medir la presencia del nivel de una cantidad medible, tal como: ***voltaje, presión, velocidad o temperatura***, durante la operación normal.

Cuando se trata de la localización de fallas o detección de problemas, las mediciones se hacen con equipo portátil. En cambio, cuando se trata de mediciones indicativas normales, los instrumentos de medición están en tableros. La toma de lecturas durante las condiciones de operación normal, da una indicación visual del comportamiento del circuito, por ejemplo, observando el nivel de presión, temperatura, voltaje, velocidad, etc. en cualquier momento, conduce a una operación segura y productiva

En cambio, cuando se toman mediciones o lecturas durante condiciones de falla, da una clara visión de cualquier problema en un circuito, la operación de un circuito, o bien de problemas futuros. Para la detección de fallas, siempre se deben hacer mediciones, aún cuando las fallas parezcan obvias los tres términos básicos usados para medir la electricidad son: medición del voltaje, en volts, medición de la corriente en amperes y medición de la resistencia en ohms.

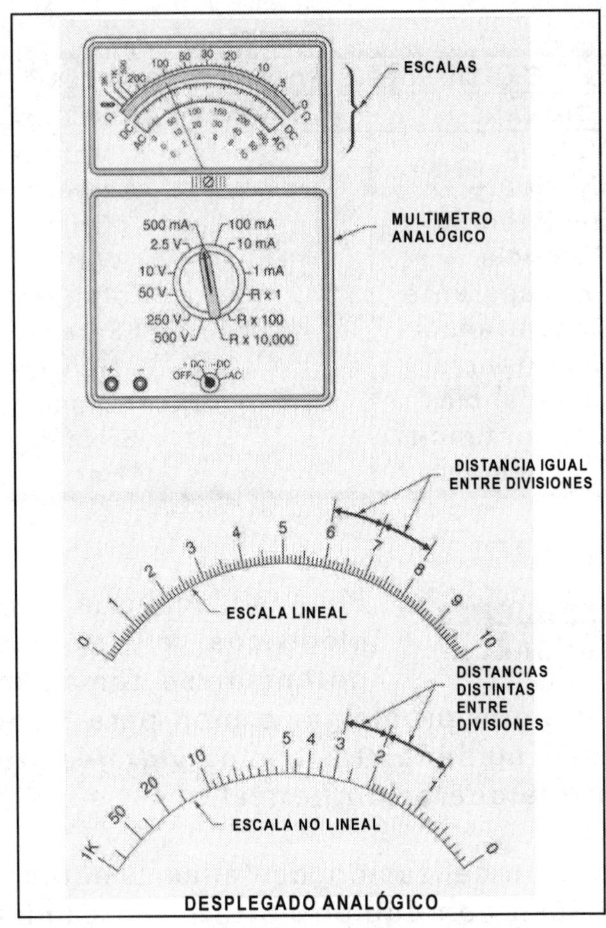

DESPLEGADO ANALÓGICO

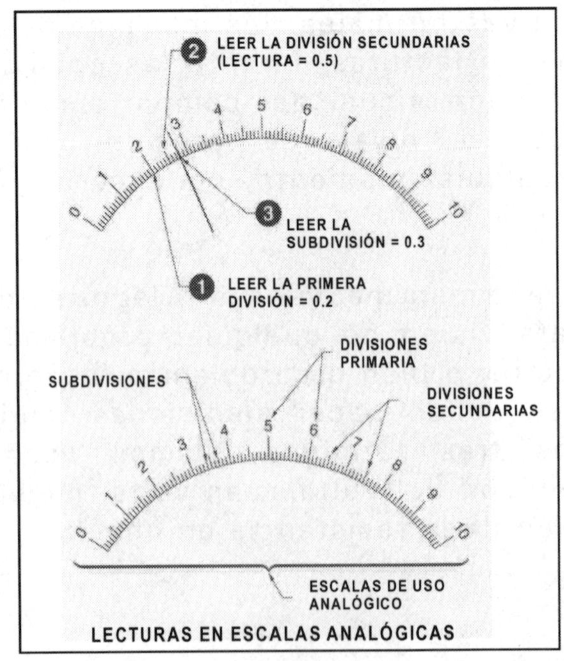

LECTURAS EN ESCALAS ANALÓGICAS

LECTURA DE ESCALAS ANALÓGICAS.

Para leer desplegados o escalas analógicas, se aplica el siguiente procedimiento:

1. Leer la división primaria.

2. Leer la división secundaria si la aguja se mueve pasando a una división secundaria (con lecturas de valores muy bajos, esto puede no ocurrir).

3. Leer la subdivisión, si la aguja no está directamente sobre las divisiones primaria y secundaria, se puede redondear la lectura a la subdivisión más próxima, si la aguja no está directamente sobre una subdivisión, se puede redondear la lectura a la siguiente subdivisión más alta, si el redondeo de la subdivisión más cercana no está claro.

La lectura analógica se obtiene sumando las lecturas primaria, secundaria y subdivisiones.

LECTURA DE ESCALAS DIGITALES.

Una ***escala digital*** es un dispositivo electrónico que despliega las lecturas como un *valor numérico*, este tipo de lecturas ayuda a eliminar los errores humanos cuando se toman lecturas exactas y se presentan errores de apreciación en las lecturas analógicas. En las lecturas digitales se pueden presentar errores cuando, leyendo un desplegado digital, los prefijos, símbolos y puntos decimales no se aplican en forma apropiada.

Las escalas digitales pueden dar valores, ya sea usando ***diodos emisores de luz*** (LED), o bien, ***desplegados de cristal líquido*** (LCD). Las lecturas con instrumentos que usan LED son más fáciles de hacer, pero consumen un poco más de potencia que los aparatos que usan desplegado de cristal líquido (LCD).

La mayoría de los medidores digitales de tipo portátil usan cristal líquido (LCD)

El valor exacto sobre una escala digital está determinado por el número desplegado y la posición del punto decimal, algunos aparatos tienen un switch de rango que determina la posición del punto decimal.

MEDICIÓN DE VOLTAJE (V).

Se puede interpretar como la cantidad de presión en un circuito, el voltaje se mide en volts y la medición se hace con un vóltmetro. El vóltmetro se usa para medir la cantidad de voltaje en un circuito que esta energizado, **pero se deben tomar las medidas de seguridad apropiadas para estar seguro de que ninguna parte del cuerpo esté en contacto con alguna parte viva del circuito** y también para asegurarse de que el vóltmetro se use en forma apropiada, ya que las mediciones se hacen estando el circuito energizado.

Las mediciones de voltaje se toman normalmente para establecer que hay un voltaje en un punto dado de un circuito y para determinar si el voltaje es del nivel apropiado. **Por ejemplo, si hay un voltaje presente en el lado de entrada de un fusible, pero no en la salida, entonces se puede inferir que el fusible esta mal (abierto).**

La segunda razón para las mediciones de voltaje, es para determinar si el voltaje está a su nivel apropiado. El nivel del voltaje exacto en un circuito puede variar, para la mayoría de los circuitos se permite una variación de ±10% con relación a su valor nominal. Los problemas de bajo voltaje se pueden presentar por cualquiera de las siguientes razones:

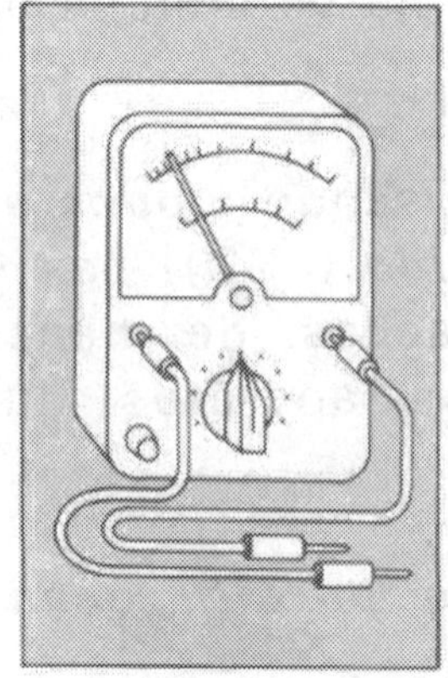

VÓLTMETRO

- Pérdida de conexiones.
- Presencia de corrosión en las conexiones.
- Conductores de dimensiones inferiores a las requeridas.
- Conductores dañados.

MEDICIÓN DE CORRIENTE (I).

La corriente es la cantidad de electrones que fluye a través de un circuito eléctrico, se mide en amperes (A), por medio de un instrumento conocido como **ampérmetro**. Para esto, se deben tomar las debidas precauciones para estar seguro que ninguna parte del cuerpo esté en contacto con las partes vivas del circuito. Se deben tomar también precauciones de seguridad para asegurarse que el ampérmetro sea usado en forma apropiada.

La medición de corriente se toma por lo general para indicar la cantidad de carga en un circuito en las condiciones de carga; cada componente (lámparas, motor, elemento calefactor, aparato de sonido, etc. que convierte energía eléctrica en alguna otra forma de energía (iluminación, movimiento de rotación, calor, sonido, etc.) usa corriente eléctrica. Los limites de corriente se ajustan normalmente dimensionando en forma apropiada los fusibles, interruptores, elementos térmicos y otros tipos de monitores de corriente.

La medición de corriente se puede hacer por medio de un ampérmetro en línea o por medio de un ampérmetro de gancho. **El ampérmetro en línea** es un medidor que mide corriente en un circuito insitándolo en serie con las componentes o con el circuito a medir.

Para insitar un ampérmetro en línea, se requiere que el circuito se encuentre abierto, con un **ampérmetro de gancho la corriente se mide en un circuito, midiendo la intensidad del campo magnético alrededor del conductor,** estos ampérmetros toman la lectura de corriente sin necesidad de abrir el circuito.

Por lo general, los ampérmetros de gancho se usan normalmente para mediciones en corriente alterna desde 0.01A hasta 1000A en algunos casos.

MEDICIÓN DE RESISTENCIA (R).

La resistencia (R) es la oposición al flujo de electrones, la unidad de medida es el ohm (Ω) y se puede medir usando un óhmetro o un megóhmetro.

Un **óhmetro** es un dispositivo o instrumento que se usa para medir la cantidad de resistencia en una componente (o circuito) **que no se encuentra energizado.** Un **Megóhmetro** es un instrumento o dispositivo que detecta el deterioro en los aislamientos, midiendo valores de alta resistencia bajo condiciones de prueba con alto voltaje, el rango de voltajes va de 50 V a 5000 V.

Las mediciones de resistencia se hacen normalmente para indicar la conexión de una componente de un circuito, entre más grande es la resistencia, menor es el flujo de corriente, de igual modo, a menor valor de la resistencia, mayor es el flujo de corriente.

Las componentes o materiales que están diseñados para aislar (hule, papel, plástico, etc.) deben tener un valor de resistencia alto, las componentes que están diseñadas para conducir (conductores, switch de contacto, etc.) deben tener un valor de resistencia muy bajo.

En la medida que los aislamientos se dañan por efecto del calor, la humedad, etc., el valor de su resistencia se reduce, **en la medida que los conductores** se dañan por recalentamiento, corrosión, etc., el valor de su resistencia aumenta.

Otras componentes, tales como los elementos de calefacción, deben tener fijo el valor de su resistencia, cualquier cambio en su valor, indica un problema. **El óhmetro** mide la resistencia de un circuito o componente, cuando está desenergizado.

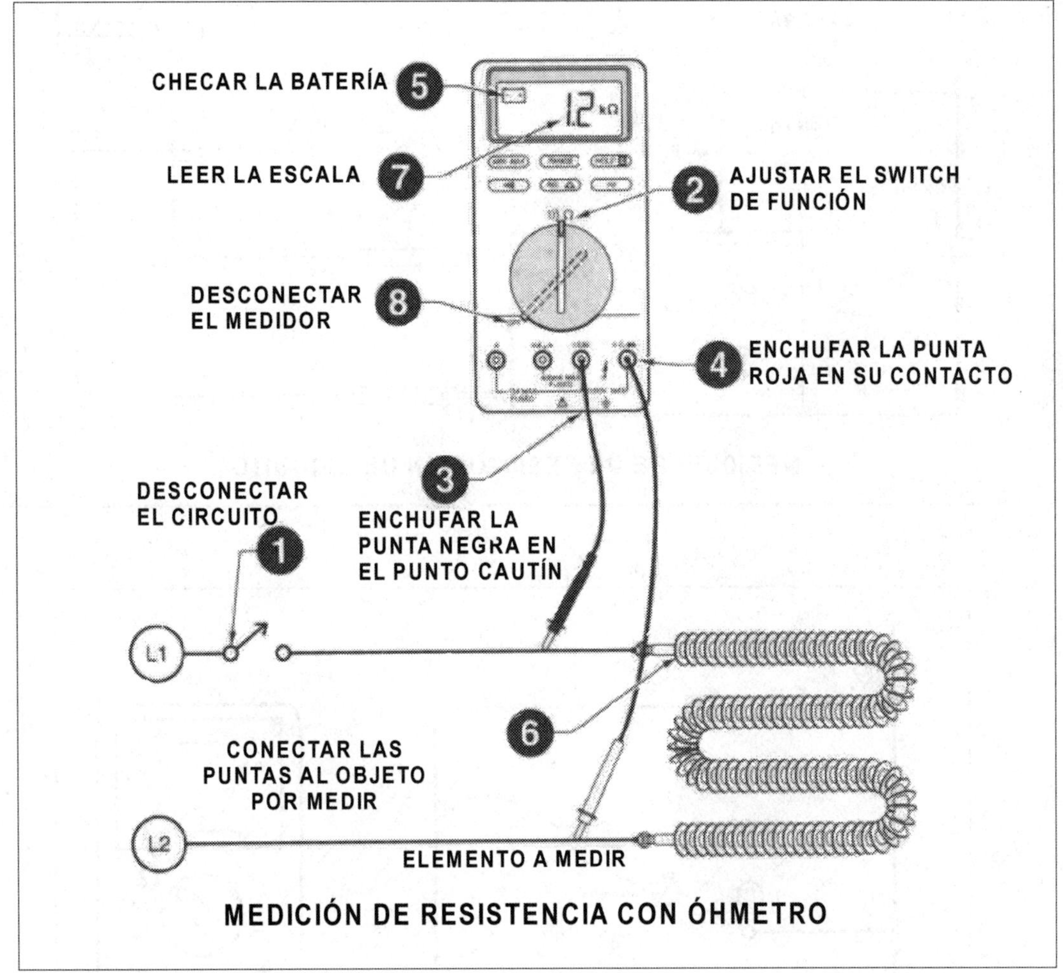

MEDICIÓN DE RESISTENCIA CON ÓHMETRO

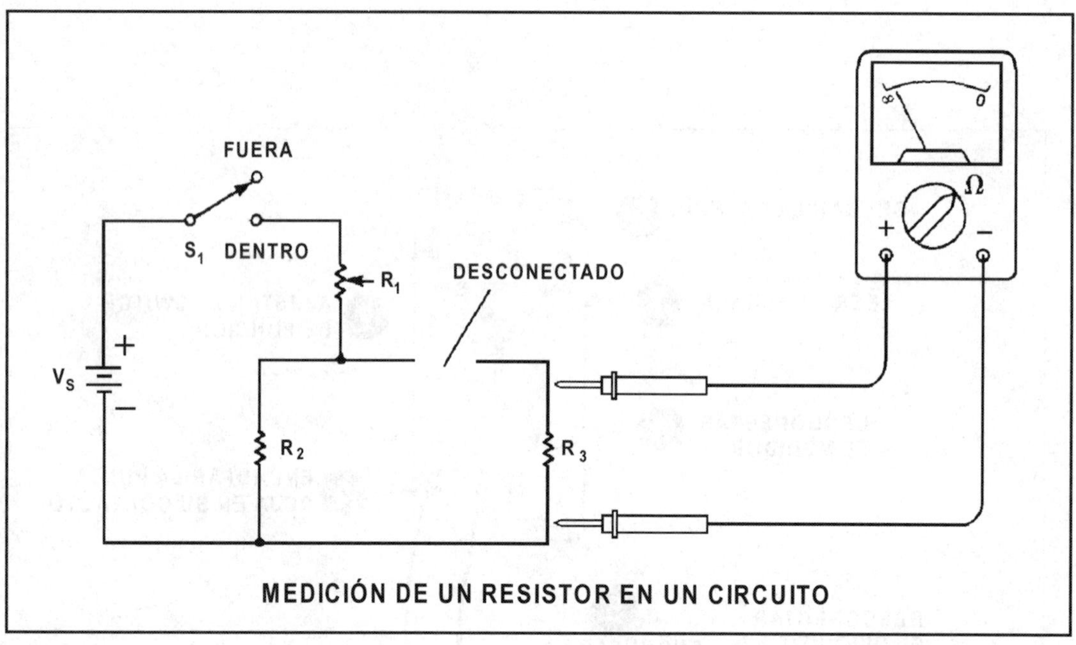

MEDICIÓN DE UN RESISTOR EN UN CIRCUITO

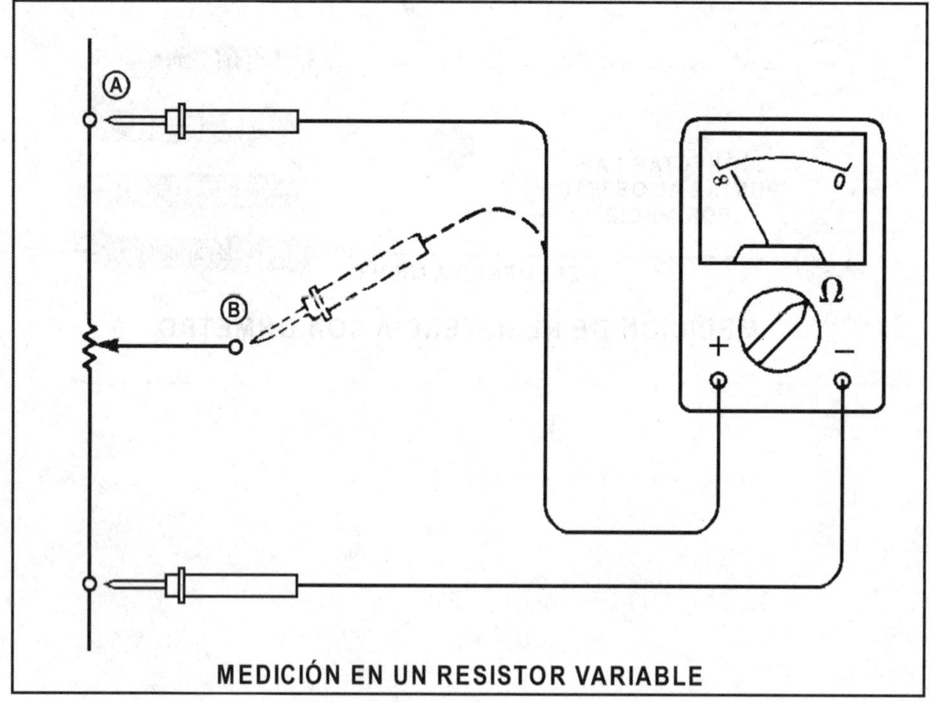

MEDICIÓN EN UN RESISTOR VARIABLE

MEDICIÓN DE RESISTENCIA DE AISLAMIENTO CON UN MEGÓHMETRO (MEGGER).

Para usar un megóhmetro (medidor de resistencia de aislamiento), primero se debe estar seguro de que no hay voltaje presente en el circuito o componente sobre el que se va a efectuar la medición y se aplica el siguiente procedimiento.

1. Estar seguro de que el circuito por medir no esté energizado (OFF).

2. Ajustar el switch selector al valor de voltaje al cual el circuito va a ser probado. El voltaje de prueba debe ser tan alto o mayor que el mayor voltaje al cual el circuito bajo prueba va a ser sometido.

3. Enchufar la punta de prueba negra en la terminal negativa (Jack de tierra).

4. Enchufar la punta de prueba roja en la terminal (Jack) positiva (roja).

5. Asegurarse que las baterías estén en buenas condiciones (en el caso de medidores con baterías), cuando son de palanca o manija, esto no se requiere.

6. Conectar la punta de prueba al conductor bajo prueba.

7. Conectar la punta de prueba de tierra al segundo conductor o tierra.

8. Oprimir el botón de prueba o accionar la manija y leer el valor de resistencia desplegada en el medidor.

9. Conviene consultar con el fabricante del equipo para los valores mínimos a medir como recomendación para la resistencia de aislamiento. Se dice que el aislamiento está en buen estado si la lectura del medidor es igual o mayor que el mínimo valor.

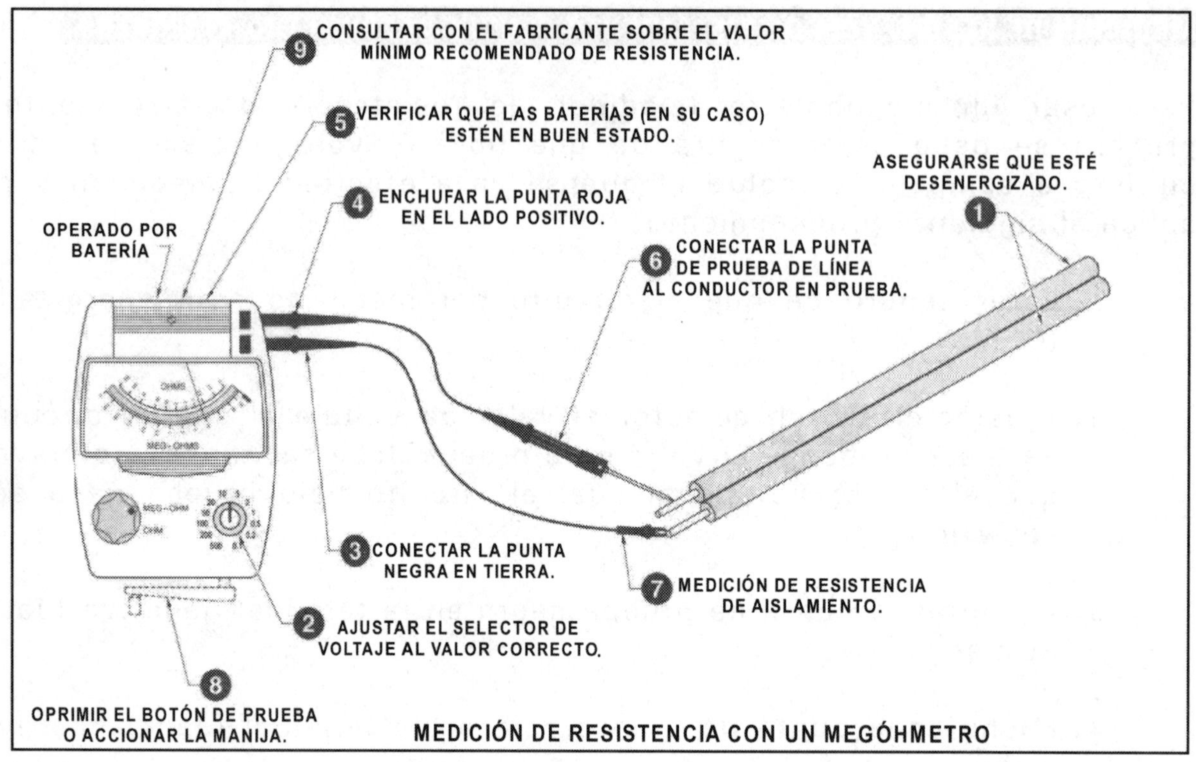

MEDICIÓN DE RESISTENCIA CON UN MEGÓHMETRO

3.4 MEDICIÓN DE VOLTAJE EN CORRIENTE ALTERNA (C.A.).

Como se sabe, la corriente alterna está en las casas habitación, edificios habitacionales y comerciales, industrias y comercios, y es el tipo de corriente eléctrica del que hacemos uso a diario y al que se conectan los aparatos electrodomésticos y de oficinas. Para medir voltajes en C.A. con un Vóltmetro, se debe aplicar el siguiente procedimiento:

1. Si el aparato (vóltmetro) mide en forma indistinta voltaje en corriente alterna (C.A.) o en corriente directa (C.D.), se debe colocar primero el switch de función (C.A. ó C.D.).

2. Colocar las puntas de prueba al circuito por medir y tomar la lectura en el vóltmetro.

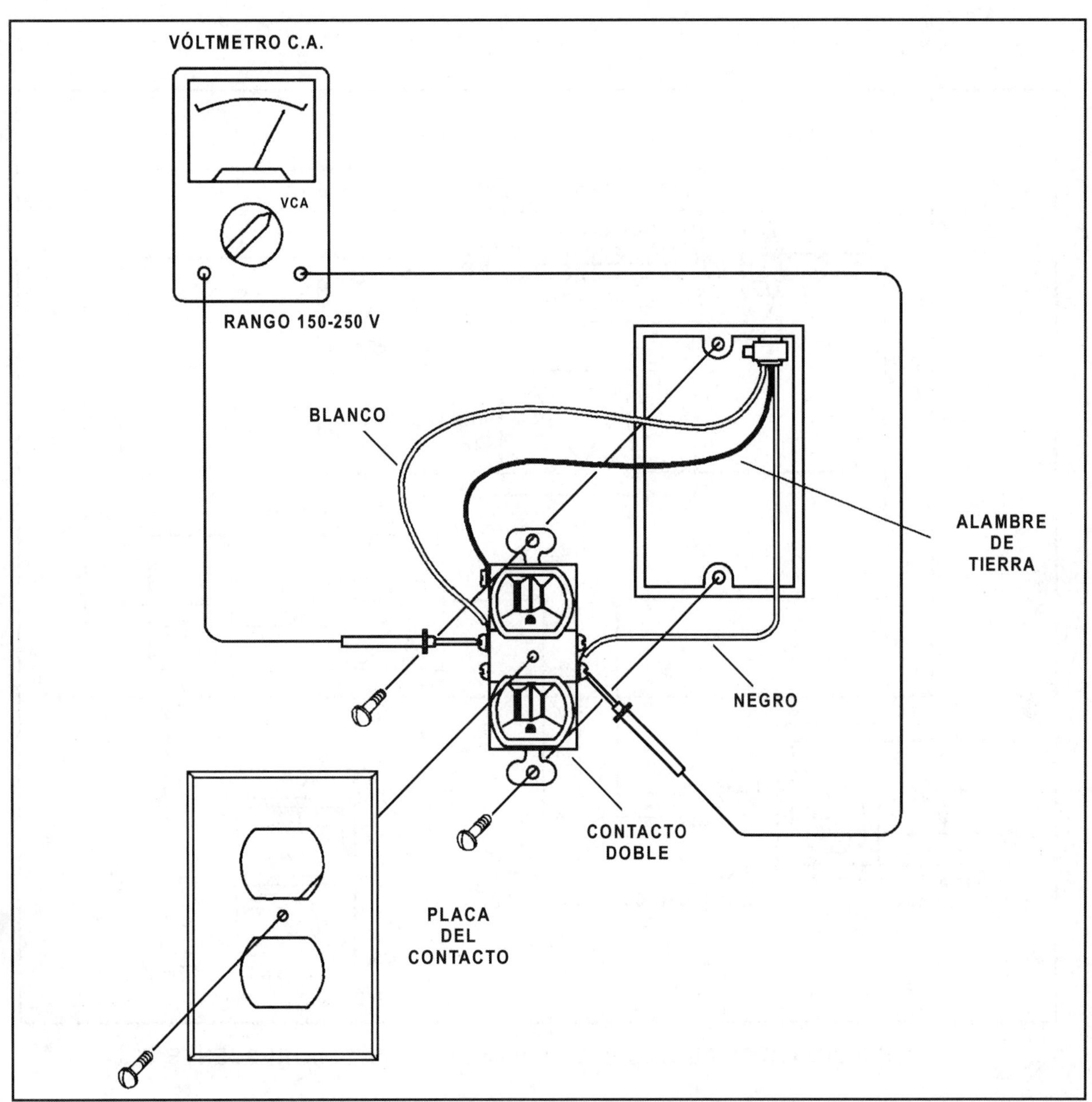

MEDICIÓN DE VOLTAJE EN UN CONTACTO DOBLE

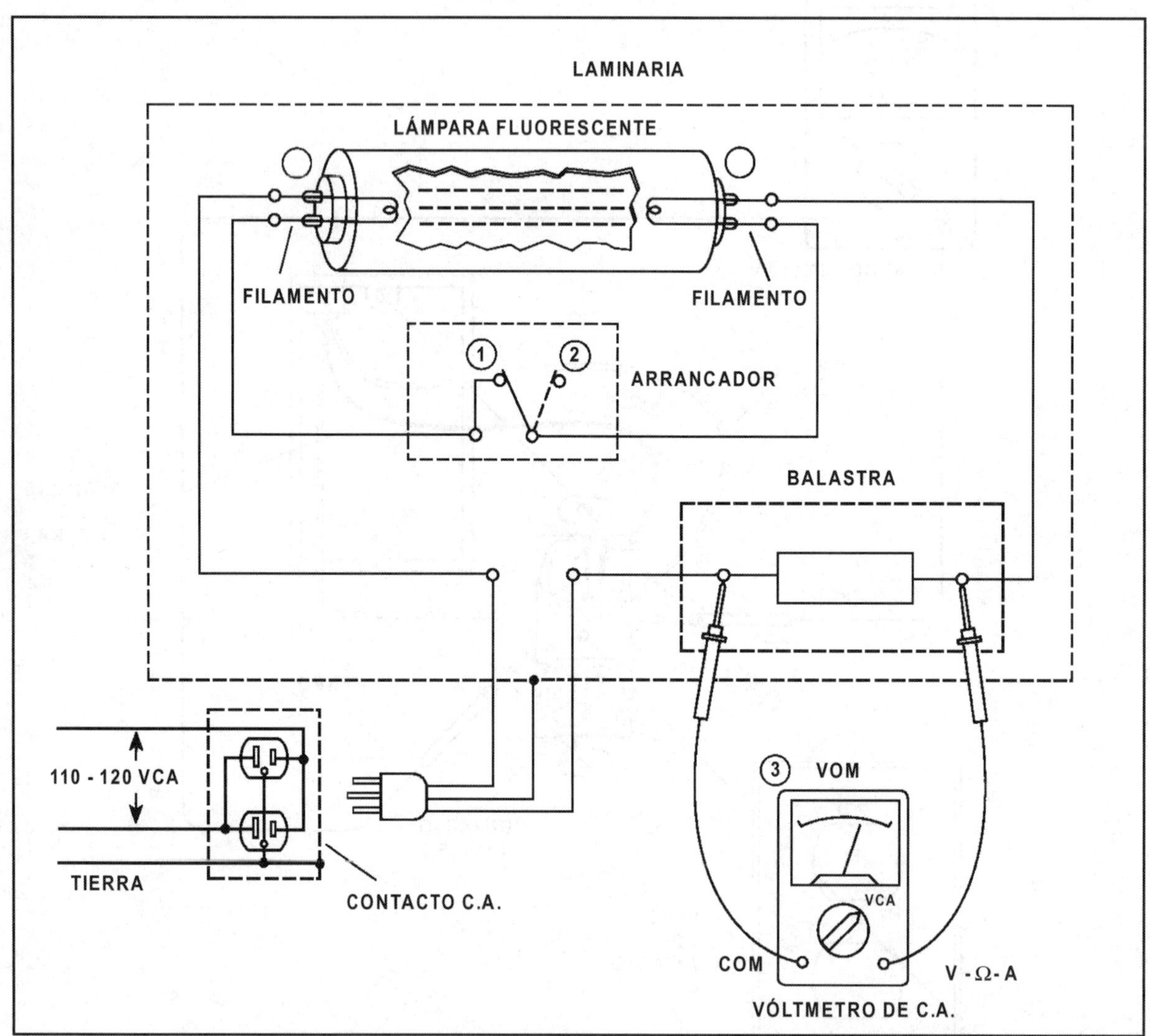

MEDICIONES EN EL CIRCUITO DE UNA LÁMPARA FLUORESCENTE

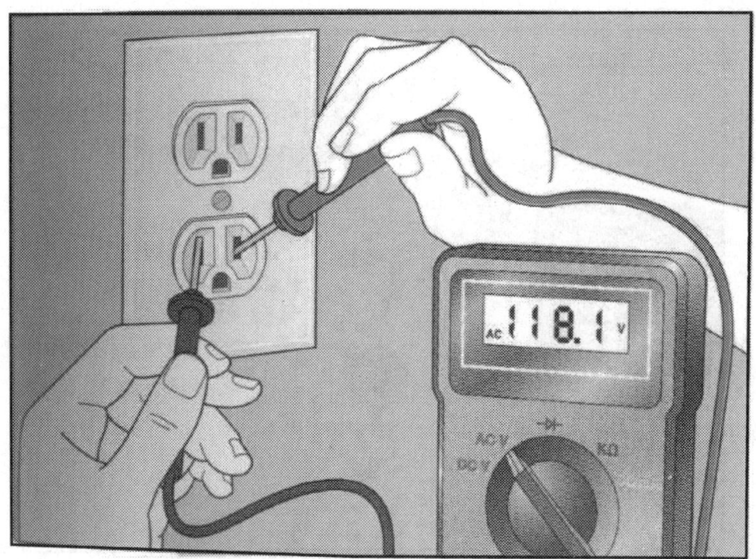

PRUEBA PARA VOLTAJE DE C.A.

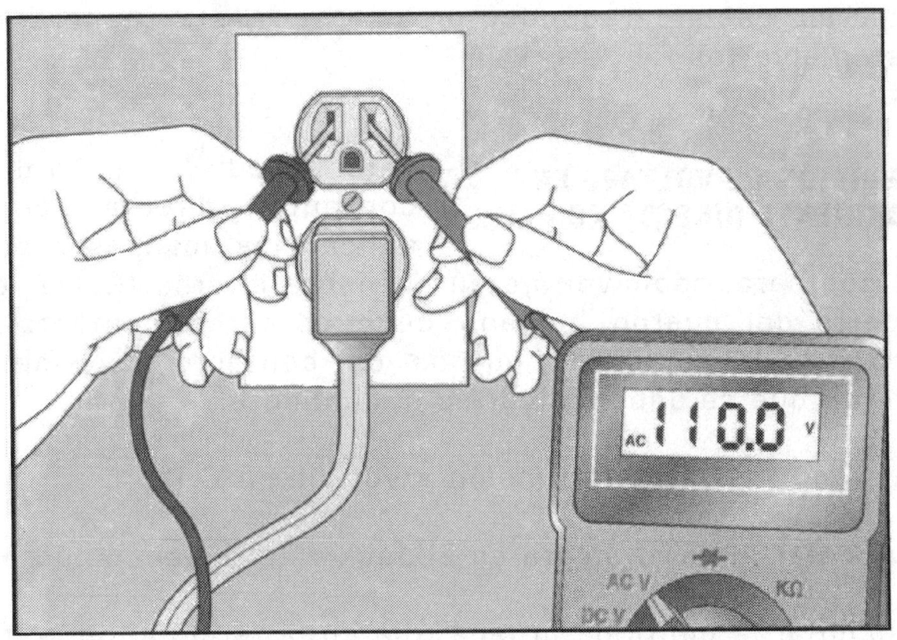

PRUEBA DE VOLTAJE EN CONTACTO

Además del probador de voltaje que determina si hay voltaje, con el vóltmetro se mide el valor que se tenga, por ejemplo en los contactos.

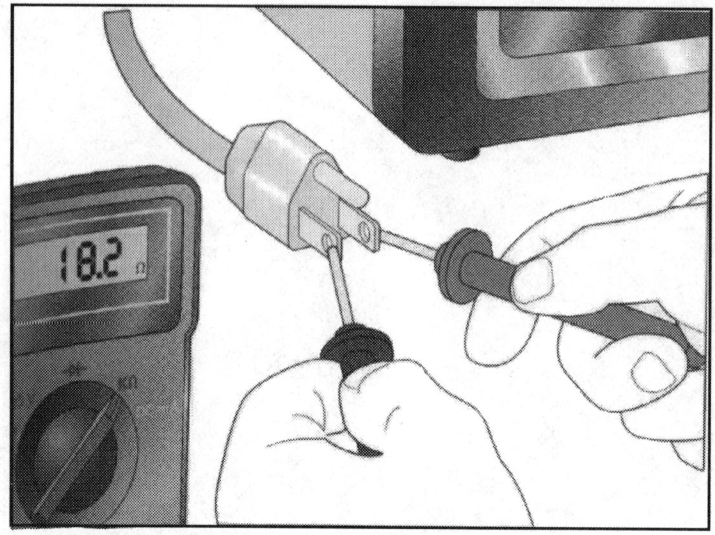

PRUEBA DE CONTINUIDAD

Un óhmetro o un multímetro usado como óhmetro, permite verificar la continuidad en cables o conductores, y de esta manera identificar cuando están abiertos.

3.5 MEDICIÓN DE VOLTAJE EN CORRIENTE DIRECTA (C.D.).

Para medir un voltaje en corriente directa se deben aplicar las mismas medidas de seguridad que para medir voltaje en corriente alterna (C.A.), es decir, ninguna parte del cuerpo humano debe estar en contacto con las partes vivas, incluyendo los puntos de contacto con metales. El procedimiento que se debe aplicar es el siguiente:

1. Ajustar el switch de función a voltaje en C.D.

2. Enchufar la punta negra en el Jack o terminal común o tierra.

3. Enchufar la punta de prueba roja en la terminal de voltaje.

4. Conectar las terminales de prueba al circuito por medir.

5. Tomar la lectura en la carátula o desplegado del vóltmetro.

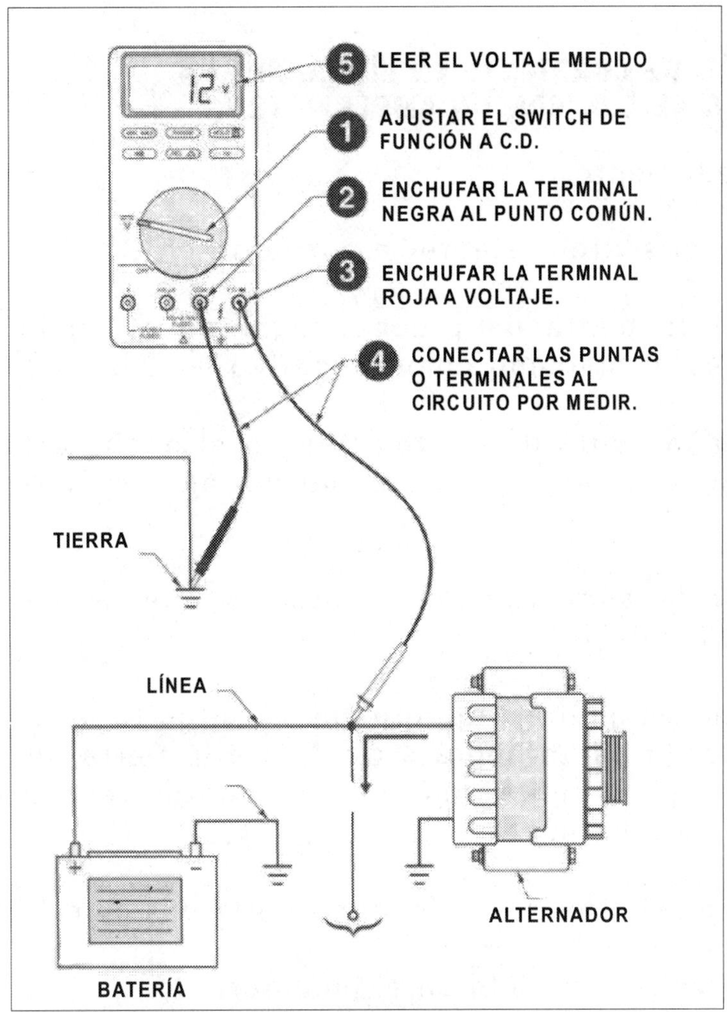

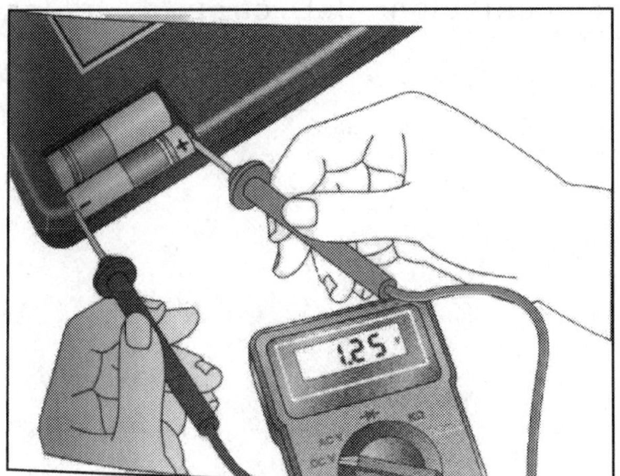

PRUEBA PARA VOLTAJE DE C.D.

3.6 MEDICIÓN DE CORRIENTE EN LÍNEA CON UN CIRCUITO DE C.D. CON UN AMPÉRMETRO.

Para medir una corriente directa se debe aplicar el siguiente procedimiento:

1. Ajustar el switch selector a corriente en C.D.

2. Colocar la punta de prueba negra en el enchufe común, que puede estar marcado como negativo (-) o bajo (low).

3. Colocar la punta de prueba roja en el enchufe (Jack) de voltaje que puede estar marcado como voltaje (V), positivo (+) o alto (high).

4. Colocar la alimentación al circuito que se está probando en FUERA (OFF).

5. Colocar las puntas de prueba al circuito o dispositivo a ser probado (la punta negra a tierra o a la tierra del elemento a ser medido) y la punta roja (+) al punto de contacto donde se medirá el voltaje.

6. Energizar el circuito, colocando en la posición DENTRO (ON).

7. Leer el voltaje medido en el medidor.

8. Retire la alimentación del circuito, colocando en posición FUERA (OFF).

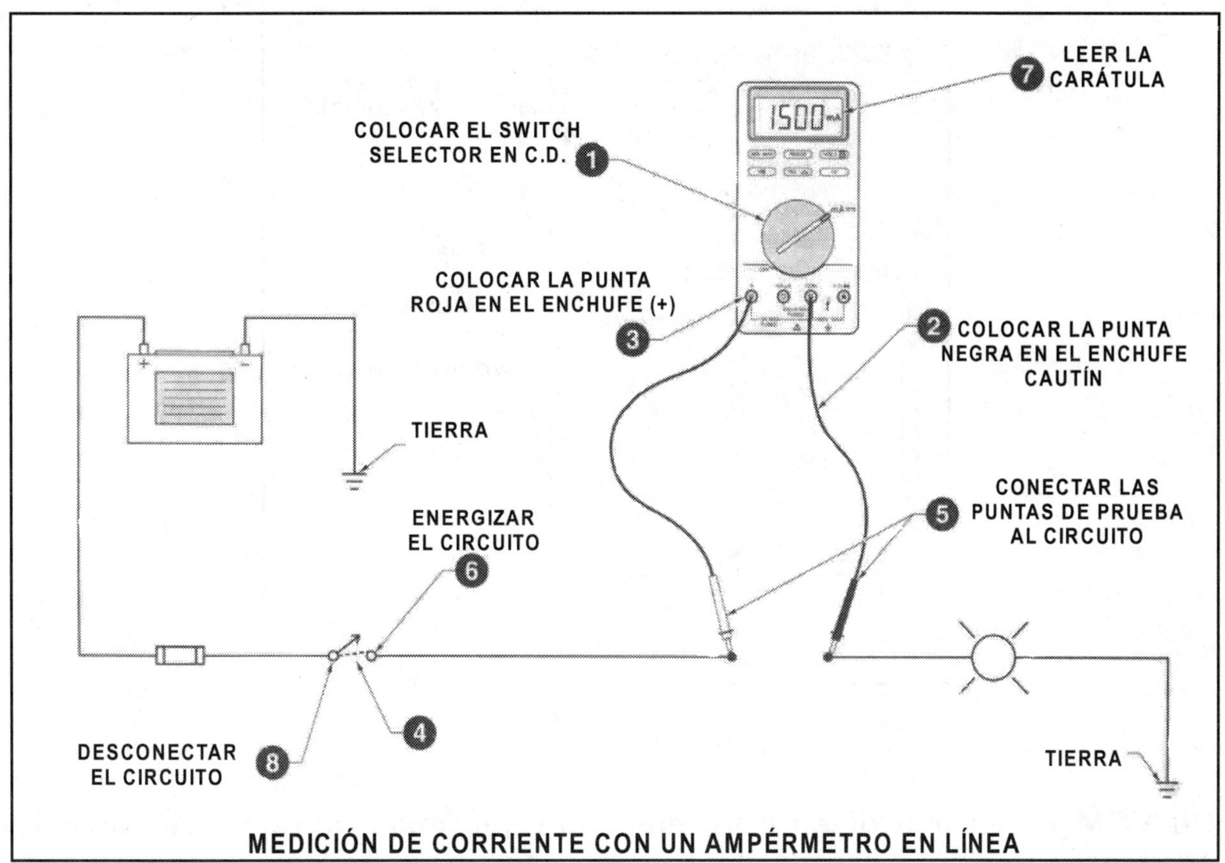

MEDICIÓN DE CORRIENTE CON UN AMPÉRMETRO EN LÍNEA

3.7 EL MULTÍMETRO.

El multímetro es un instrumento de medición capaz de medir dos o más cantidades eléctricas. Pueden ser analógicos o digitales, el tipo más común es el llamado VOM (volt-ohm-miliampere).

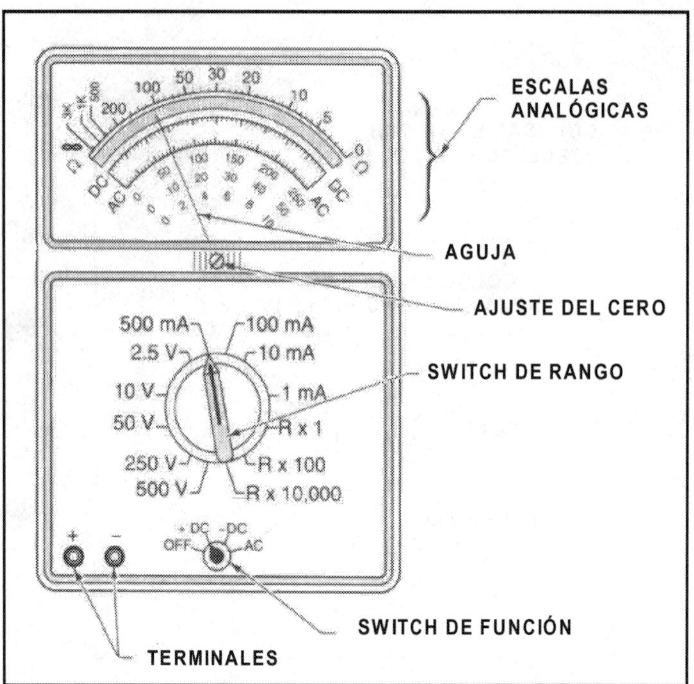

MULTÍMETRO

Un VOM es un instrumento de medición que mide voltaje, resistencia y corriente, tiene un switch de función, que permite seleccionar cuando se hacen mediciones en corriente alterna (C.A.) o en corriente directa (C.D.). **Para el uso** del multímetro, se debe considerar el siguiente procedimiento:

1. Determinar la función requerida (voltaje, corriente, resistencia) y colocar el switch de rango y/o función a la cantidad eléctrica por medir.

2. Ajuste el instrumento al valor más grande de la cantidad por medir. En el caso de lecturas que no se tenga idea de la magnitud, se debe seleccionar el rango más alto.

3. Se debe conectar el instrumento de acuerdo con las recomendaciones del fabricante.

4. Se debe tomar el valor de la lectura en el medidor.

5. Se desconecta el medidor del circuito.

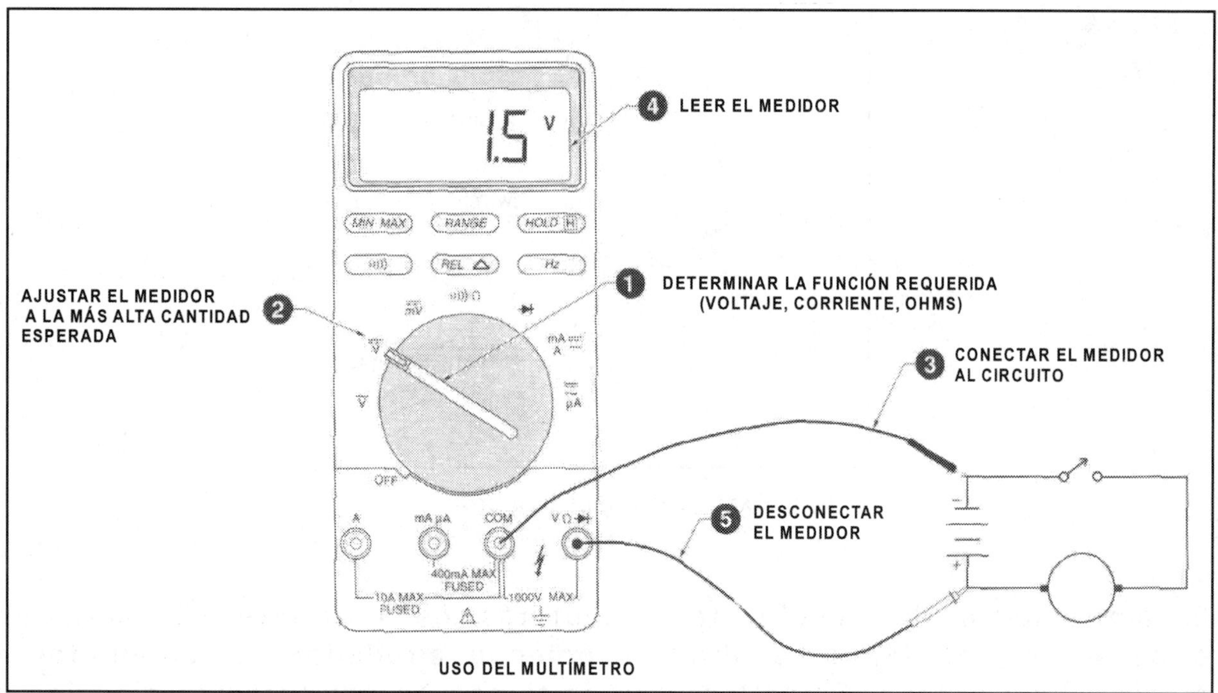

PASOS A SEGUIR PARA TOMAR LECTURAS CON EL MULTÍMETRO

3.8 MEDICIONES EN CORRIENTE ALTERNA CON UN AMPÉRMETRO DE GANCHO.

Un ampérmetro de gancho es un instrumento que mide corriente en un circuito de corriente alterna, midiendo la intensidad del campo magnético alrededor de un conductor. Este mismo instrumento puede estar diseñado también para medir voltaje, usando puntas de prueba, como si se tratara de una medición con un vóltmetro convencional.

El ampérmetro de gancho mide corrientes desde 0.01 A o menos hasta 1000 A o más.

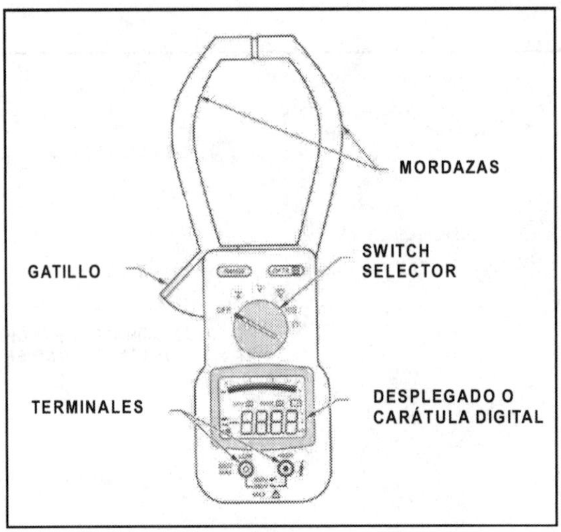

AMPÉRMETRO DE GANCHO

El ampérmetro de gancho toma lecturas de corriente sin abrir un circuito, las mordazas se abren y colocan alrededor del conductor a medir o bajo prueba. Estas lecturas se toman en conductores aislados o barras. **Cuando las mordazas se cierran, aparece en la escala la indicación de medición de corriente.** Generalmente, la lectura indica la corriente que demanda una carga.

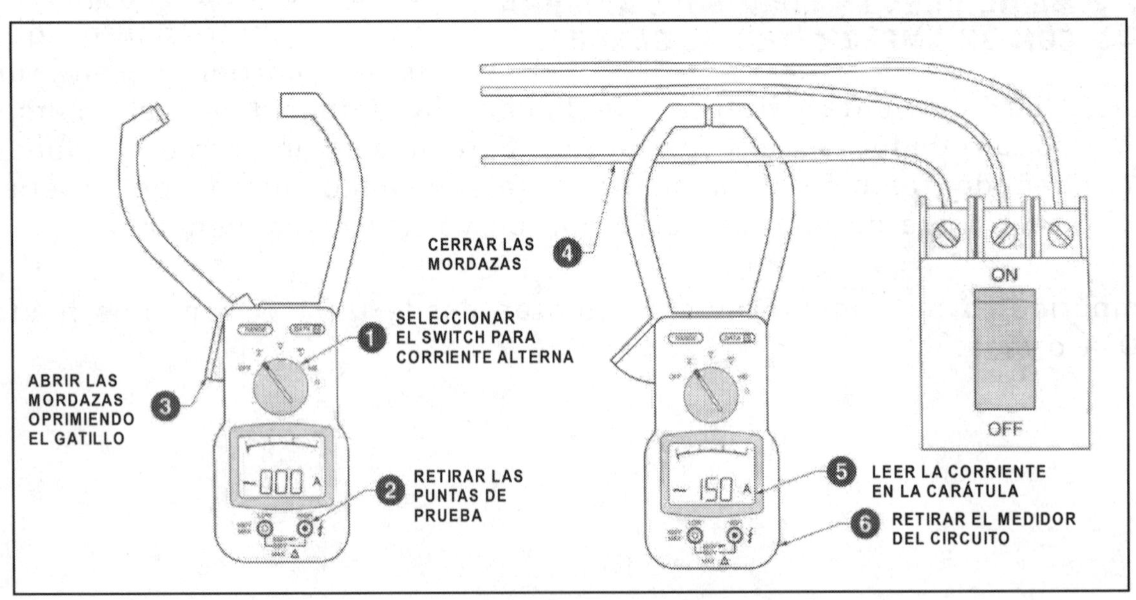

MEDICIÓN CON EL AMPÉRMETRO DE GANCHO

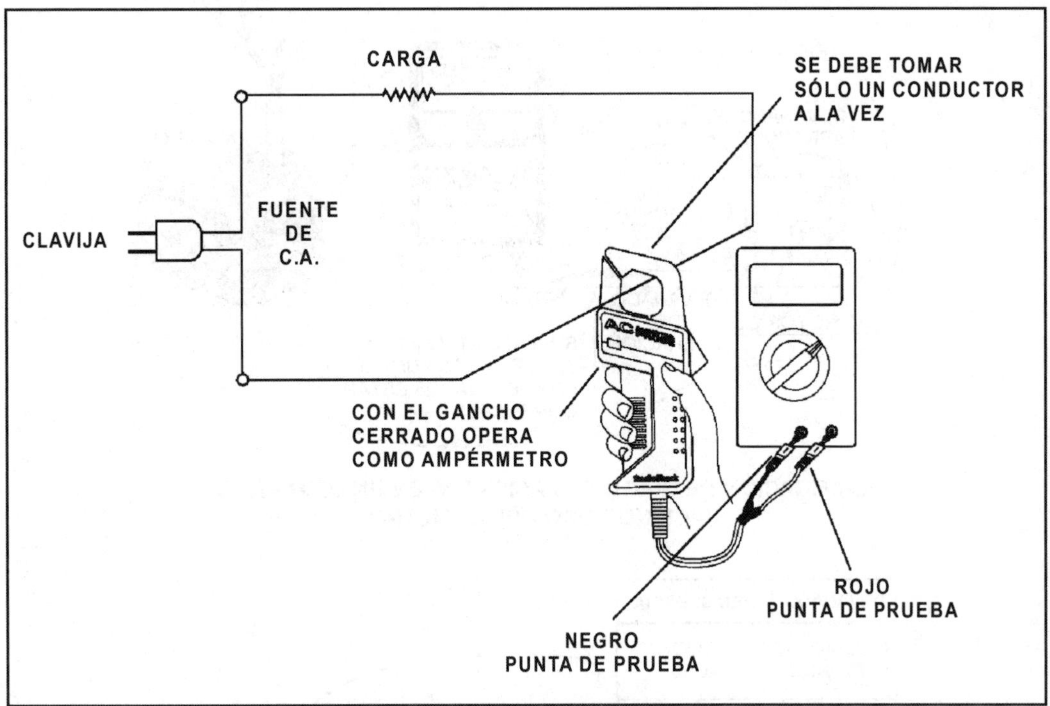

FORMA DE USO DEL VOLT-AMPÉRMETRO DE GANCHO PARA MEDICIÓN DE CORRIENTE

APLICACIONES DE LOS EQUIPOS DE MEDICIÓN A LA DETERMINACIÓN DE LAS CONDICIONES DE ALGUNOS TIPOS DE MOTORES USADOS EN APARATOS ELECTRODOMÉSTICOS.

Los aparatos electrodomésticos que usan motores eléctricos, generalmente requieren que se hagan algunas mediciones en éstos, para verificar valores o determinar el estado en que se encuentran, es decir, hacer en cierto modo un diagnóstico. Para esto, se aplican mediciones con los instrumentos que han sido estudiados en los párrafos anteriores, como se muestra a continuación:

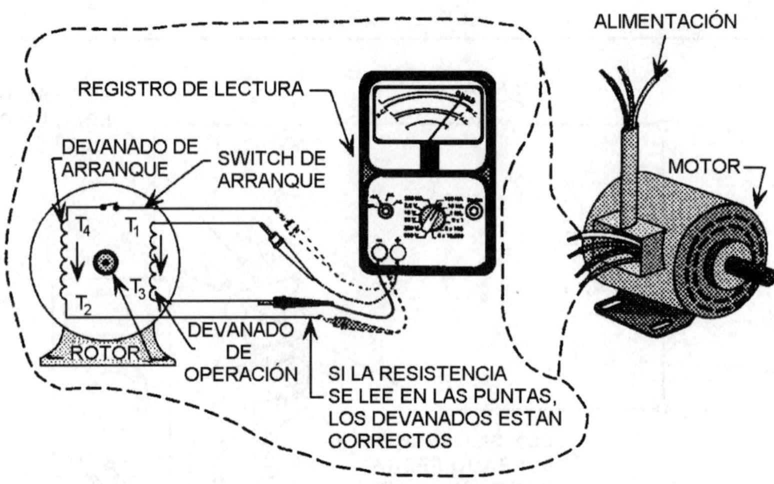

VERIFICACIÓN DE CIRCUITOS ABIERTOS EN UN DEVANADO, HACIENDO USO DEL ÓHMETRO

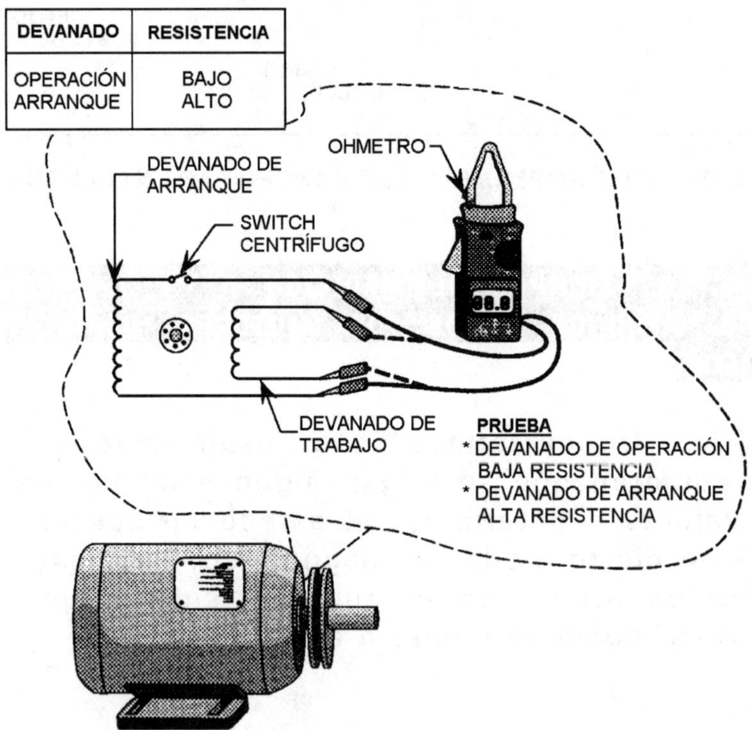

DEVANADO	RESISTENCIA
OPERACIÓN ARRANQUE	BAJO ALTO

MEDICIÓN DE LA RESISTENCIA DE LOS DEVANADOS EN MOTORES DE FASE PARTIDA

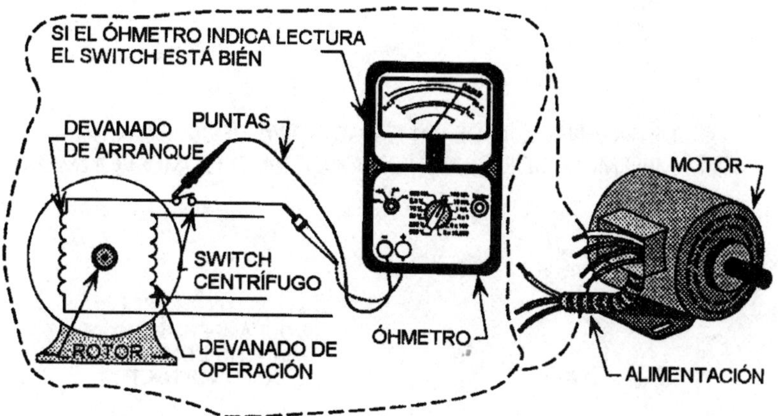

PRUEBA DEL SWITCH CENTRÍFUGO CON UN ÓHMETRO

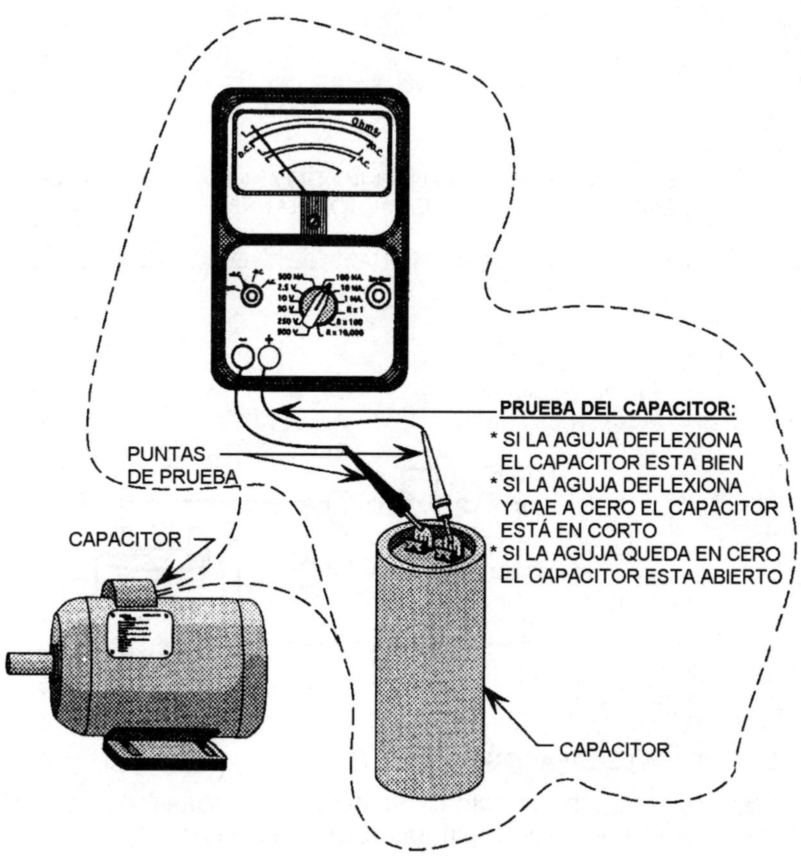

PROBANDO UN CAPACITOR CON UN ÓHMETRO

DETERMINACIÓN DE UN CAPACITOR A TIERRA CON UN VOLT-AMPÉRMETRO DE GANCHO CONECTADO COMO VÓLTMETRO

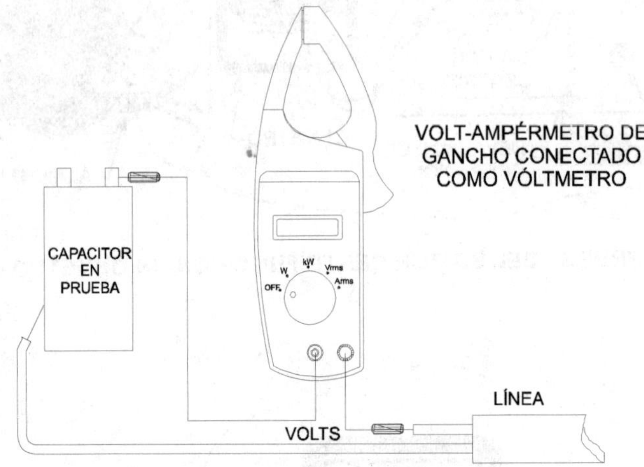

1). SE AJUSTA EL VOLTMETRO EN EL RANGO APROPIADO DE VOLTAJE Y CONECTÁNDOLO CON EL CAPACITOR A LA LÍNEA.

2). UNA INDICACIÓN DE ALTO VOLTAJE A PLENA ESCALA INDICA QUE EL CAPACITOR ESTÁ A TIERRA.

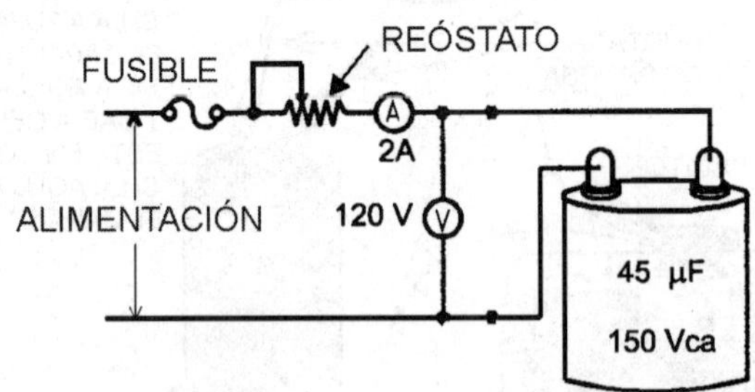

1. SE DESCONECTA EL CAPACITOR DEL MOTOR.
2. SE FORMA EL CIRCUITO ANTERIOR Y SE REGULA LA CORRIENTE CON EL REÓSTATO. SI EL CAPACITOR NO ESTÁ ABIERTO CIRCULA UNA CORRIENTE.
3. A LA FRECUENCIA DE 60 Hz, LA CAPACITANCIA SE CALCULA COMO:

$$C = \frac{2650 \text{ X amperes}}{volts} \quad (microfarads)$$

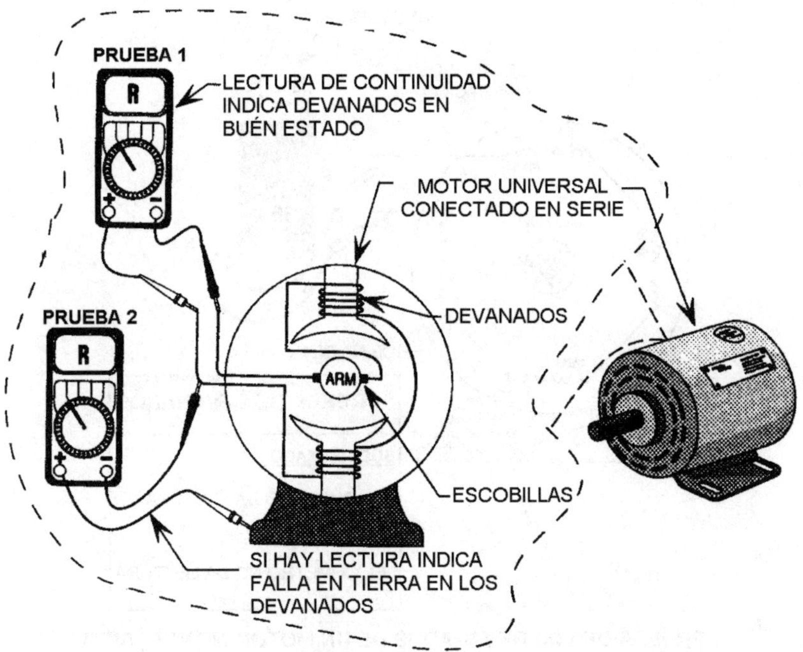

PRUEBA DE LOS DEVANADOS DE UN MOTOR UNIVERSAL

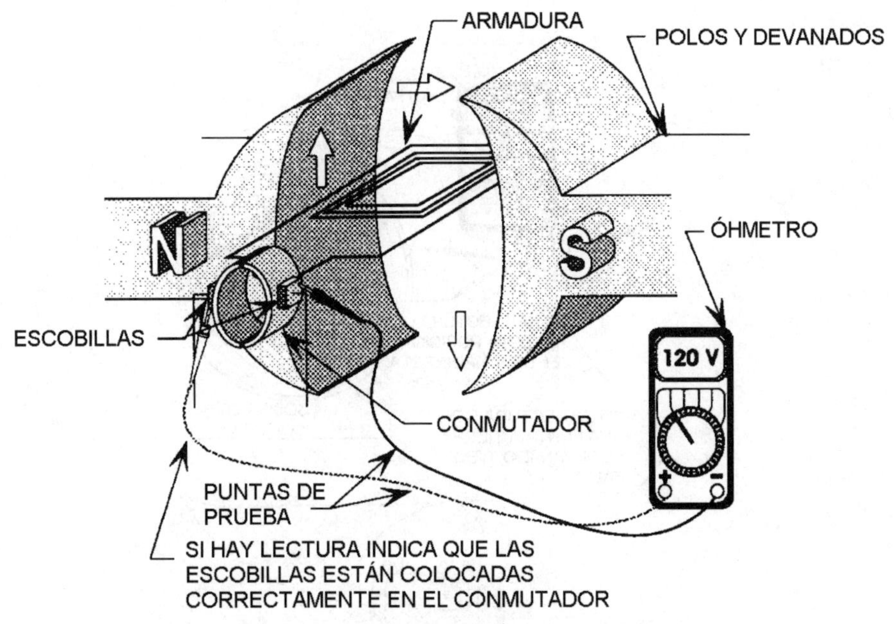

PRUEBA DE ESCOBILLAS DE UN MOTOR UNIVERSAL

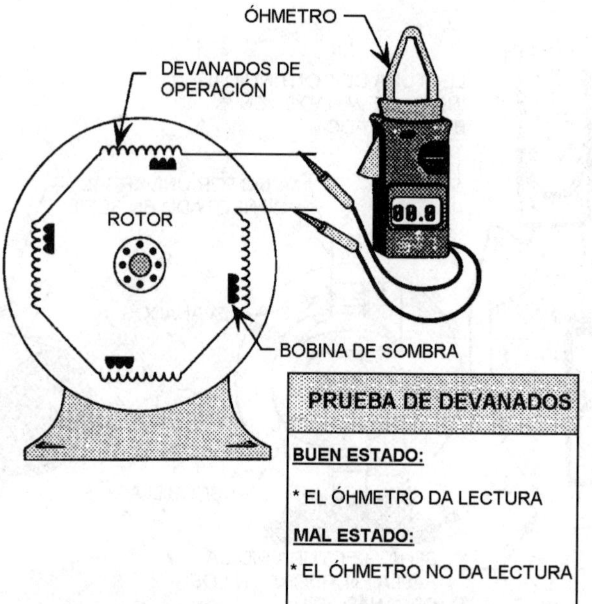

PRUEBA DE LOS DEVANADOS DE UN MOTOR MONOFÁSICO DE POLOS SOMBREADOS

LA RESISTENCIA DEL DEVANADO EN UN MOTOR DE POLOS SOMBREADOS SE MIDE POR MEDIO DE UN ÓHMETRO

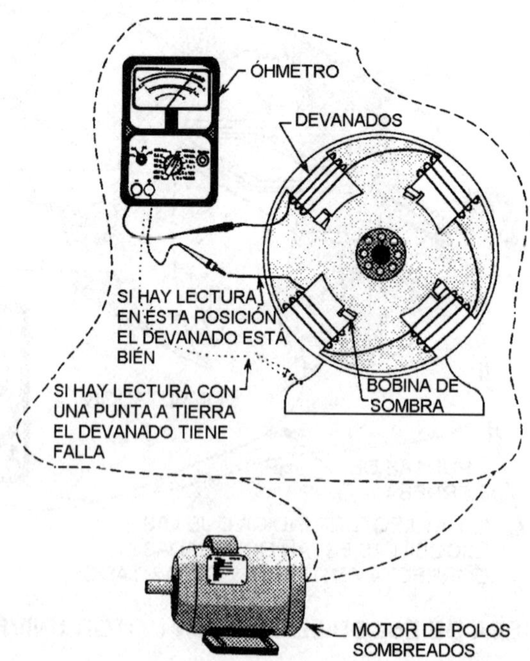

PRUEBA DE LOS DEVANADOS DE UN MOTOR DE POLOS SOMBREADOS

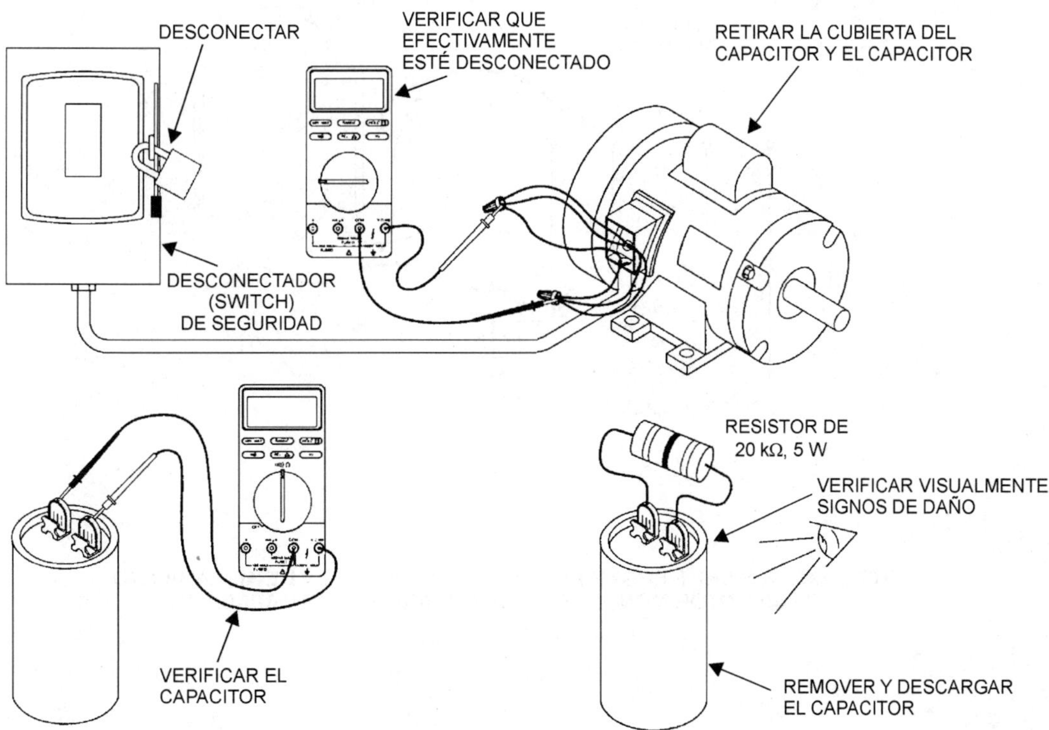

LOCALIZACIÓN DE FALLAS EN LOS CAPACITORES DE MOTORES

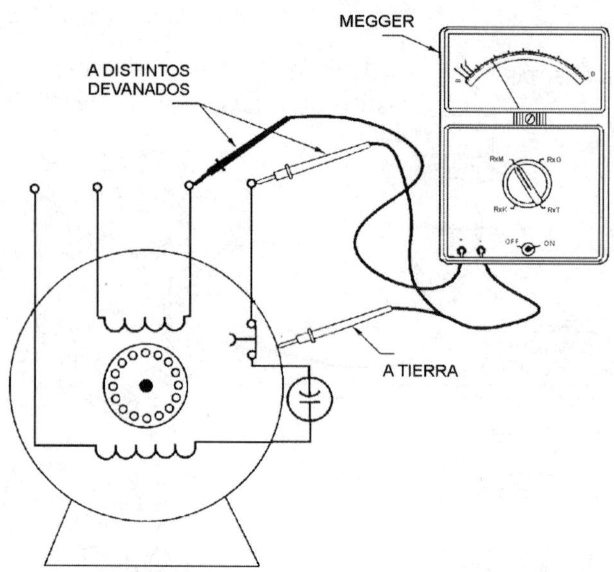

CONEXIONES DEL MEGGER PARA MEDIR RESISTENCIA DE AISLAMIENTO EN UN MOTOR MONOFÁSICO DE ARRANQUE CON CAPACITOR

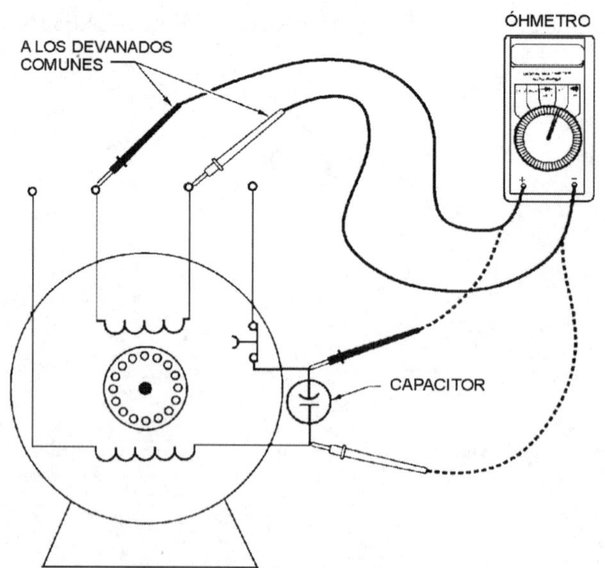

CONEXIÓN DEL ÓHMETRO PARA MEDIR RESISTENCIA ÓHMICA EN UN MOTOR MONOFÁSICO DE ARRANQUE CON CAPACITOR

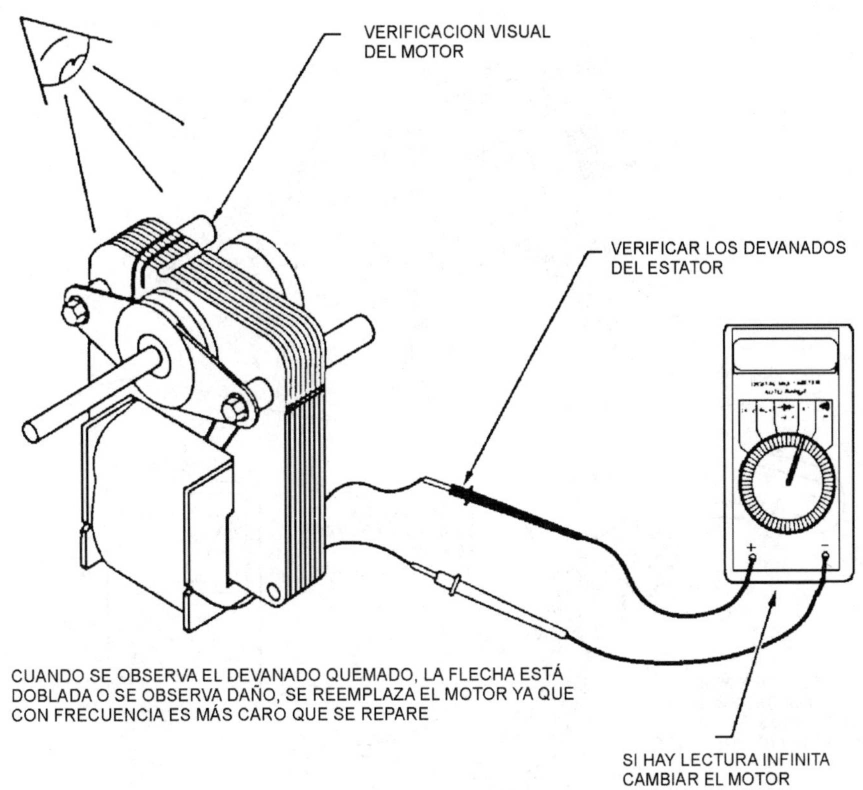

LOCALIZACIÓN DE FALLAS EN UN MOTOR DE POLOS SOMBREADOS

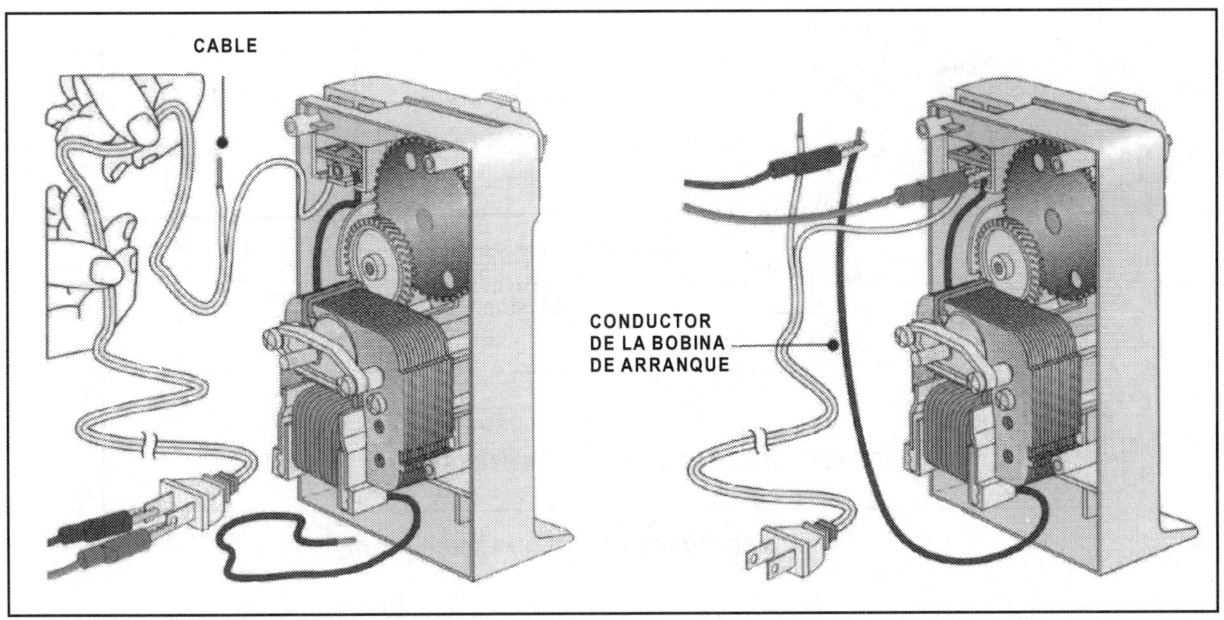

PRUEBA DE CORTOCIRCUITO EN EL MOTOR DE UN ABRELATAS ELÉCTRICO

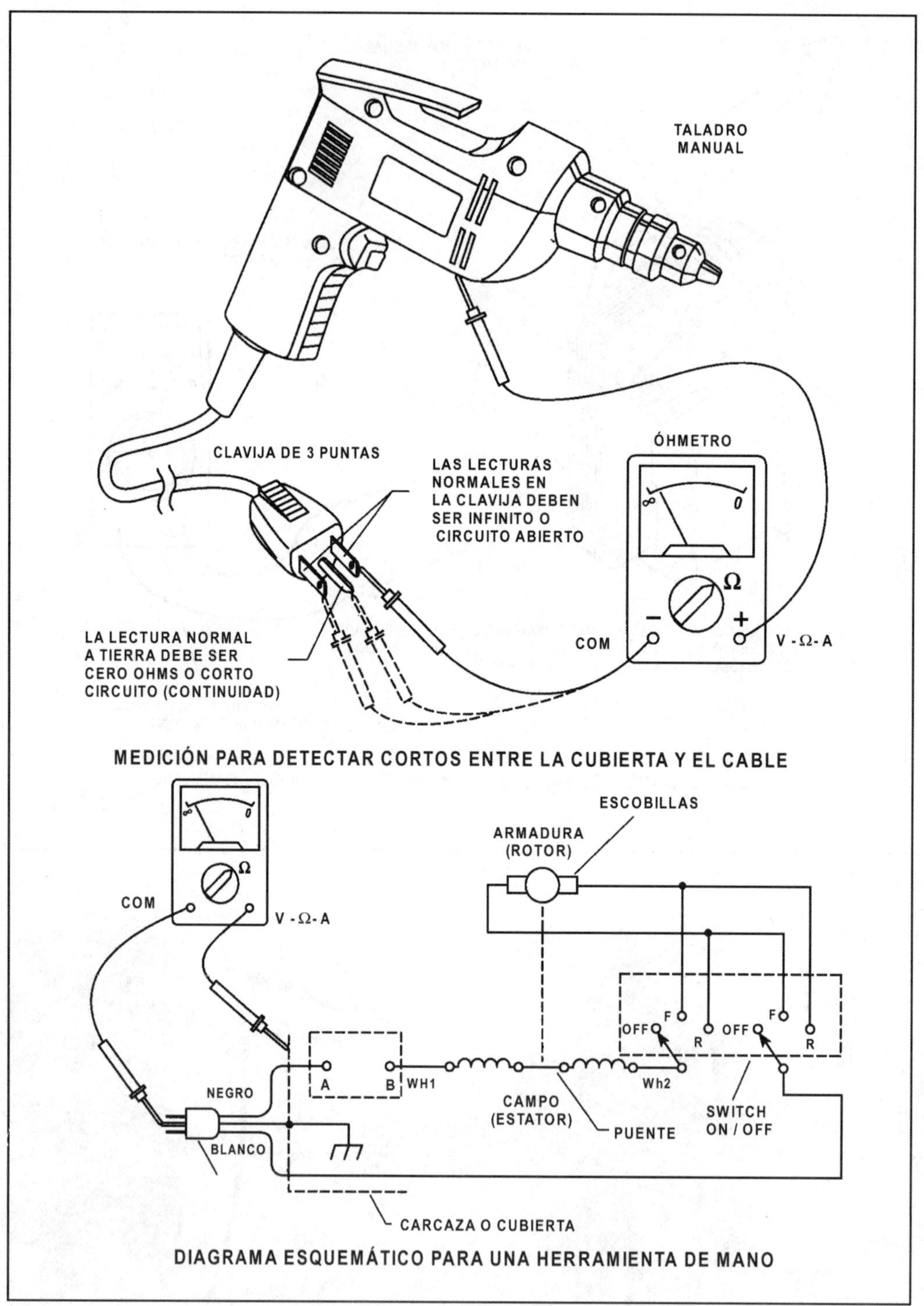

MEDICIONES EN UN TALADRO PORTÁTIL

LOS APARATOS DOMÉSTICOS MAYORES

4.1 INTRODUCCIÓN.

En la actualidad, los aparatos domésticos constituyen una necesidad en los hogares. Existe una gran diversidad de fabricantes y modalidades de diseño de estos aparatos, por lo que no es posible dar una solución específica a los problemas que se presenten en cada uno de ellos; sin embargo, sí es posible dar criterios generales para la instalación, diagnóstico de falla y reparación de los mismos. Los llamados **aparatos domésticos mayores**, son en la mayoría de los casos accionados por la energía eléctrica y se conocen en este caso también como **ELECTRODOMÉSTICOS.**

Los aparatos **domésticos mayores**, se denominan de esta forma para diferenciarlos de otros aparatos, esto es, electrodomésticos de pequeño tamaño, denominados **electrodomésticos menores**.

Dentro de los llamados aparatos domésticos mayores, se pueden mencionar principalmente los siguientes:

- Lavadoras de ropa.
- Refrigeradores.
- Lavadoras de platos o vajillas.
- Secadoras de ropa.
- Equipo de aire acondicionado.
- Estufas de gas.

4.2 LAVADORAS DE ROPA.

Las lavadoras de ropa también se conocen como lavadoras automáticas y se construyen en distintas versiones que tienen cierto grado de complejidad, pudiendo realizar diferentes ciclos para la limpieza de la ropa.

Una máquina lavadora contiene tres sistemas: plomería, eléctrico y mecánico. **El sistema de plomería** introduce, distribuye y saca el agua de la lavadora después de pasar por el proceso de lavado. **El sistema eléctrico** es el que dirige la operación de la máquina por medio de switches de control, un control de tiempo, el motor accionador y solenoides. **El sistema mecánico** es el que proporciona la acción de limpiado por medio de la polea que acopla al motor con el agitador y la cuba.

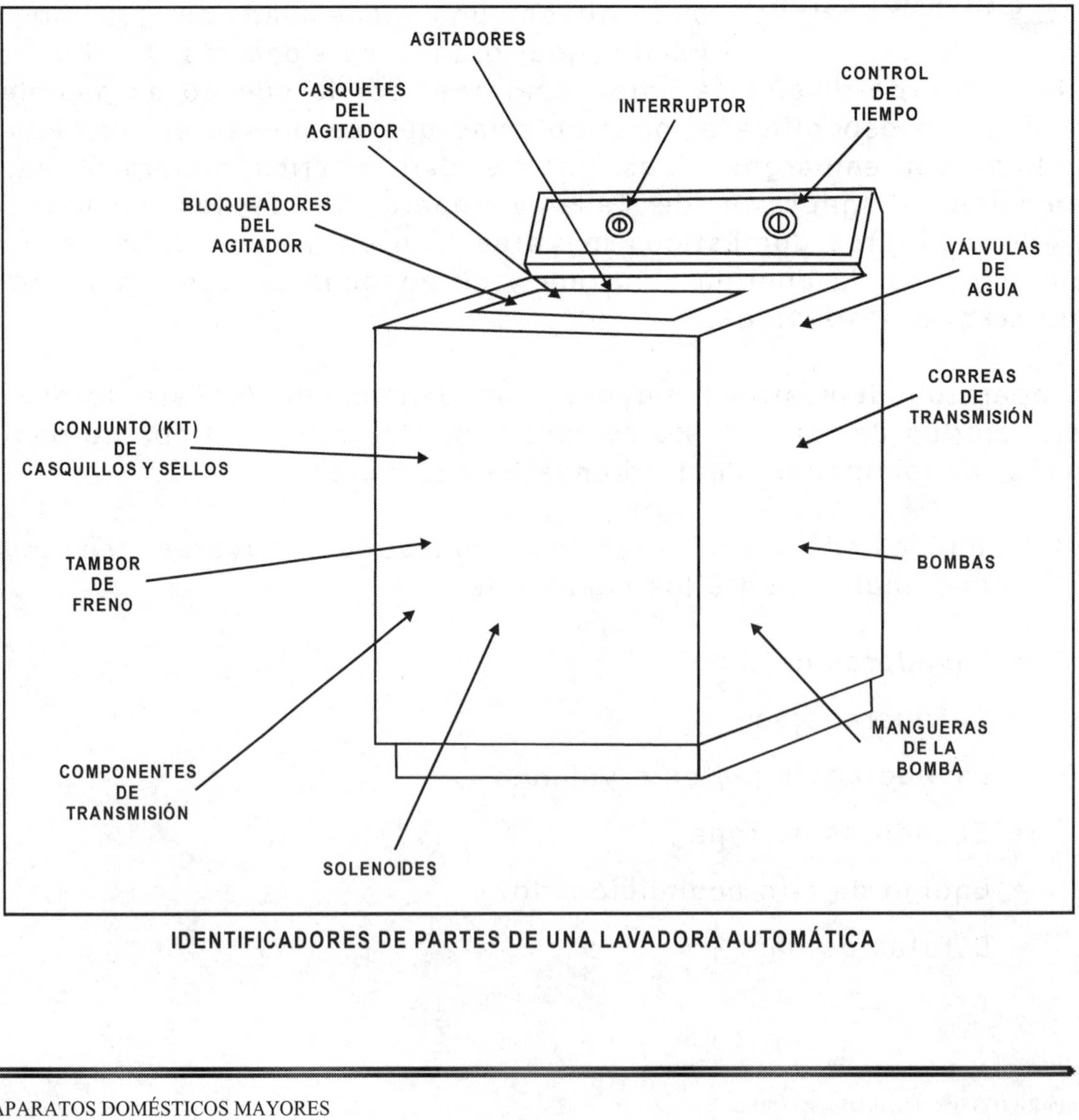

AGITADORES
CASQUETES DEL AGITADOR
INTERRUPTOR
CONTROL DE TIEMPO
BLOQUEADORES DEL AGITADOR
VÁLVULAS DE AGUA
CORREAS DE TRANSMISIÓN
CONJUNTO (KIT) DE CASQUILLOS Y SELLOS
TAMBOR DE FRENO
BOMBAS
MANGUERAS DE LA BOMBA
COMPONENTES DE TRANSMISIÓN
SOLENOIDES

IDENTIFICADORES DE PARTES DE UNA LAVADORA AUTOMÁTICA

Con el propósito de identificar los posibles problemas que se pueden presentar durante la operación de una lavadora de ropa, se indican las partes principales con mayor detalle:

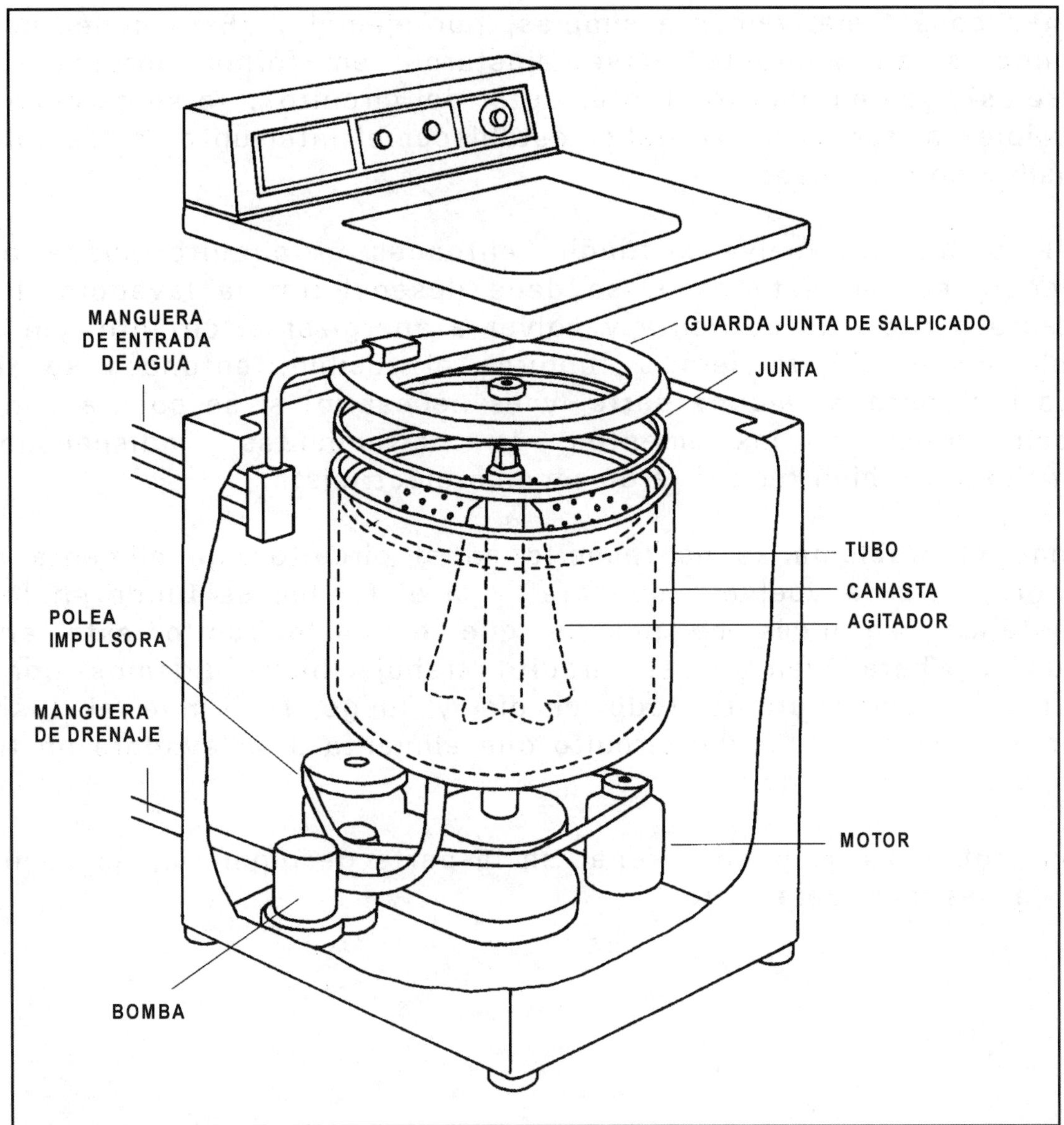

CORTE DE UNA LAVADORA

Las partes mostradas en las figuras anteriores, permiten conocer las partes más importantes de una lavadora de ropa, de manera que cuando se presenten problemas que puedan ser relativamente sencillos, se esté en posibilidad de identificar el problema y dar soluciones que no requieran de la participación de un experto. De hecho, cuando se tiene un electrodoméstico mayor que funciona en forma incorrecta, **no se debe requerir** la ayuda de un profesional, antes de haber verificado algunas cosas relativamente simples, por ejemplo: ¿Está conectada la máquina a su contacto?, ¿se ajustaron en forma apropiada los controles?, ¿se ha abierto el interruptor del circuito?, ¿o se ha quemado el fusible? si así fuera, se debe restablecer el interruptor o reemplazar el fusible en cada caso.

Si el fusible se vuelve a fundir, entonces el circuito puede estar sobrecargado, en este caso, se debe desenchufar la lavadora de su contacto o toma de corriente y volver a energizar el circuito con otro fusible nuevo. Si volviera a fundirse el fusible, entonces **se tiene un cortocircuito en alguna parte**, y es necesario, si se cuenta con los conocimientos e instrumentos y herramientas indispensables, identificarlo, o bien recurrir a un técnico electricista.

Cuando el problema se ha resuelto en el circuito que alimenta a la lavadora, ésta se vuelve a conectar y si el fusible se funde en forma instantánea, entonces es posible **que el cortocircuito esté en la lavadora.** Ahora bien, si el circuito trabaja bien, digamos por 10 minutos, o bien durante todo el día y luego se funde el fusible, entonces el interruptor del circuito que alimenta a la lavadora no tiene la capacidad apropiada.

Otros problemas se pueden tener en la parte de plomería, es decir, el drenaje, las mangueras, etc.

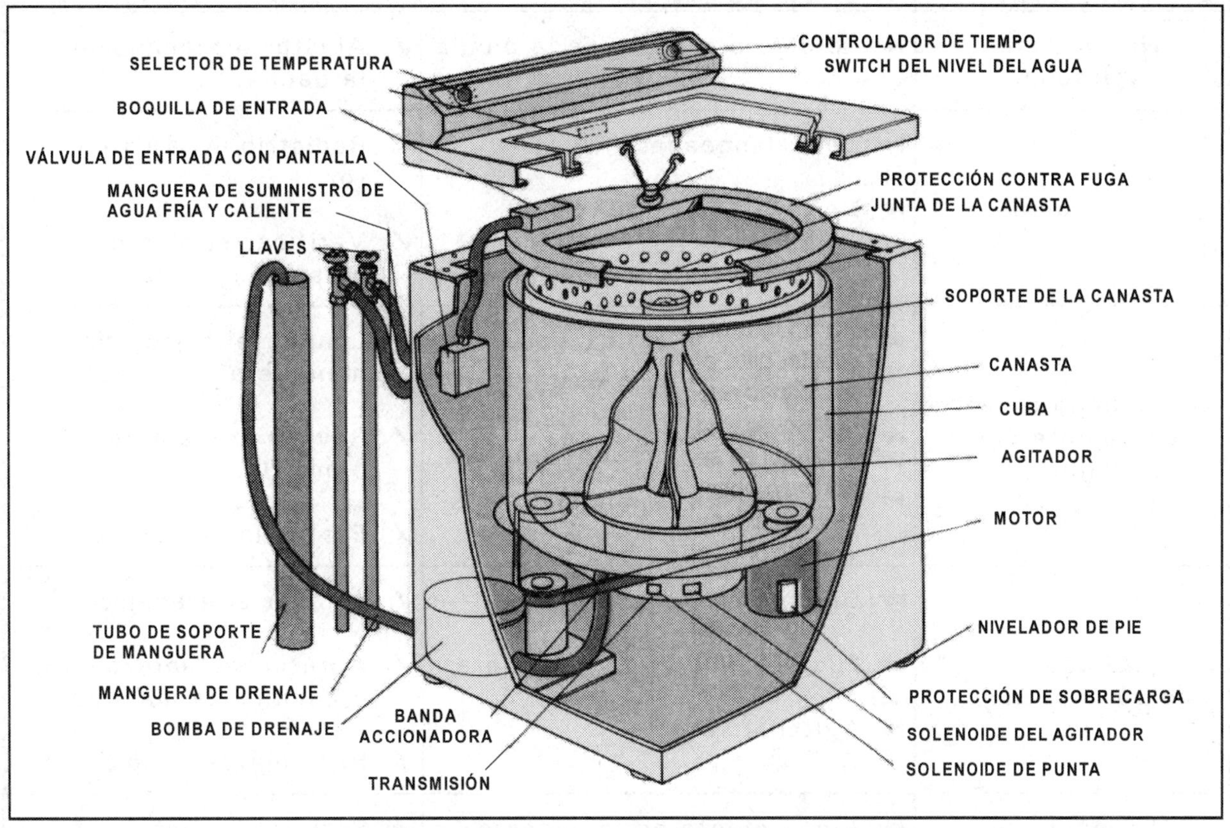

PARTES PRINCIPALES DE UNA LAVADORA DE ROPA

Algunas veces se pueden tener fugas en las mangueras de suministro de agua caliente y fría a la lavadora, entonces, se deben revisar empaques, apretar abrazaderas y sólo en caso necesario cambiar las mangueras.

Se pueden tener problemas tan simples como que la lavadora no pueda girar o accionar, o bien iniciar la operación pero con vibración, en este caso, **se debe verificar que la carga de trabajo de la lavadora** no sea excesiva, o bien que no esté fuera de equilibrio. Si esto ocurriera, se deben retirar algunas prendas de ropa por lavar y redistribuir la carga.

Para determinar las causas de mal funcionamiento y dar algunas soluciones, se puede recurrir a una tabla simple como la siguiente:

PROBLEMA	POSIBLE CAUSA	SOLUCIÓN
No produce agitación	☛ Pérdida o ruptura de la banda	✓ Ajustar o reemplazar la banda.
Vibración	☛ Desbalanceada. ☛ No nivelada.	✓ Redistribuir la carga de ropa. ✓ Verificar el piso o ajustar la altura
No se llena o llena lentamente con agua	☛ La manguera está tapada o bloqueado su filtro. ☛ La tubería tiene fugas. ☛ Dobleces en la manera.	✓ Limpiar el filtro o la manguera. ✓ Revisar trabajo de plomería. ✓ Estirar la manguera.
El agua no va al drenaje	☛ Drenaje bloqueado. ☛ Fuga o daño en la manguera. ☛ Agitador roto.	✓ Limpiar el drenaje. ✓ Apretar las abrazaderas o cambiar la manguera. ✓ Reemplazar el agitador.
La máquina hace ruido	☛ Algún objeto en la canasta.	✓ Retirar el objeto.
La máquina daña la ropa	☛ Filos en los lados de la canasta.	✓ Reemplazar la canasta.

RESOLVIENDO LOS PROBLEMAS DEL AGITADOR.

Si la máquina se está llenado con agua, pero no agita, en algunas máquinas la banda puede estar floja o rota. Sin embargo, no todos los modelos tienen banda, entonces se debe recurrir al manual de la lavadora, o bien consultar las indicaciones de posibles fallas.

HERRAMIENTAS QUE SE DEBEN TENER A LA MANO:

- ☛ Destornillador (desarmador) plano.

- Un destornillador Philipps (de cruz).
- Una llave ajustable (perico) pequeña.

La banda está accesible a través del panel trasero o en el fondo de la lavadora. Para exponer el fondo de la lavadora, se requiere de la ayuda de otra persona para voltear la máquina sobre el piso.

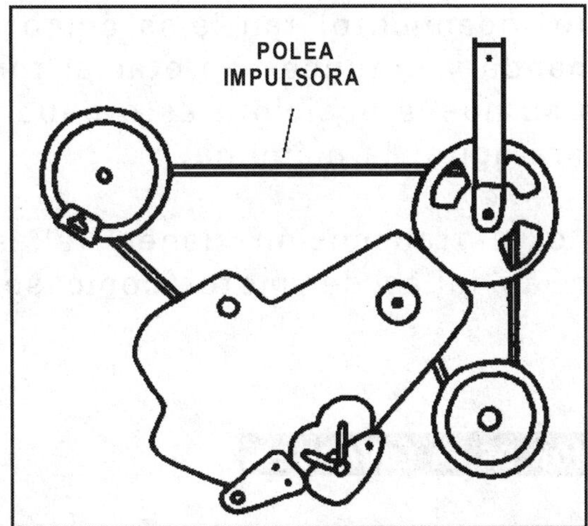

LA POLEA IMPULSORA ESTÁ ACCESIBLE, YA SEA POR LA PARTE TRASERA O EN EL FONDO DE LA MAQUINARIA

1. Cuando se retire el panel/trasero o se energice la máquina, se debe asegurar primero de ***desenchufar la clavija de la máquina del contacto al que está conectado y cortar también el suministro de agua*** y fijar las mangueras de entrada de la misma (en caso de que sea necesario voltear la máquina, se debe cubrir el piso con periódicos o cartón, ya que puede haber fuga de aceite de la transmisión).

2. **La banda accionadora** opera en una dirección circular, conectando al motor con varias partes. Se debe colocar el dedo sobre la banda y ejercer presión, si la banda se deflexiona más de media (1/2) pulgada, entonces está demasiado floja. Cuando la banda está rota, es necesario poner otra nueva, para lo cual se debe usar la herramienta apropiada, de acuerdo al tipo de lavadora.

3. **Una banda puede quedar fuera de la polea** a la que está conectada, cuando esto ocurre, se debe encontrar la polea más cerca (que no esté conectada al motor) y encontrar el tornillo de ajuste cercana a la polea.

4. Aflojar el tornillo sólo lo necesario para que la polea (o rodamientos en su caso) se deslicen, pero se debe asegurar que los tornillos permanecen en su agujero.

5. Empujar la polea (o rodamiento) tan lejos como sea posible, para dar más tensión a la banda y entonces apretar el tornillo, de manera que la polea mantenga su nueva posición, esto debe tensionar la banda lo suficiente como para agitar la máquina.

6. Cuando el motor o la transmisión tienen fallas, entonces se debe proceder a revisar las fallas del motor como se ha indicado en otro capítulo.

ARREGLANDO LA VIBRACIÓN DE LA LAVADORA.

Cuando la lavadora vibra en forma excesiva durante el ciclo de lavado, es probable que esté desbalanceada.

HERRAMIENTAS QUE SE DEBEN TENER A MANO:

- Nivel y pinzas de mecánico.

Primero, se debe redistribuir la carga de lavado; en caso de que la lavadora continue vibrando, puede ser que no esté nivelada, entonces se debe usar (si es posible) un nivel y ajustar la altura de la lavadora haciendo girar en sus tornillos las patas de nivelación que están en la parte inferior (el fondo) de la lavadora, ya sea por fuera o por dentro. Cuando la lavadora ya esté nivelada, se debe asegurar de fijar la tuerca de aseguramiento de las patas de nivelación.

La vibración también puede ser causada por un piso desnivelado o flojo, para esto, se debe revisar el piso donde se montará la lavadora y arreglar en caso necesario.

PROBLEMAS CON EL AGUA DE LA LAVADORA.

Si la lavadora se llena con el agua en forma muy lenta, primero se debe verificar que las llaves de agua que alimentan a la lavadora estén totalmente abiertas, también que las mangueras estén bien apretadas y revisar que no tengan dobleces o estén bloqueadas.

En el extremo de cada manguera de agua hay un pequeño filtro que se puede tapar con residuos y depósitos en el agua.

HERRAMIENTAS QUE SE DEBEN TENER A MANO:

- Pinzas de mecánico (en caso necesario).

1. Para retirar los filtros, se deben desconectar las mangueras de las llaves de agua.

2. Desconectar las mangueras de las llaves de agua y observar los pequeños filtros.

3. Retirar los filtros de las mangueras de agua fría y caliente, limpiar toda clase de depósitos y residuos.

4. Volver a instalar los filtros y reconectar las mangueras, teniendo cuidado de no apretar de más.

Si el agua aún se observa que llena lentamente, entonces se debe verificar el otro extremo de cada manguera, para un problema de limpieza similar.

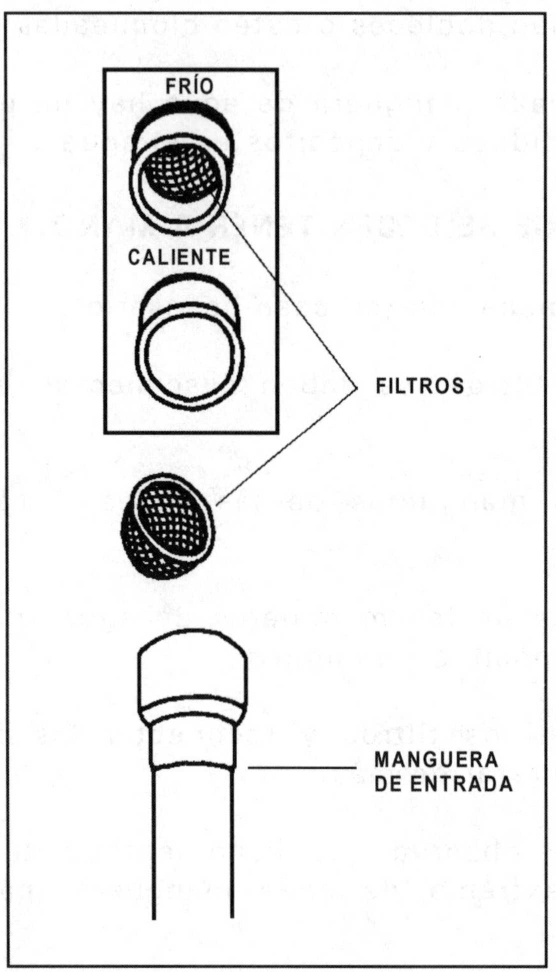

EXAMINE LA PANTALLA Y MANGUERA PARA RETENCIÓN

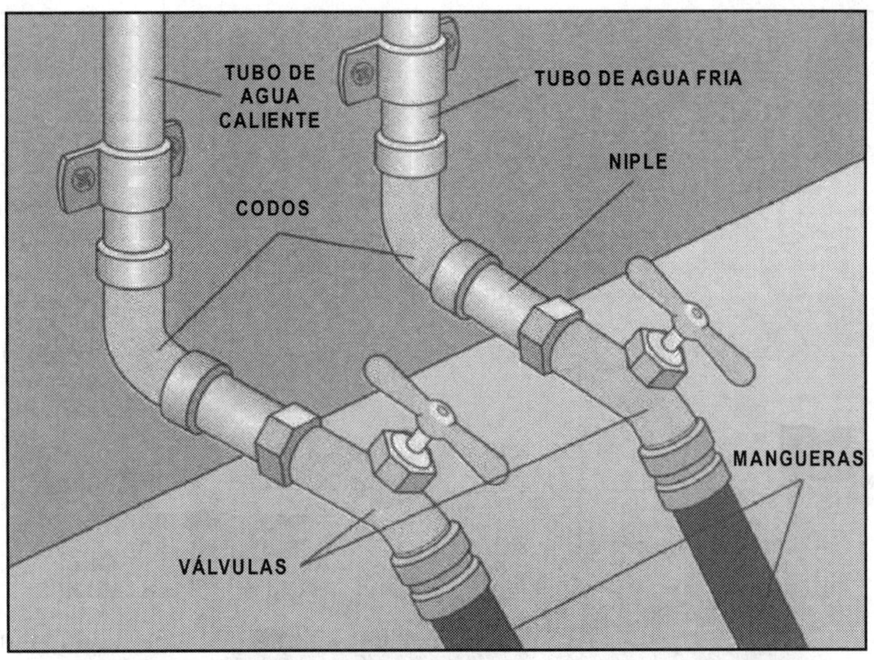

CONEXIÓN DE LAS MANGUERAS DE LA LAVADORA DE ROPA

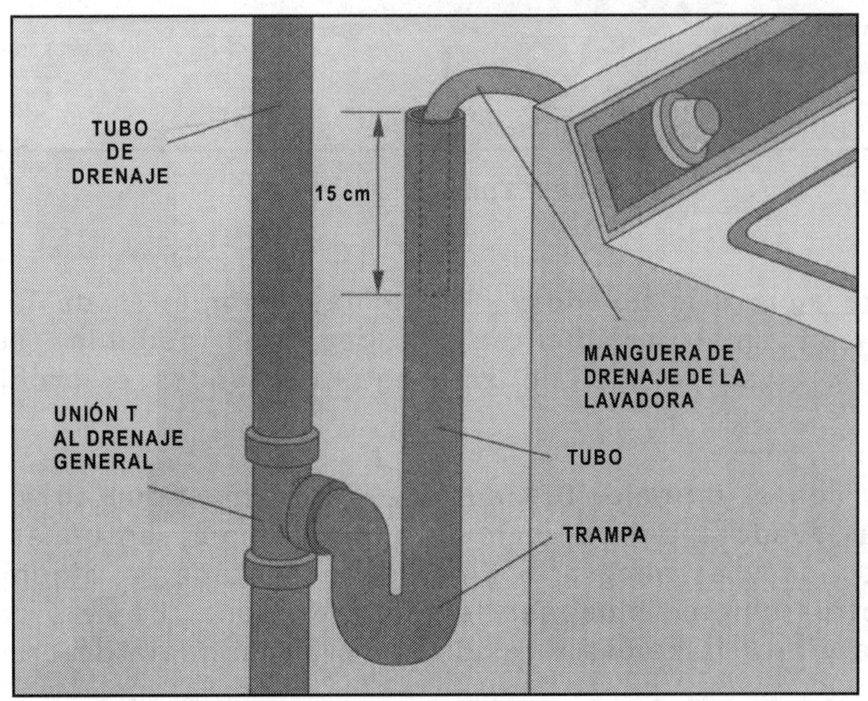

MONTAJE DE LA MANGUERA DE DRENAJE DE LA LAVADORA

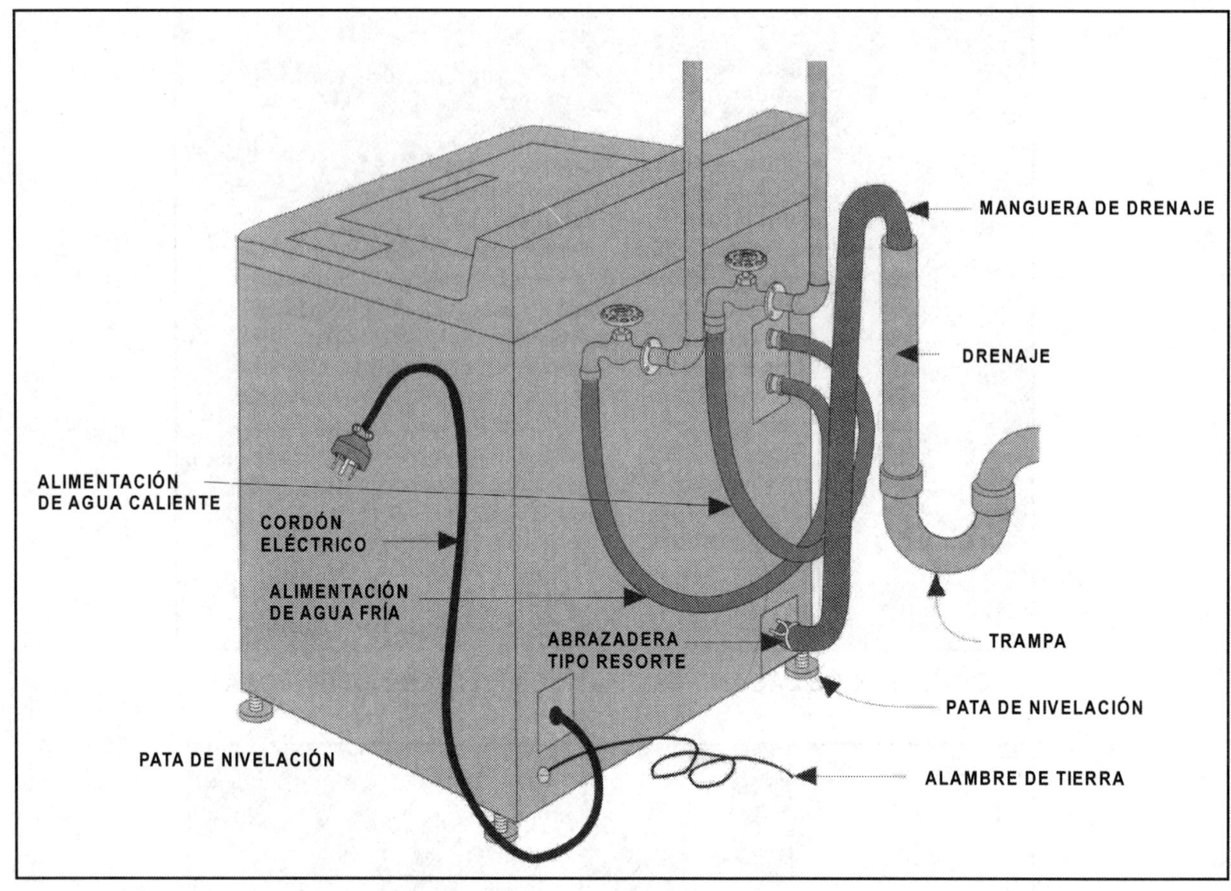

CONEXIONES DE UNA LAVADORA

Si no entra agua a la lavadora. Retirar las mangueras de la lavadora y colocarlas en algún recipiente o cubeta, en seguida, se pone en operación la lavadora y si no sale agua, entonces el problema es de plomería.

Problemas con el drenaje. Si ocurre el problema opuesto y el agua no sale de la lavadora por la manguera de drenaje, entonces ésta debe estar obstruida y es necesario limpiarla o destaparla, algunas veces la peluza u otros objetos bloquean la salida de agua. En este caso, apagar la lavadora y retir la pelusa y residuos de la manguera de drenaje.

FUGAS EN LA LAVADORA.

Cuando la lavadora tiene fugas, en primera instancia puede ser que se tengan dañadas o se hallan perdido las juntas de conexión de la manguera a las llaves de agua, o bien se halla dañado la manguera.

HERRAMIENTAS QUE SE DEBEN TENER A MANO:

- Pinzas de mecánico, destornilladores (desarmadores) plano y de cruz (Phillips).

Si la lavadora tiene un panel trasero o en el fondo:

1. Alejar la lavadora lo suficiente de la pared donde se encuentra instalada.

2. Encender la lavadora y observar si lava desde la parte de atrás o el fondo. Si se observa cualquier fuga, apagar y desconectar la clavija, cerrar las llaves de agua, mandar el agua a las mangueras y seguir las siguientes instrucciones:

3. Verificar todas las mangueras en el interior de la lavadora.

4. Si alguna de las mangueras internas está floja, apretar las abrazaderas, con un destornillador, o bien con pinzas de mecánico (si así se requiere).

5. Si la manguera está fracturada o quebrada, entonces necesita ser reemplazada, para esto, se debe asegurar que sea de la misma longitud y diámetro.

DAÑOS EN LA ROPA.

Cuando la lavadora comienza a dañar la ropa, no necesariamente se debe pensar en cambiarla, ya que probablemente el problema se puede arreglar.

HERRAMIENTAS QUE SE DEBEN TENER A MANO:

- Destornilladores plano o de cruz (Phillips).
- Llave ajustable (de perico).

Primero, se debe verificar si no hay algún objeto suelto en la canasta (el contenedor de la ropa), si lo hubiera, retirarlo.

También inspeccionar si la canasta no tiene los extremos con filos, ya que esto puede causar problemas, en este caso, se debe cambiar la canasta. La otra posible causa es que el agitador esté roto o fracturado y entonces la ropa se atore.

1. Examinar el agitador buscando fracturas o roturas. Si se encuentra cualquier fractura o rotura, se debe cambiar el agitador.
2. Para retirar el agitador, destornille la cubierta de plástico en la parte superior (algunas tapas se deben jalar porque sólo tienen pijas). Cuando se retira la tapa, se observará una tuerca que mantiene al agitador en su lugar.
3. Desatornillar la tuerca con una llave ajustable (perico) y retirar el agitador de la flecha.
4. Escribir el tipo y número de serie del agitador para comprar uno nuevo.

EL AHORRO DE ENERGÍA.

- No sobrecargar la lavadora con más ropa de su capacidad.
- La ropa se puede lavar con agua fría o tibia y el enguage se hace con agua fría. Usar el agua caliente sólo cuando sea absolutamente necesario.

4.3 REFRIGERADORES.

Los refrigeradoras son de los electrodomésticos de mayor uso y existe una gran variedad constructiva de diferentes fabricantes, por lo que es difícil estudiar algún tipo en particular; entonces, se enfoca su estudio a los aspectos aplicables a cualquier tipo de refrigerador.

Las partes principales que conforman un refrigerador son: **el compresor, el evaporador, el condensador y la válvula de expansión**. En los refrigeradores convencionales, se hace pasar un poco de líquido que se usa como refrigerante por la **válvula de expansión**, penetrando por el conducto (A) hasta llegar **al evaporador**, como ahí no se tiene presión alguna, evapora absorbiendo calor del ambiente circundante y de esta manera lo enfría y todo a su alrededor. Luego, el gas recorre el conducto (B) hasta llegar al **compresor,** en este lugar el gas es comprimido y se hace circular por el conducto (C) por donde llega el condensador.

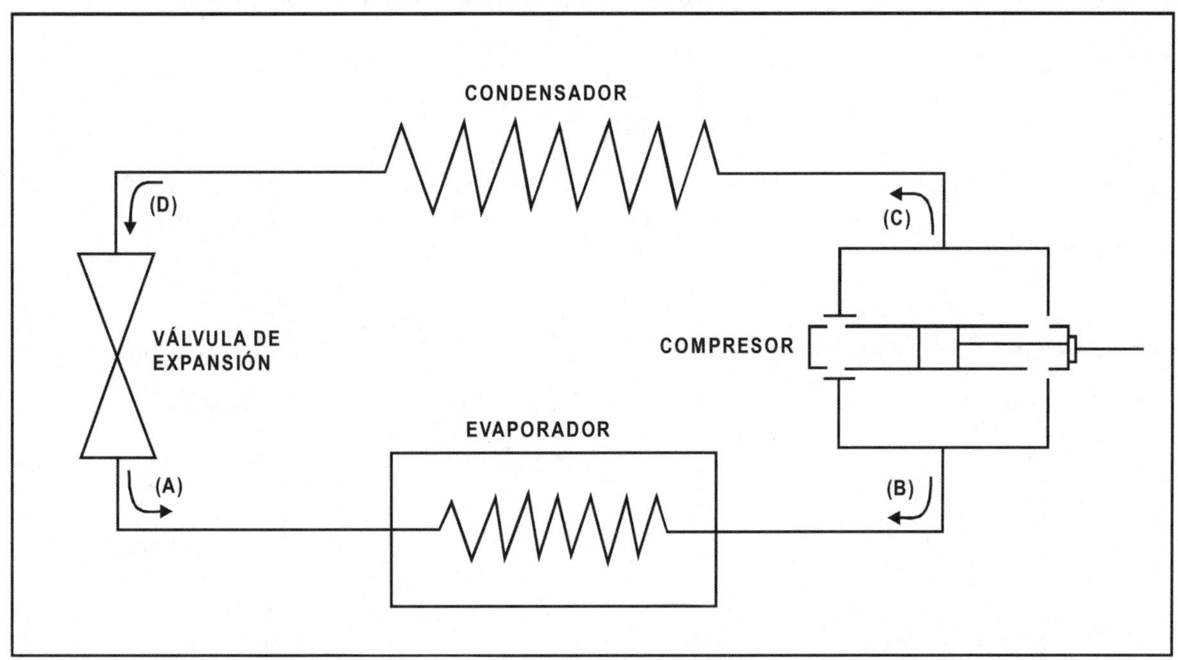

PARTES QUE CONFORMAN UN REFRIGERADOR

En este lugar, el gas ya comprimido vuelve a su estado natural otra vez (líquido) y recorre el conducto (D) hasta llegar a la válvula de expansión, donde el ciclo se repite nuevamente.

En la construcción de cualquier tipo de refrigerador intervienen las distintas formas de transmitir el calor, que son: conducción, convección y radiación. Por ejemplo, para evitar que el calor penetre al refrigerador por conducción, es decir, a través del material, se construyen las distintas partes de estos refrigeradores (puertas, paredes, etc.) interponiendo materiales aislantes térmicos que no conducen fácilmente el calor. Este aislante puede ser: lana, corcho o fibra de vidrio.

Otra forma de transmitir el calor es por **irradiación**, para evitar esto, se debe alejar el refrigerador de cuerpos que irradien calor, por ejemplo las estufas, las cocinas integrales en ciertos diseños, etc.

La otra forma de irradiación es por **convección**, es decir, se debe evitar el desplazamiento del aire caliente. Para esto, **es recomendable** no abrir muy seguido la puerta del refrigerador y cuidar que no haya filtraciones por la misma, colocando una junta o burlete de goma para evitar que el aire caliente exterior se introduzca al interior del refrigerador.

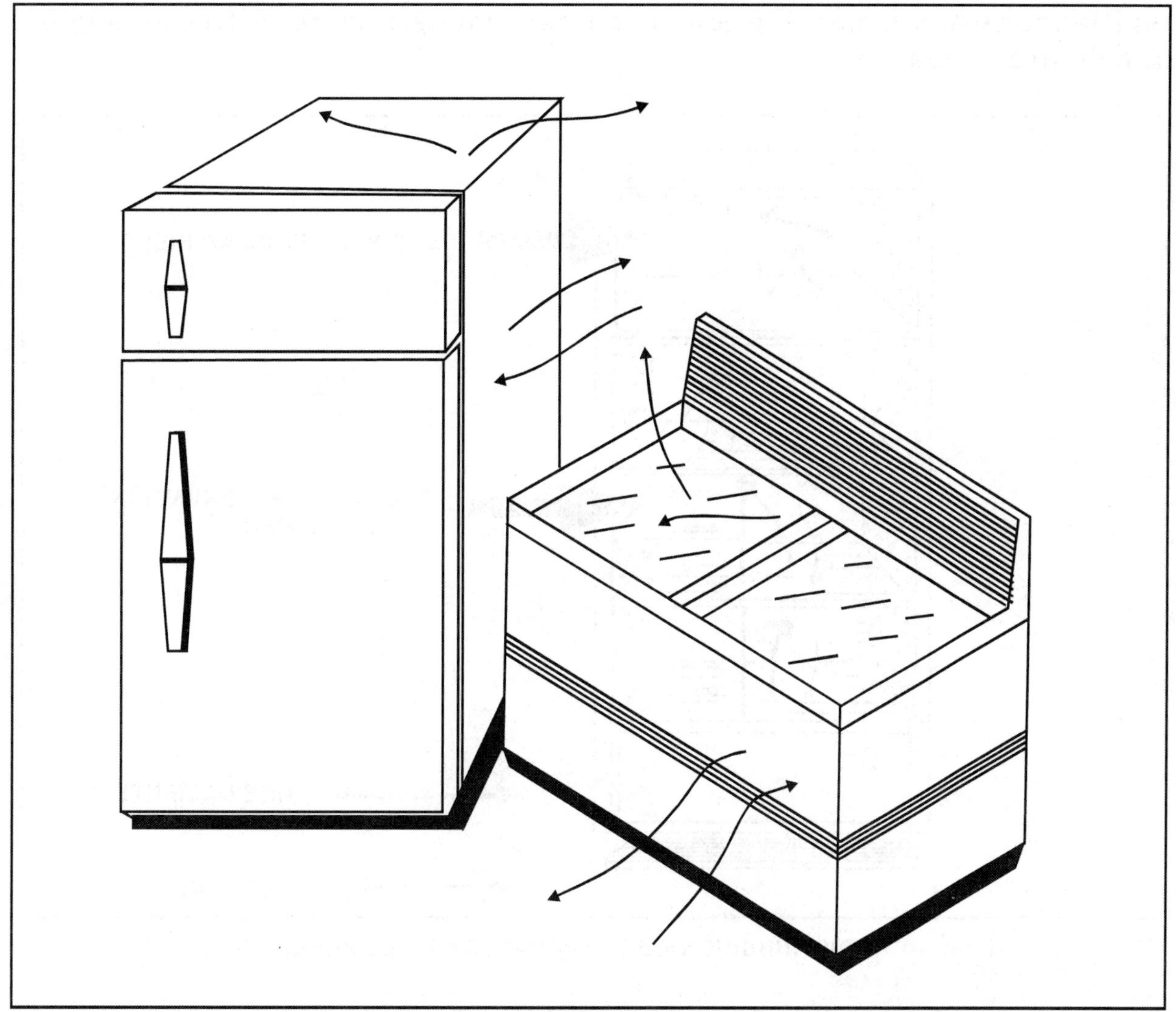

REFLECTIVIDAD DE LA SUPERFICIE DE UN REFRIGERADOR

Por otra parte, tomando en **consideración la forma de transmisión del calor por convección,** todos los refrigeradores eléctricos tienen el congelador en la parte superior, ya que el aire caliente es más liviano que el frío e irá hacia abajo; como una consecuencia de esto, el aire que se enfría en el congelador va bajando hacia la parte inferior del refrigerador, propiciando que suba el aire caliente al congelador, formándose de esta manera una corriente de aire descendente dentro del refrigerador que permite enfriar el ambiente interno, ya que el aire que baja del congelador lleva el frío hacia abajo. Una vez que se calienta el aire, sube nuevamente al congelador para enfriarse, repitiéndose nuevamente el ciclo, de esta manera la zona fría es abajo y la caliente arriba.

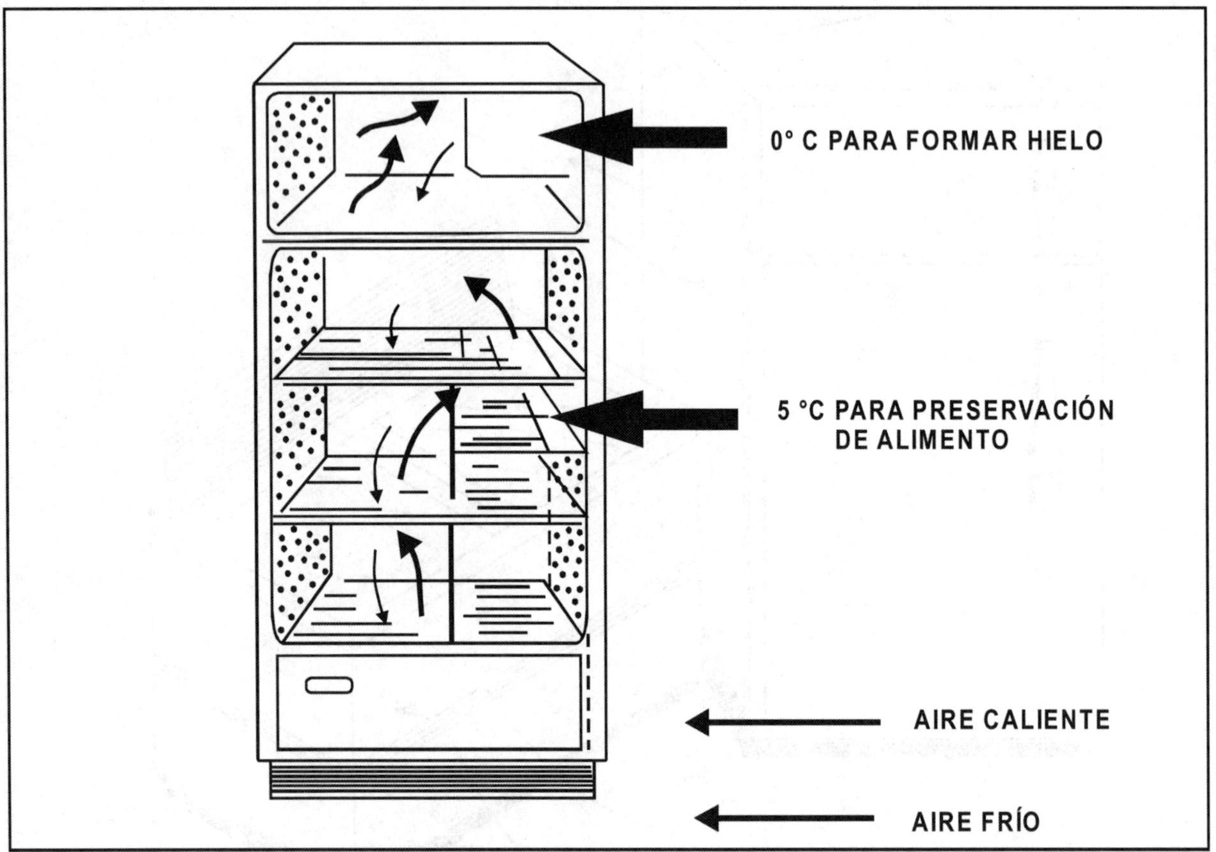

DISTRIBUCIÓN DE TEMPERATURA EN EL REFRIGERADOR

REPARACIÓN DE REFRIGERADORES.

Si se da una rutina concienzuda de cuidado, un refrigerador por lo general desarrolla su trabajo por años, con un mínimo de problemas. Los refrigeradores se clasifican de acuerdo con la forma en cómo el hielo o escarcha se retiran de ellos, aún cuando actualmente hay refrigeradores libres de escarcha.

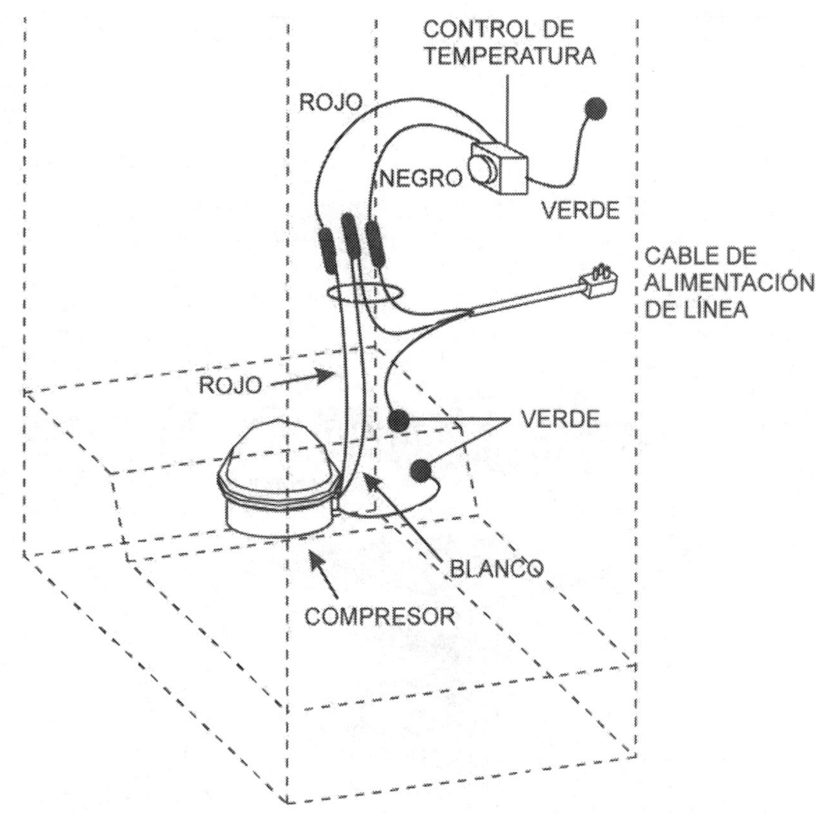

UBICACIÓN DE COMPONENTES PRINCIPALES EN UN REFRIGERADOR

Un refrigerador de los llamados **tipo estándar**, descongela cuando se desconecta de la alimentación eléctrica. En un modelo de ciclo-descongelación, se energiza un calentador cuando la temperatura sobre el evaporador alcanza un punto preseleccionado y mantiene al compartimento libre de hielo, pero el congelador requiere descongelación manual cada pocos meses.

En un refrigerador libre de hielo o de escarcha ambos compartimentos están continuamente fundidos por un calentador que entra cada 20 ó 30 minutos, durante dos o tres veces al día.

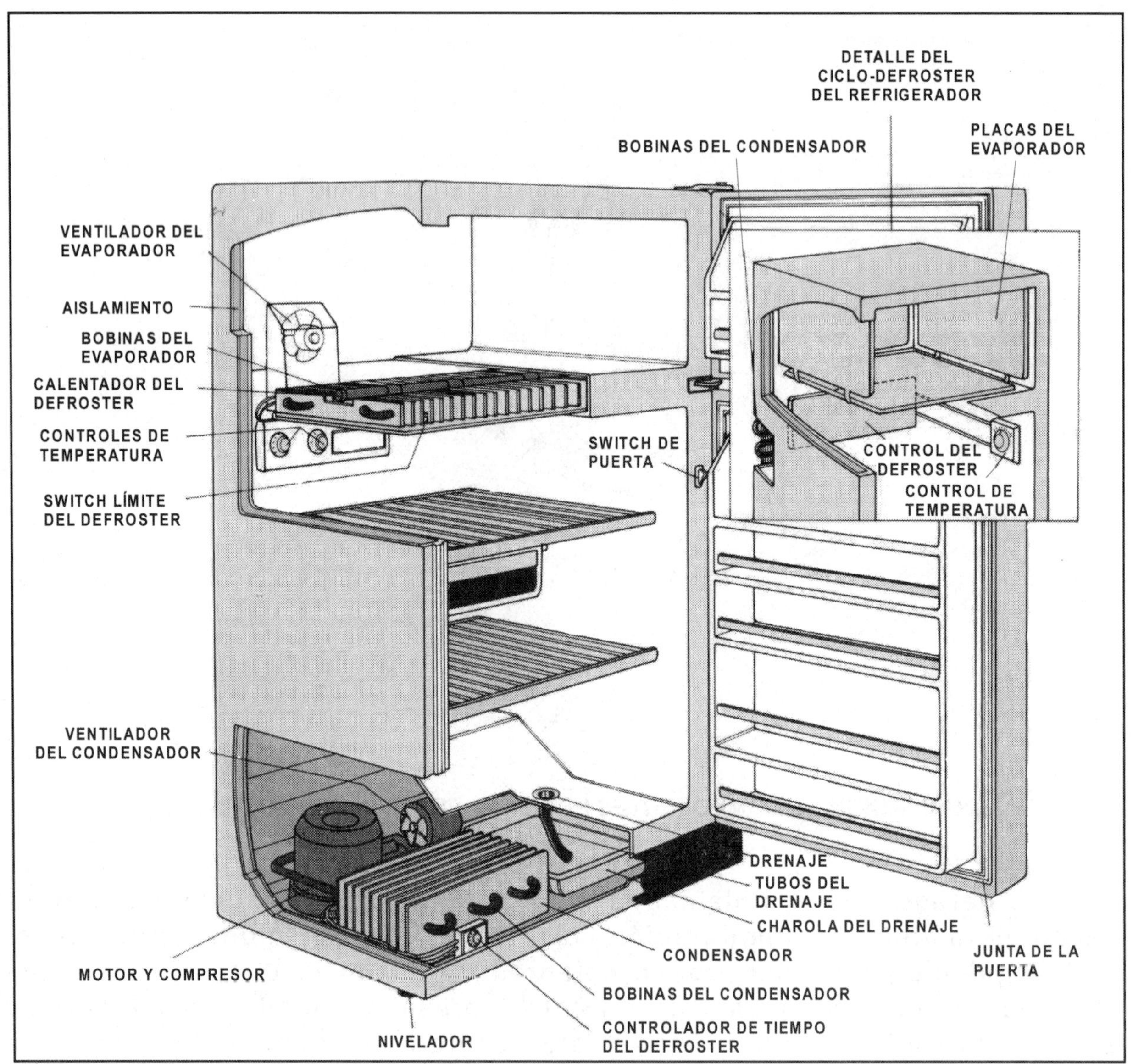

PARTES DE UN REFRIGERADOR

Entonces hay dos modelos de descongelación, en ambos, el agua del hielo descongelado circula hacia afuera por un drenaje en el piso del refrigerador y hacia una charola, cuando se evapora.

Una forma de **AHORRAR ENERGÍA** y mantener en buen estado a un refrigerador, es limpiando periódicamente las bobinas del condensador y asegurándose que el sello de la junta esté funcionado perfectamente.

A continuación, se da una tabla para localizar fallas en los refrigeradores.

PROBLEMA	POSIBLE CAUSA	SOLUCIÓN
El refrigerador no opera	☛ Está desenergizado.	☛ Verificar que la clavija esté bien conectada, verificar fusibles o interruptor.
	☛ Cordón de alimentación defectuoso.	☛ Reemplazar el cordón.
	☛ Control de temperatura defectuoso.	☛ Cambiar el control de temperatura.
	☛ Relevador del motor del compresor defectuoso.	☛ Cambiar el relevador.
	☛ Motor del compresor defectuoso.	☛ Reparar o cambiar el motor.
	☛ Obstrucción o falla en el ventilador del condensador.	☛ Retirar la obstrucción. Si es una falla, reemplazar al ventilador.
El refrigerador no enfría en forma apropiada	☛ Defecto en el control de temperatura.	☛ Cambiar el control de temperatura.
	☛ El calentador del defroster permanece DENTRO en forma permanente.	☛ Cambiar el control de tiempo del defroster.
	☛ La luz permanece encendida cuando se cierra la puerta.	☛ Probar cerrando manualmente el switch, si está defectuoso, cambiarlo.
	☛ Obstrucción o falla en el ventilador del evaporador.	☛ Retirar la obstrucción, si hay falla en el ventilador, cambiarlo .
	☛ Pérdida de refrigerante.	☛ Cambiar el refrigerante.

PROBLEMA	POSIBLE CAUSA	SOLUCIÓN
El refrigerador opera en forma ruidosa.	☛ Refrigerador desnivelado. ☛ Ajuste del compresor o endurecimiento de los hules del compresor (donde se monta). ☛ Las hélices del ventilador del evaporador o el condensador tienen obstrucción. ☛ Vibración de la charola de drenaje.	☛ Ajustar los niveladores de las patas. ☛ Ajustar el montaje del compresor, si esta defectuosa, cambiar las gomas de montaje. ☛ Retirar la obstrucción. ☛ Reposición de la charola de drenaje.
Fuga de agua sobre el piso.	☛ Drenaje obstruido. ☛ Tubo de drenaje roto o charola rota.	☛ Limpiar el drenaje. ☛ Reemplazar el tubo de drenaje o la charola.
El congelador estándar congela muy rápido.	☛ La puerta está colgada o no cierra bien.	☛ Ajustar la puerta y los soportes de la misma.
Los refrigerados libres de escarcha no descongelan en forma apropiada.	☛ Drenaje obstruido. ☛ Falla en el calentador del defroster, el timer del defroster o el switch límite.	☛ Limpiar drenaje. ☛ Cambiar, timer del defroster, calentador o switch límite.

Como frecuentemente no se tienen todos los elementos para arreglar las fallas de un refrigerador, si se hace un mantenimiento preventivo apropiado, se puede extender la vida del refrigerador y ayuda también a que opere en forma más eficiente.

AJUSTANDO LA TEMPERATURA.

Si se sospecha que un refrigerador o un congelador no enfria en forma suficiente, se debe medir la temperatura.

HERRAMIENTAS QUE SE DEBEN TENER A MANO:

- ☛ **Termómetro exterior.**

Colocar un termómetro exterior tanto en el congelador como en la parte media de los compartimientos del refrigerador, por unos cuantos minutos en cada caso. La temperatura en el congelador debe estar en el rango de -18 a -15 °C y en el refrigerador de 3.5 a 5.5 °C. Temperaturas mayores producen endurecimiento en los alimentos y menores temperaturas, desperdicio de energía. Ajustar la temperatura con el indicador para esto, recordando que mientras el número es mayor, la temperatura de enfriamiento es menor, verificar con el termómetro exterior, unas pocas horas después.

LIMPIANDO LAS BOBINAS DEL CONDENSADOR.

Si el ajuste de temperatura no funciona, se debe limpiar el polvo y suciedad de las bobinas del condensador, que puede estar en la parte inferior o en la parte de atrás del refrigerador. El polvo proporciona una especie de aislamiento a las bobinas, dificultando con esto que operen en forma eficiente.

HERRAMIENTAS QUE SE DEBEN TENER A MANO.

- Aspiradora (opcional), cepillo, destornillador plano o tipo phillips (de cruz).

1. Desconectar el refrigerador y retirarlo de la pared a la que normalmente está pegado. Las bobinas cubren alrededor de tres cuartas partes de la parte trasera del refrigerador y lucen como una rejilla.

2. Limpiar las bobinas usando el cepillo o una aspiradora.

3. Para accesar a las bobinas debajo del refrigerador, retirar el panel de rejilla que está situado aproximadamente **media pulgada sobre el suelo**, este panel está fijo por medio de grapas o tornillos que son muy fáciles de retirar.

4. Una vez que el panel se ha retirado, quitar el polvo y suciedad de las bobinas con el cepillo o la aspiradora.

5. Antes de reinstalar la rejilla, vaciar el agua de la charola de drenaje localizada debajo de las bobinas; esta agua se junta del descongelamiento del refrigerador.

6. Reemplazar la charola y la rejilla de bobinas.

REEMPLAZO DEL MECANISMO DE DESCONGELACIÓN O DESHIELO.

Es posible que el mecanismo de deshielo esté defectuoso, cuando el ciclo de deshielo no se cumple, las bobinas forman hielo y se limita el enfriamiento. El problema está en el calentador o en el control de tiempo, pero para reemplazar estas partes se debe tener un mayor conocimiento.

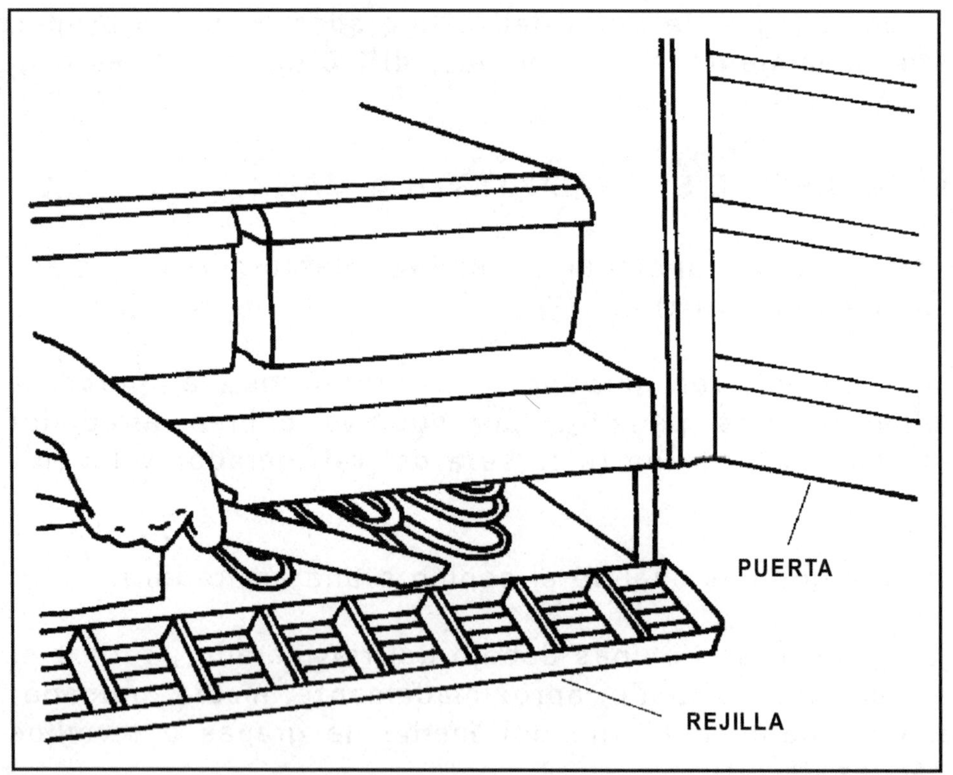

SE PUEDE USAR UNA ASPIRADORA PARA LIMPIAR LAS BOBINAS

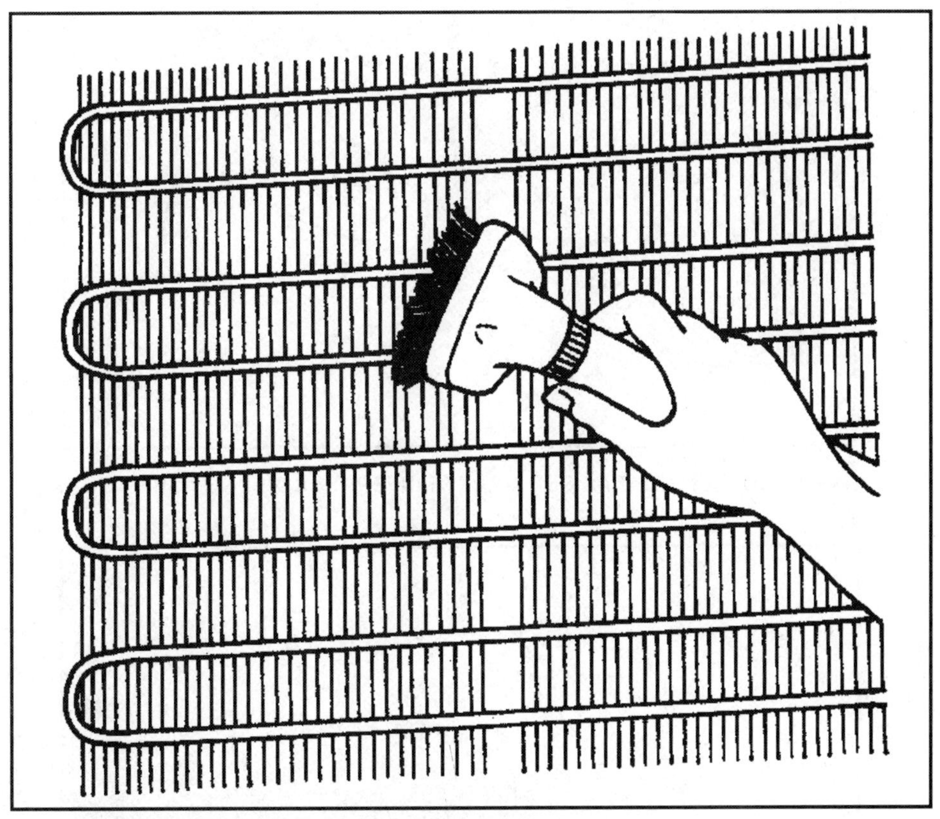

LAS BOBINAS DEL CONDENSADOR SE PUEDEN LOCALIZAR EN LA PARTE DE ATRÁS O DE ABAJO DE SU REFRIGERADOR

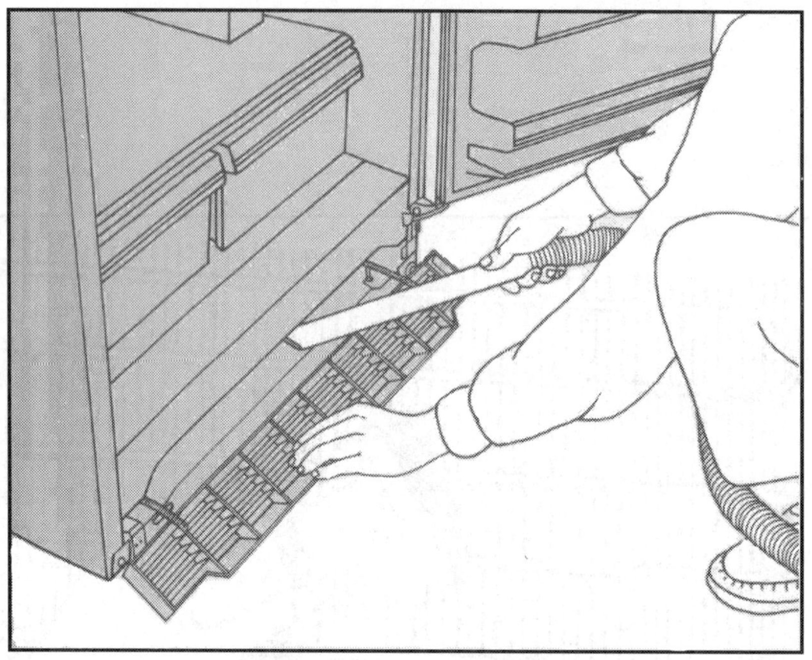

LIMPIANDO LAS BOBINAS EN LA PARTE INFERIOR CON UNA ASPIRADORA

LIMPIEZA DE LAS BOBINAS CON UN CEPILLO METÁLICO PARA RETIRAR EL POLVO ACUMULADO Y LA PELUZA

LIMPIEZA DE LAS BOBINAS DEL CONDENSADOR

REEMPLAZO DE LA JUNTA DE LA PUERTA.

La junta de la puerta de un refrigerador deja pasar aire cuando tiene roturas o está fracturada, esto se puede detectar pasando la mano a lo largo del filo de la puerta. Otra forma de verificar la junta de la puerta, es por medio de una hoja de papel, para esto, se cierra la puerta sobre un pedazo de papel y luego se jala el papel, en la medida que se retira el papel, se puede sentir la tensión, en caso que no se sienta, entonces es necesario cambiar la junta.

Cambiar la junta no es un trabajo difícil, pero se deben poner las partes que el fabricante indica o recomienda para el modelo de refrigerador. Antes de iniciar el trabajo, se debe asegurar que la puerta del refrigerador está bien alineada.

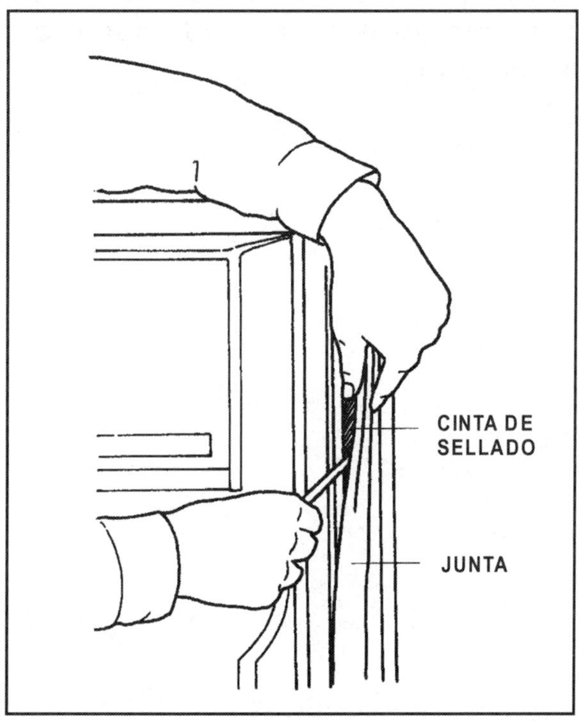

TRABAJANDO SOBRE UN LADO A LA VEZ, RETIRAR UNA SECCIÓN DE LA JUNTA VIEJA Y ALINEAR LA NUEVA EN SU LUGAR

HERRAMIENTAS QUE SE DEBEN TENER A MANO:

- Destornilladores (desarmadores) plano y tipo phillips (de cruz).

1. Una vez que se tiene la nueva junta en la mano, se debe sumergir en agua tibia para ablandarla y de esta manera hacer más fácil el trabajo con ella.

2. Desconectar la clavija del refrigerador, esto es por seguridad y para ahorrar energía durante el trabajo.

3. Reemplace un lado de la junta a la vez. Jale la junta vieja y se podrá observar la cinta que la retiene y los tornillos. Sacar los tornillos de la parte superior de la puerta y también de los lados.

4. Retire la sección superior de la junta y alinie la nueva sección en su lugar. Insertar la cinta retenedora y reemplazar los tornillos.

5. Repetir estas instrucciones para instalar los tres lados restantes. Alinear la puerta en forma apropiada y colocar todos los tornillos que soportan la junta en su lugar.

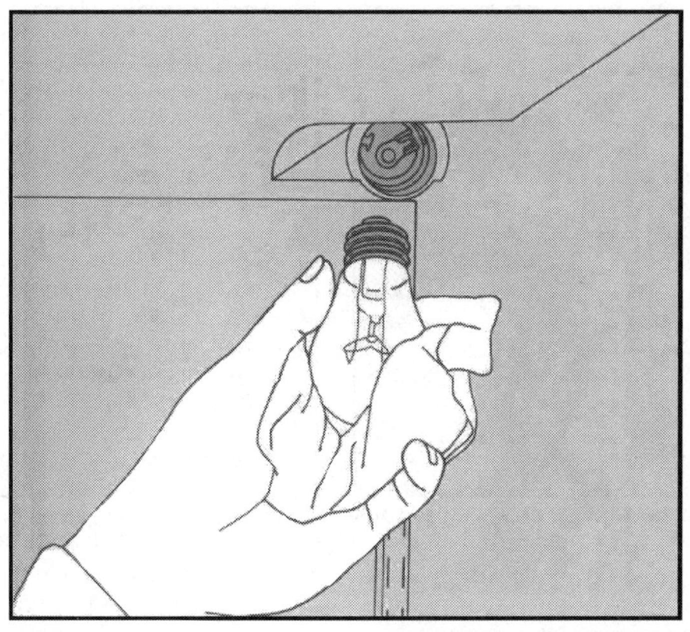

VERIFICANDO LA LÁMPARA INTERIOR DEL REFRIGERADOR

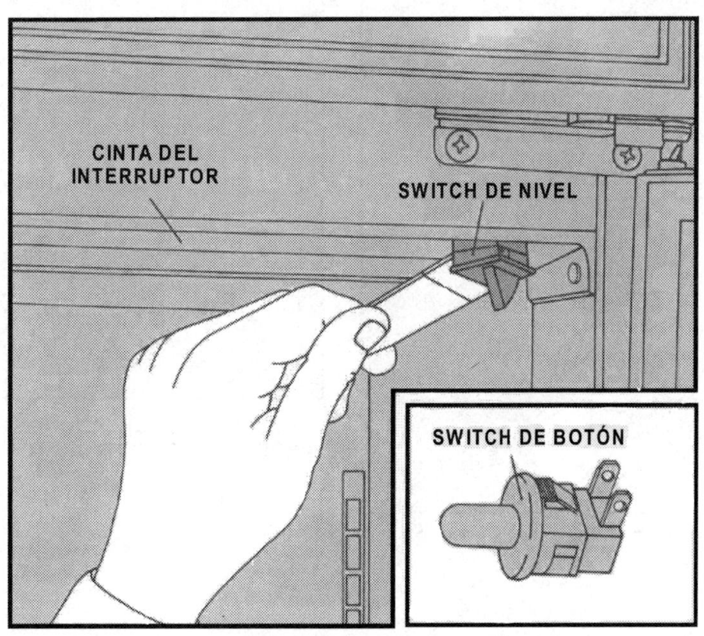

RETIRANDO SWITCH DE PUERTA PARA SU VERIFICACIÓN
(PRIMERO SE DESCONECTA EL REFRIGERADOR)

VERIFICACIÓN DE LA TEMPERATURA EN UN REFRIGERADOR

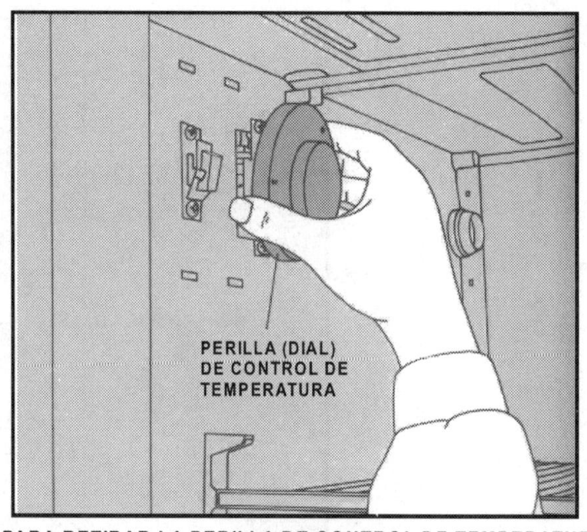

PARA RETIRAR LA PERILLA DE CONTROL DE TEMPERATURA, SE DEBE DESCONECTAR EL REFRIGERADOR

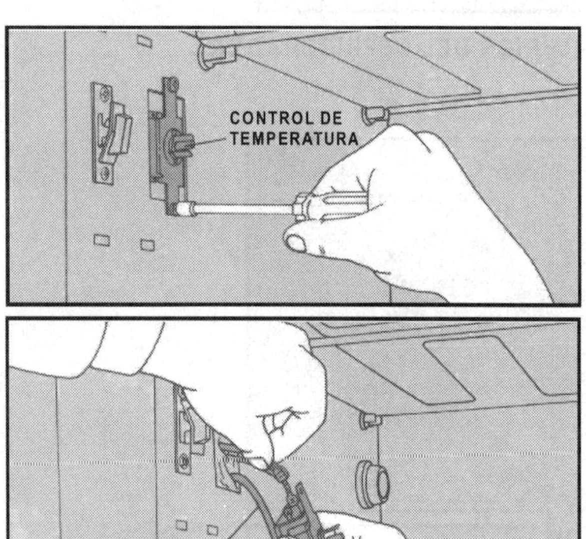

RETIRAR EL CONTROL DE TEMPERATURA PARA SU VERIFICACIÓN

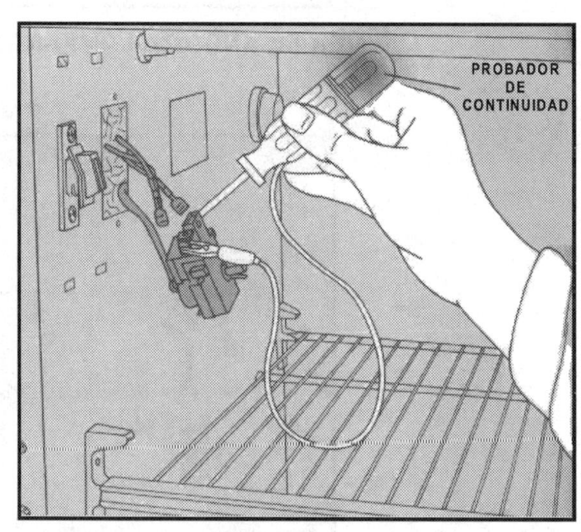

PROBANDO EL CONTROL DE TEMPERATURA CON UN PROBADOR DE CONTINUIDAD

4.4 LAVADORAS DE PLATOS O VAJILLAS.

Una lavadora de platos o de vajillas, es una máquina compleja que tiene un buen número de partes o componentes que están atornilladas, engrapadas o unidas por medio de clavijas. Para tener un buen servicio se requiere de agua muy caliente de 60 a 70 °C, una temperatura menor no puede disolver la grasa o remover los residuos de comida. Para asegurarse que el agua está suficientemente caliente, se debe colocar el tap del agua caliente en su posición más alta. Antes de poner en operación la lavadora:

1. Se puede probar la temperatura del agua poniendo en operación la lavadora y luego abriendo la puerta durante el primer ciclo de lavado.

2. Se puede colocar un termómetro apropiado en el fondo de la cuba, si la temperatura es menor de 60 °C, se requiere aumentar la temperatura del calentador de agua, o bien reemplazar el elemento de calefacción. Existen algunas varientes en las lavadoras de vajillas, en la figura se muestran las partes principales de estos tipos.

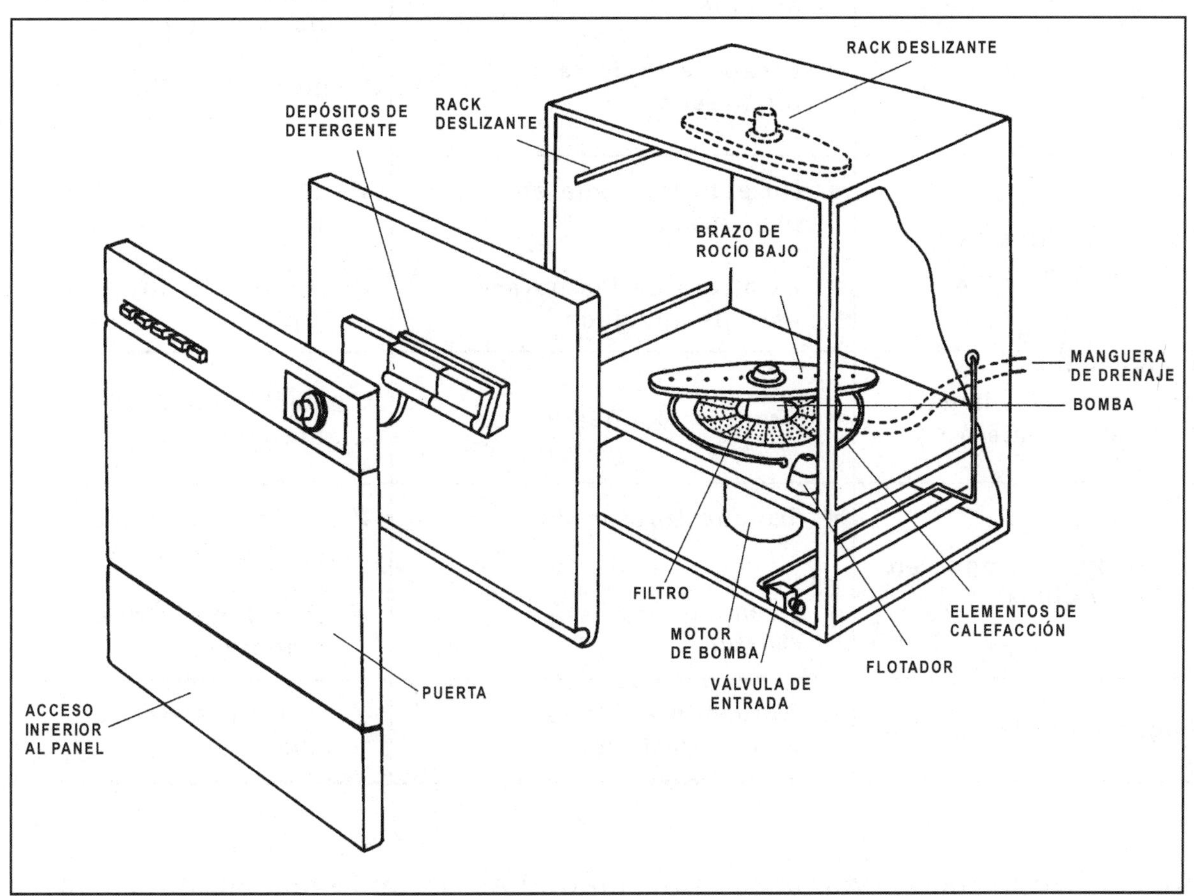

CORTE DE UNA LAVAVAJILLAS Ó LAVAPLATOS

PROBLEMA	POSIBLE CAUSA	SOLUCIÓN
Los platos o trastos no se limpian	➠ El agua no está suficientemente caliente.	✓ Elevar la temperatura del calentador de agua o reemplazar el elemento calefactor.
	➠ El filtro está sucio o tapado.	✓ Limpiar el filtro.
	➠ Fallas en el depósito de detergente.	✓ Cambiar cualquier parte rota.
	➠ El brazo de rocío no trabaja en forma apropiada.	✓ Retirar obstáculos que bloquean el movimiento de la torre de rocío (spray).
	➠ Brazo de rocío (spray) bloqueado.	Desbloquear el brazo.
La lavavajillas está ruidosa y vibra.	➠ No está montada en piso firme.	✓ Colocarla en un piso firme y plano.
	➠ La altura de las patas está desnivelada.	✓ Ajustar la altura de las patas.
La lavavajillas no opera, limpia, llena, falla el drenaje o no seca.	➠ Drenaje bloqueado.	✓ Desbloquear el drenaje.
Sobreflujo de agua en la lavavajillas.	➠ Tanque fracturado.	✓ Sellar con sellador a prueba de agua.
	➠ La manguera está partida.	✓ Instalar una nueva manguera.
Fugas en la lavavajilla.	➠ Abrazaderas de la manguera flojas.	✓ Apretar las abrazaderas.

Aún cuando las lavaplatos son máquinas complejas, muchos de sus problemas son relativamente fáciles de resolver.

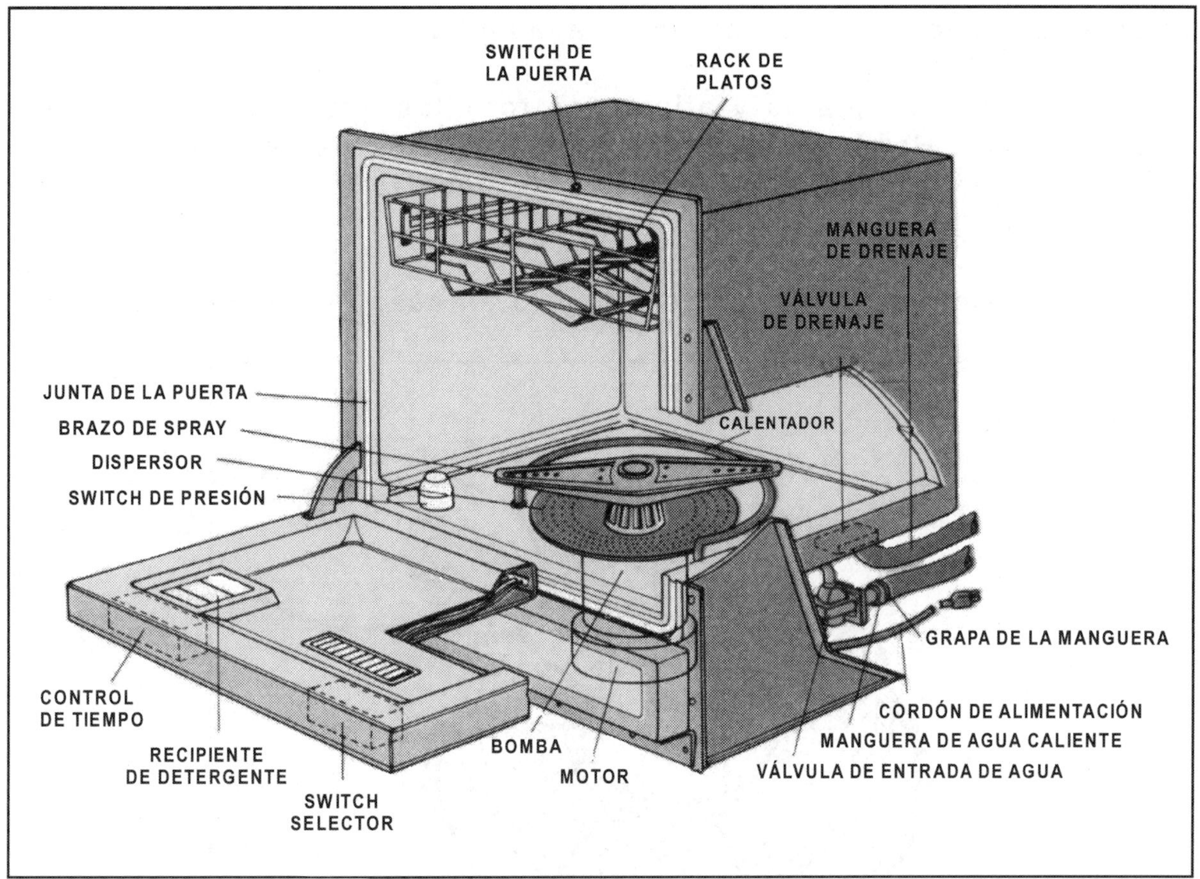

PARTES DE UNA LAVADORA DE PLATOS

Los procedimientos a seguir para casos simples se indican a continuación:

DESBLOQUEO DEL FILTRO.

El filtro está localizado dentro de la lavaplatos debajo de la charola que contiene a los platos sobre el elemento calefactor. En forma ocasional se bloquea, afectando con esto la acción de limpieza.

HERRAMIENTAS QUE SE DEBEN TENER A MANO:

- Destornillador (desarmador) de punta plana o phillips (de punta).

1. Desconectar la alimentación de la lavavajillas.

2. Retirar el rack de platos y aflojar los tornillos que mantienen al filtro en su lugar. Hay algunos modelos de lavaplatos, en los cuales el filtro no está accesible, y en otros, se debe retirar el brazo de rocío (spray) para alcanzar el filtro.

3. Limpiar cualquier obstáculo del filtro, o en caso necesario, cambiarlo.

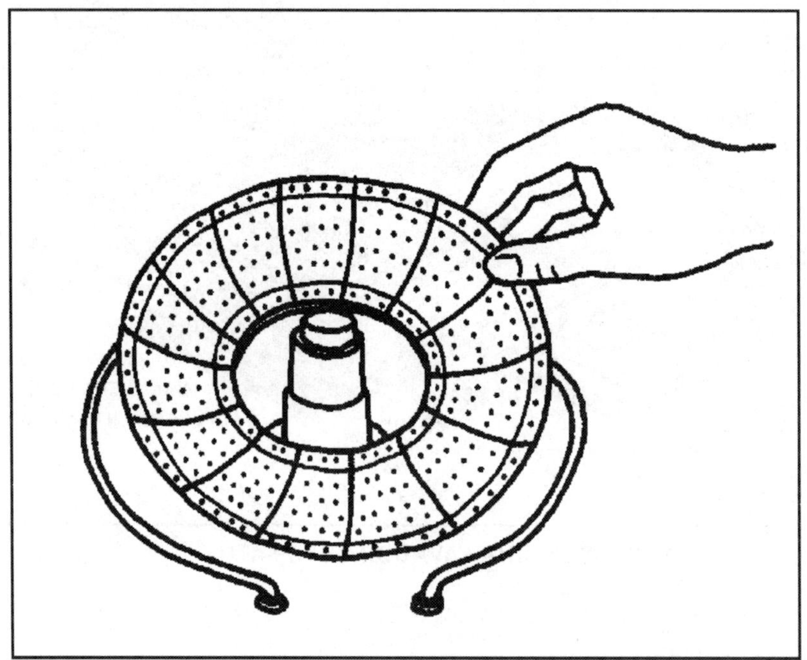

RETIRAR EL RETENEDOR LOCALIZADO DEBAJO DEL RACK DE PLATOS Y SACUDIR O LIMPIAR DE OBSTÁCULOS

AJUSTE DEL DEPÓSITO DE DETERGENTE.

Si no se resuelve el problema, el depósito de detergente puede estar no alimentando detergente, para verificar esto, se tiene que retirar la puerta del panel.

HERRAMIENTAS QUE SE DEBEN TENER A MANO:

- Destornillador de punta plana o phillips (de cruz).

1. Comenzar desenergizando la lavaplatos, desconectando el interruptor o bajando el switch según sea el caso.

2. Abrir la puerta y aflojar los tornillos que están localizados a lo largo del filo de la puerta. Una vez que los tornillos se retiren, el panel se desliza de la puerta y el mecanismo del depósito de detergente aparece en forma inmediata.

3. Mover el brazo del mecanismo hacia atrás y mover a mano para estar seguro que no está atascado.

LIBERANDO EL BRAZO DE ROCÍO (SPRAY).

El brazo de rocío (spray) se puede atorar también. Este brazo está localizado en el fondo de la lavavajillas, justo arriba del motor, y tiene por lo general una torre de rocío.

HERRAMIENTAS QUE SE DEBEN TENER A MANO:

- Destornillador de punta plana o phillips (según se requiera).

1. Desenergizar la máquina lavaplatos, desconectando el interruptor o bajando el switch.

2. Retirar el rack de platos.

3. Verificar primero para observar si la torre de rocío se mueve hacia arriba y hacia abajo libremente.

4. En caso de que no, desatornillar la torre y observar si hay algo que esté bloqueando el movimiento, si no se puede corregir el problema, entonces es necesario cambiar la torre de rocío.

LIMPIEZA DEL BRAZO DE ROCÍO.

HERRAMIENTAS QUE SE DEBEN TENER A MANO:

- ☛ Destornillador plano o phillips (según sea el caso) y un pedazo de alambre delgado.

1. Una vez que se ha desatornillado la torre de rocío, se retira el brazo de rocío, aflojando los tornillos que lo mantienen en su lugar.

2. Con un palillo o un alambre delgado, limpiar los agujeros del brazo de rocío por ambos lados.

3. Agitar y voltear el brazo de rocío rociando con agua y volver a armar las partes, esto debe resolver el problema.

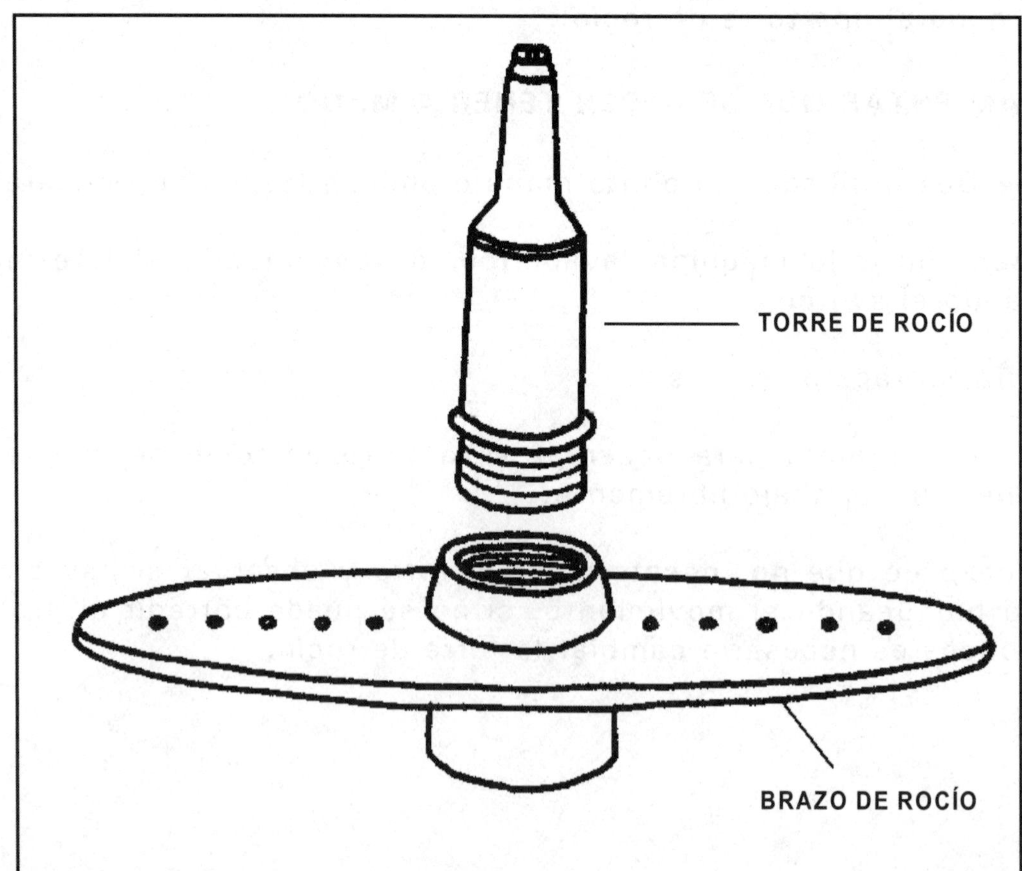

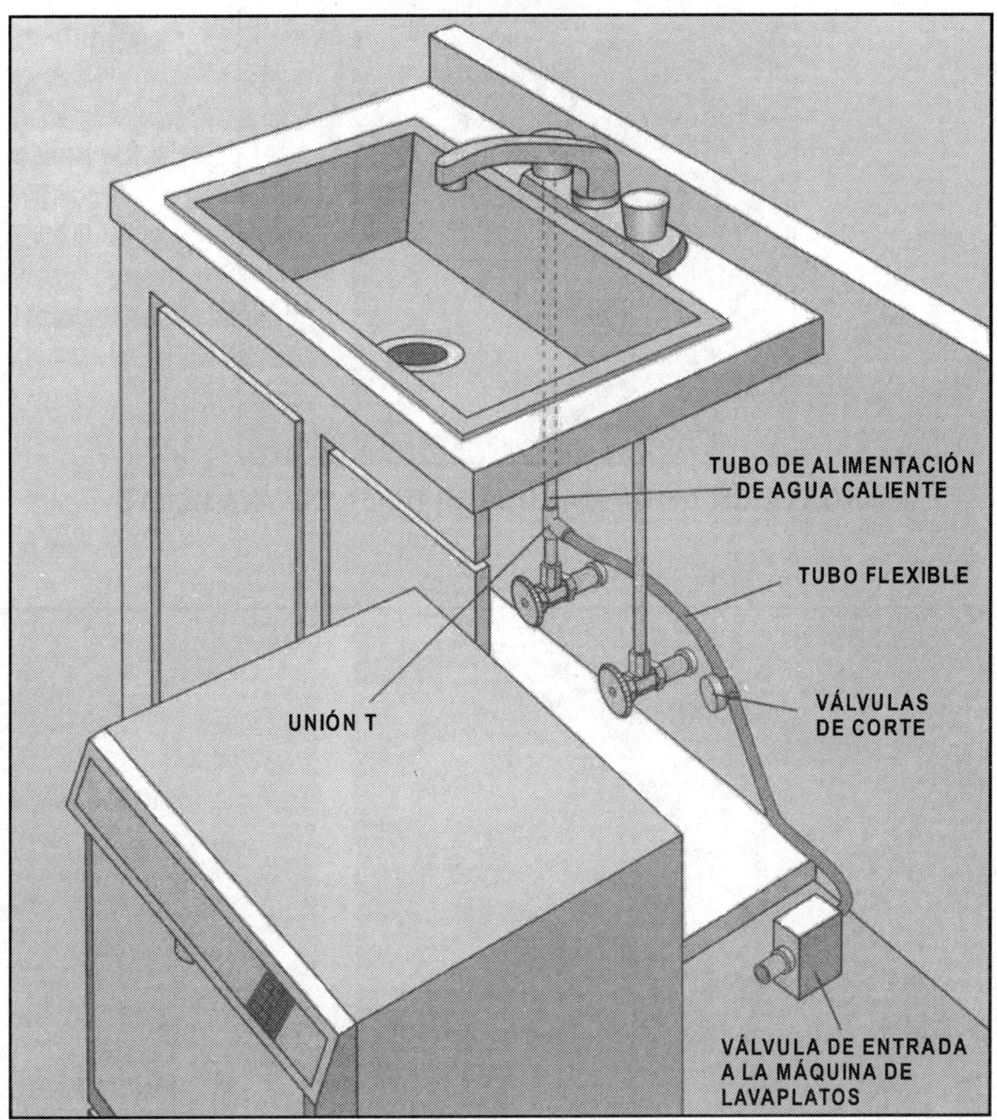

FORMA DE MONTAJE DE UNA MÁQUINA DE LAVAPLATOS

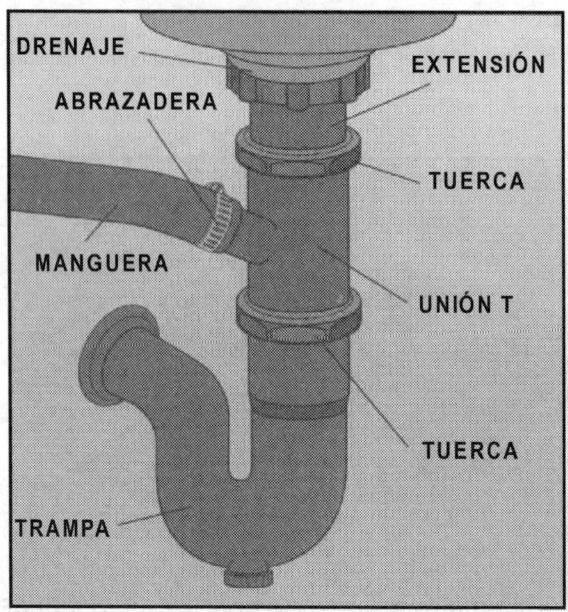

CONEXIÓN DE LA MANGUERA DE LA LAVAVAJILLAS

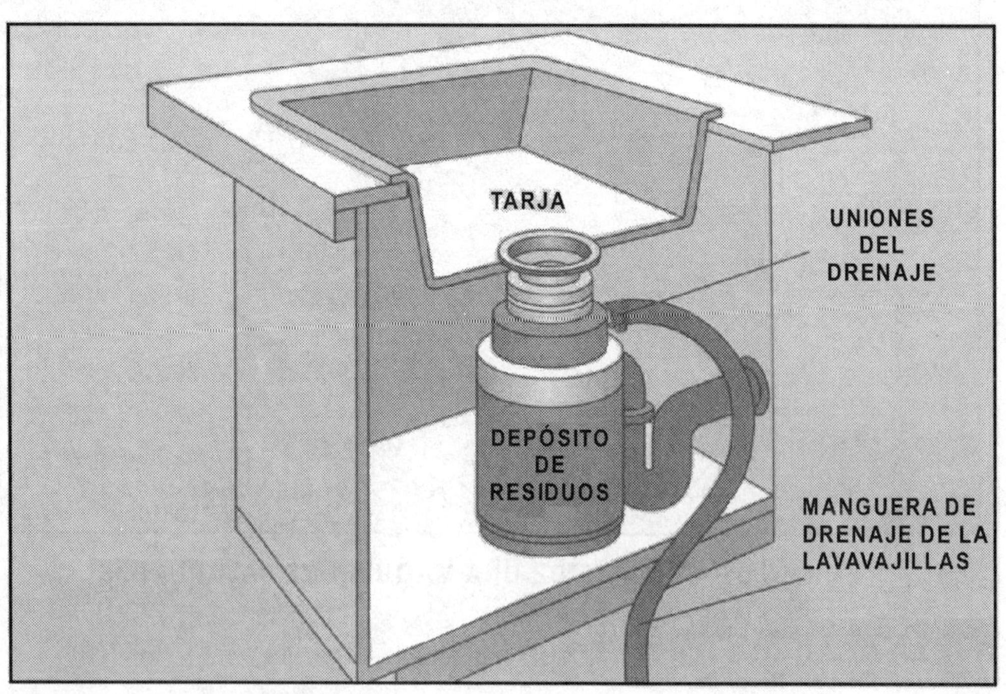

INSTALACIÓN DEL DEPÓSITO DE RESIDUOS

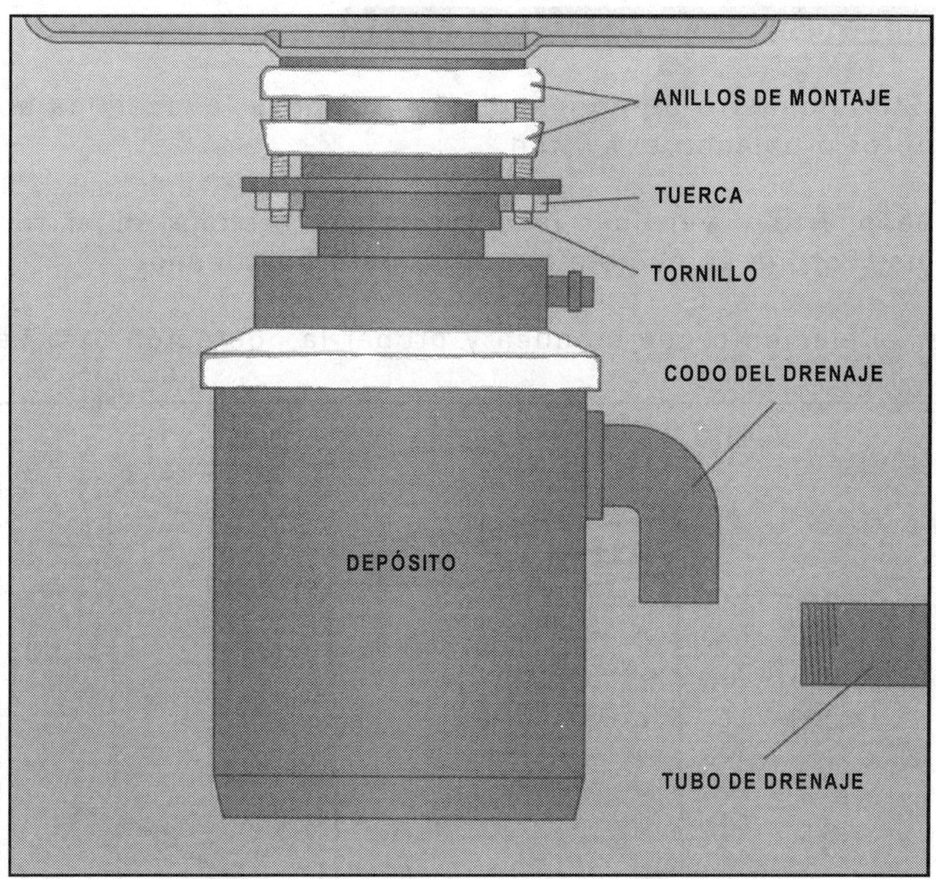

DETALLE DEL MONTAJE DEL DEPÓSITO DE RESIDUOS

BALANCEO DE LA LAVAVAJILLAS.

Una lavaplatos que opera en forma ruidosa y vibra en forma excesiva, probablemente no está montada en un piso firme o la altura de sus patas no están igual.

HERRAMIENTAS QUE SE DEBEN TENER A MANO:

- Destornillador plano o phillips (según sea el caso).

Se pueden ajustar las patas frontales retirando la parte frontal del panel de abajo con el destornillador. Las patas se atornillan hacia dentro y hacia fuera para levantar o bajar la máquina, según se requiera.

REPARANDO EL SOBRE FLUJO EN LA LAVAVAJILLAS.

1. Cerrar el suministro de agua y desenergizar la lavavajillas abriendo el interruptor o bajando el switch.

2. Abrir la puerta y verificar la cubierta del drenaje en el fondo de la máquina. Porque es posible que algo esté bloqueando.

3. Retirar el elemento que bloquea y probar la operación otra vez.

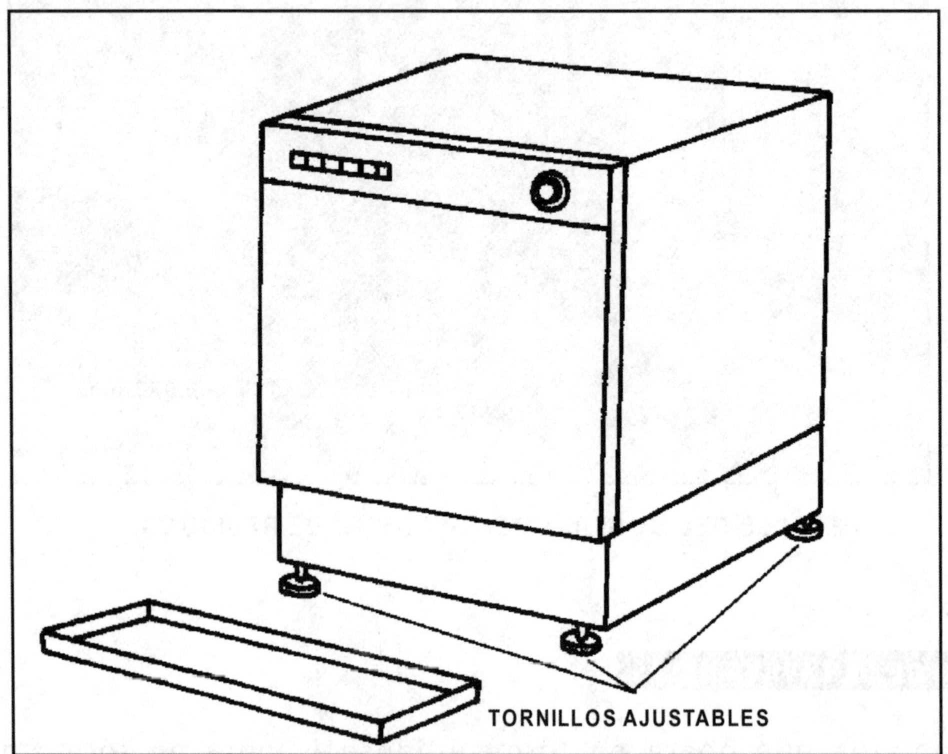

PARA NIVELAR EL APARATO, RETIRAR EL PANEL FRONTAL DEL FONDO PARA TENER ACCESO A LOS TORNILLOS AJUSTABLES EN LAS PATAS

REPARANDO FUGAS CAUSADAS POR UNA FRACTURA.

Si la lavavajillas tiene fuga en el fondo, primero se debe asegurar que no se está usando demasiado jabón y que la lavaplatos está cargada en forma apropiada (no tiene exceso de platos). También es posible que el tanque esté fracturado.

HERRAMIENTAS QUE SE DEBEN TENER A MANO:

- Pinzas de mecánico, destornillador plano o phillips (según se requiera).

1. Antes de comenzar el trabajo, se debe estar seguro de haber desenergizado la máquina, bajando el interruptor o desconectando el switch.

2. Si se descrubre una fractura en el tanque, se debe sellar con sellador a base de silicón.

REPARACIÓN DE FUGAS POR FALLAS EN LA MANGUERA.

Es posible que una manguera esté partida o que la abrazadera tenga fugas, para verificar esta posiblidad, se debe remover la parte inferior del tablero frontal que está localizado entre el piso y la puerta de la lavaplatos.

1. Con la lavadora desenergizada, retirar los tornillos y jalar el panel o levantarlo de sus ganchos de sujeción.

2. Examinar las mangueras para determinar si tienen fracturas o están partidas y asegurarse que las abrazaderas estén perfectamente instaladas. Si las abrazaderas tienen fugas, lo más seguro es que se tengan que reponer.

3. Con unas pinzas de mecánico, deslizar las abrazaderas tipo resorte, de manera que permita que se fijen.

4. Para desconectar la manguera dañada, se deben mover las abrazaderas a través o hacia el punto medio de la manguera y jalar ambos extremos de la misma, procurando tener una cubeta a la mano para captar el agua residual cuando se retire la manguera, teniendo a la mano la nueva manguera que se va a reemplazar.

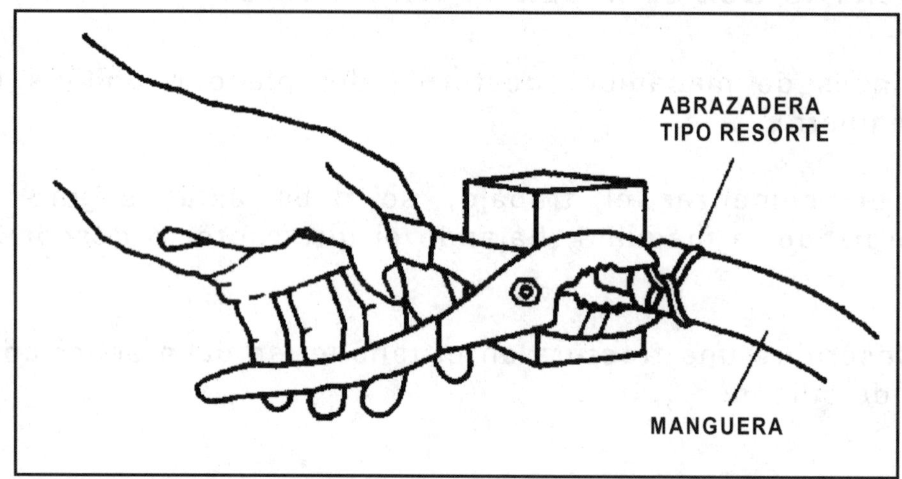

USAR UNAS PINZAS PARA RETIRAR LA ABRAZADERA QUE SOSTIENE A LA MANGUERA EN SU POSICIÓN

4.5 SECADORAS ELÉCTRICAS DE ROPA.

Las secadoras de ropa son menos comunes en su uso que las lavadoras de ropa y se clasifican de acuerdo a la fuente que produce el calor para el secado como **secadoras eléctricas** o **secadoras de gas**, aún cuando las secadoras de gas también usan electricidad, pero no para la producción del calor de secado.

Una secadora eléctrica opera con un motor, un soplador, un control de tiempo y un elemento de calefacción. En la medida que el motor hace girar al tambor, el ventilador o soplador enpuja aire caliente producido por las bobinas de calefacción, hacia el interior del tambor. Este calor hace circular aire seco alrededor de la ropa y sale a través de la trampa de pelusa y el tubo de salida.

En las secadoras de gas, un quemador de gas tiene un piloto que normalmente es encendido por un piloto electrónico, o bien por un piloto de gas.

Una tabla elemental de problemas y posibles soluciones se da a continuación:

PROBLEMA	POSIBLE CAUSA	SOLUCIÓN
La secadora eléctrica no seca en forma apropiada.	☛ Obstrucción por pelusa.	✓ Retirar la pelusa.
	☛ Manguera de ventilación torcida.	✓ Estirar la manguera.
	☛ Manguera de ventilación bloqueada.	✓ Remover la obstrucción.
	☛ Secadora sobrecargada.	✓ Retirar algo de carga (ropa).
	☛ Localización en un área fría de la casa.	✓ Ajustar la temperatura o mover la lavadora.
	☛ Falla en el termostato o en la salida del elemento de calefacción.	✓ Reparar o cambiar termostato. ✓ Reparar el elemento de calefacción.
	☛ Banda rota.	✓ Cambiar la banda.

Con el fin de identificar, para fines de ubicación, las partes de una secadora eléctrica, así como su diagrama eléctrico elemental, en la siguiente figura se presenta esta información.

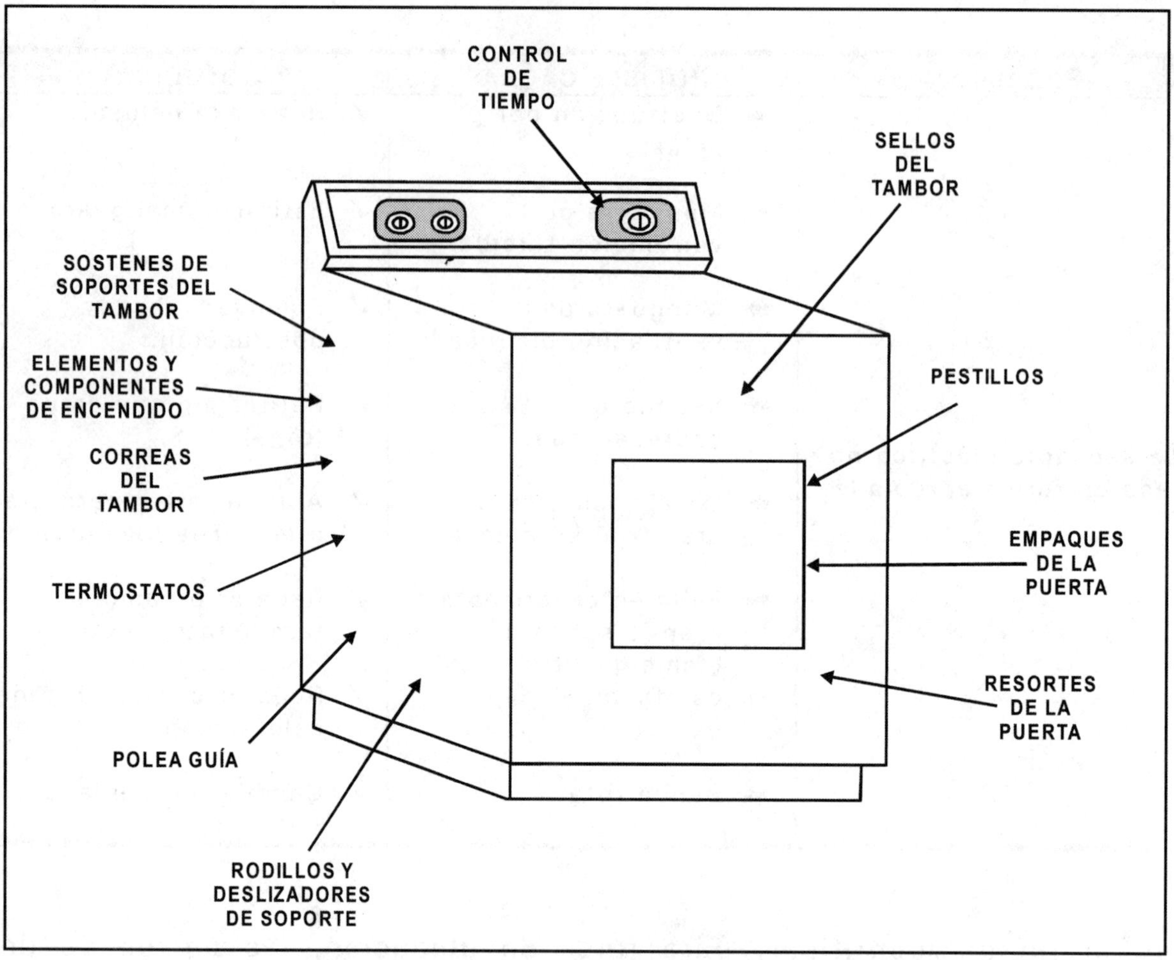

CONTROL
DE
TIEMPO
SELLOS
DEL
TAMBOR
SOSTENES DE
SOPORTES DEL
TAMBOR
ELEMENTOS Y
COMPONENTES
DE ENCENDIDO
PESTILLOS
CORREAS
DEL
TAMBOR
EMPAQUES
DE LA
PUERTA
TERMOSTATOS
RESORTES
DE LA
PUERTA
POLEA GUÍA
RODILLOS Y
DESLIZADORES
DE SOPORTE

IDENTIFICACIÓN DE PARTES DE UNA TÍPICA SECADORA AUTOMÁTICA

INTERRUPTOR
(CERRADO)
CLAVIJA
LÁMPARA
MOTOR

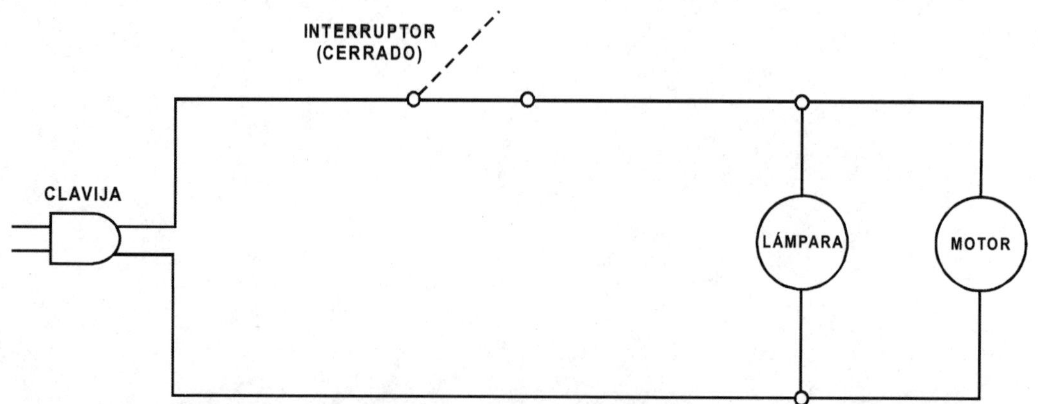

EL DIAGRAMA DE ALAMBRADO ILUSTRA UN INTERRUPTOR EN POSICIÓN CERRADA.
SI EL INTERRUPTOR SE ENCUENTRA CERRADO, LA LÁMPARA Y EL MOTOR ESTARÁN ENCENDIDOS.
SI EL INTERRUPTOR ESTUVIERA ABIERTO, LA LÁMPARA Y EL MOTOR ESTARÍAN APAGADOS.

PROBLEMAS DE SECADO.

Si la secadora eléctrica no está secando en forma apropiada, hay que verificar que el filtro de pelusa no tenga una acumulación excesiva de pelusa. De hecho, cada secadora tiene un método distinto de colectar la pelusa, por lo que es recomendable leer el manual de fabricante.

HERRAMIENTAS QUE SE DEBEN TENER A MANO:

- ☛ Destornillador plano o phillips (de cruz) y una aspiradora (en caso necesario).

1. Si se retira la pelusa y la secadora continua sin calentar en forma apropiada, entonces se debe verificar el sistema de ventilación externo para asegurarse que la manguera de ventilación y la salida al exterior de la casa esté limpia de obstrucciones, libre de pelusa y que la manguera no esté doblada.

2. Otras cosas a considerar cuando la secadora está tomando demasiado tiempo para secar la ropa, es verificar si el sistema de salida no es demasiado largo, si la secadora no está sobrecargada, o bien, si no está localizada en el área más fría de la casa.

3. Si no se produce calor, entonces se debe verificar la caja de fusibles para determinar si éstos se encuentran en buen estado, en caso contrario, se deben reemplazar o bien revisar el interruptor del circuito que alimenta a la máquina secadora. Es posible que también se tenga una falla en el termostato.

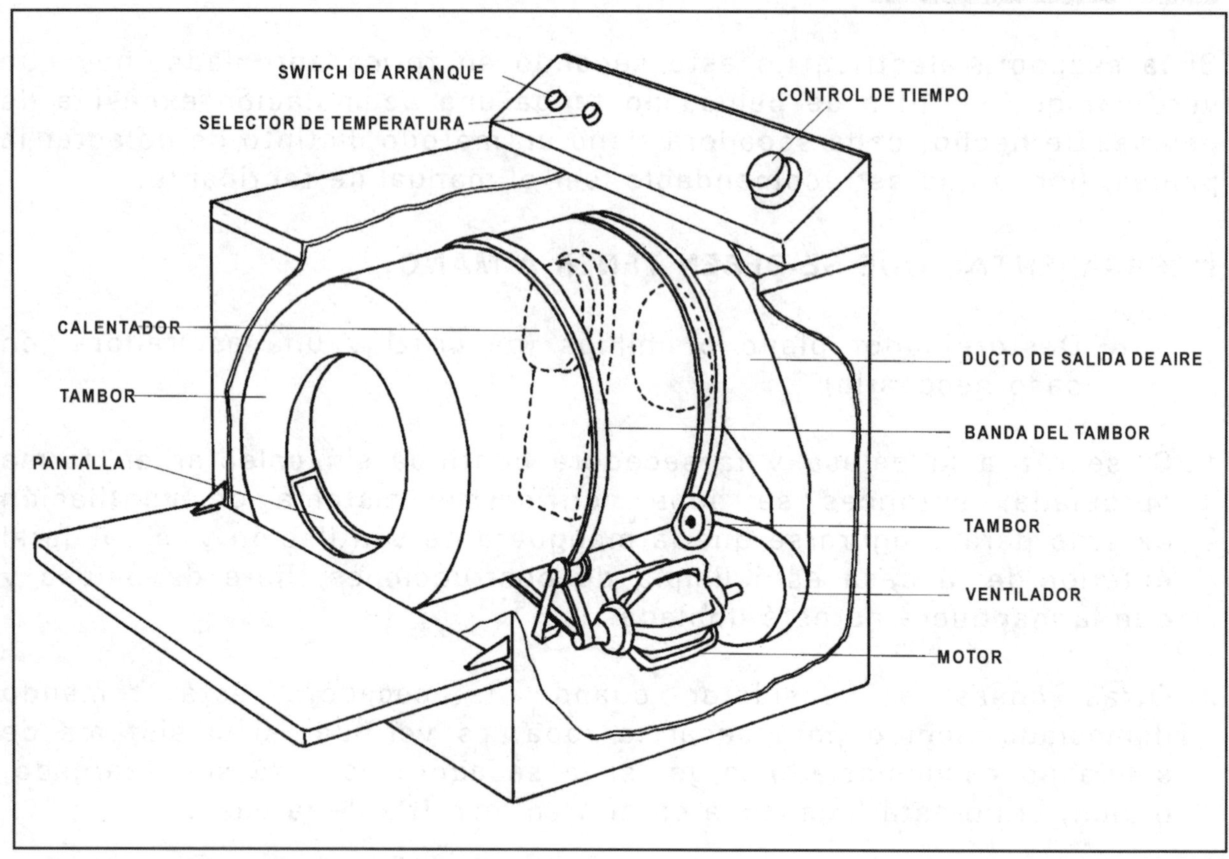

CORTE DE UNA SECADORA ELÉCTRICA

SECADORAS DE ROPA QUE OPERAN CON GAS.

En el caso de que una secadora que usa gas no caliente, y se presente esto como problema, las causas posibles podrían ser las siguientes:

PROBLEMA	POSIBLE CAUSA	SOLUCIÓN
La secadora no caliente	☛ El pilto está apagado.	✓ Encender el piloto.
	☛ Falla en el piloto electrónico (si es el caso).	✓ Cambiar el piloto.
	☛ Falta de gas.	✓ Llenar el tanque de gas.

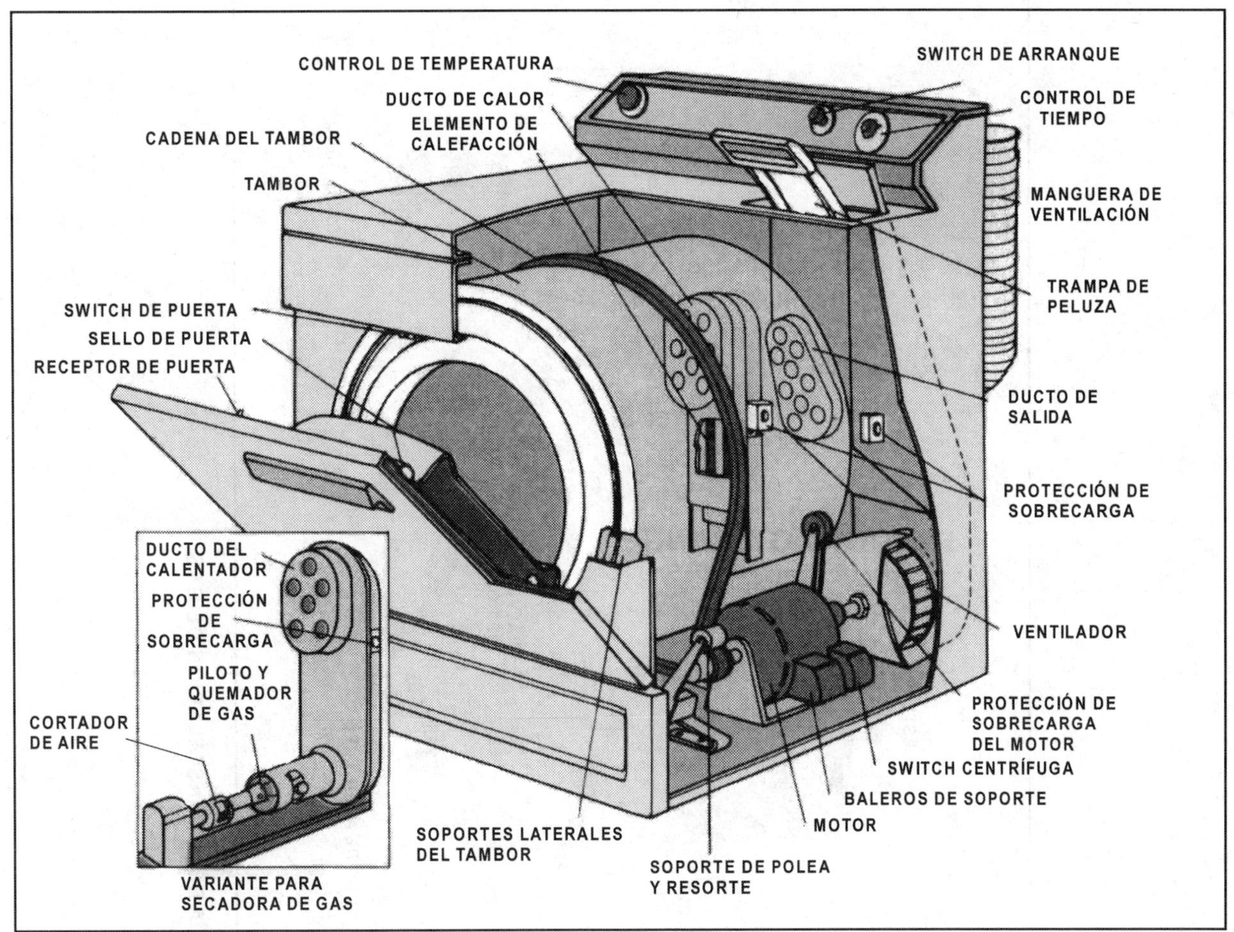

PARTES DE UNA SECADORA ELÉCTRICA DE ROPA

REPARACIÓN DE UNA SECADORA DE GAS.

Dependiendo del tipo de secadora de gas que se tenga, si no está produciendo calor, puede ser que el piloto esté apagado; en caso de que el piloto sea electrónico, que tenga alguna falla, o bien que no se tenga gas.

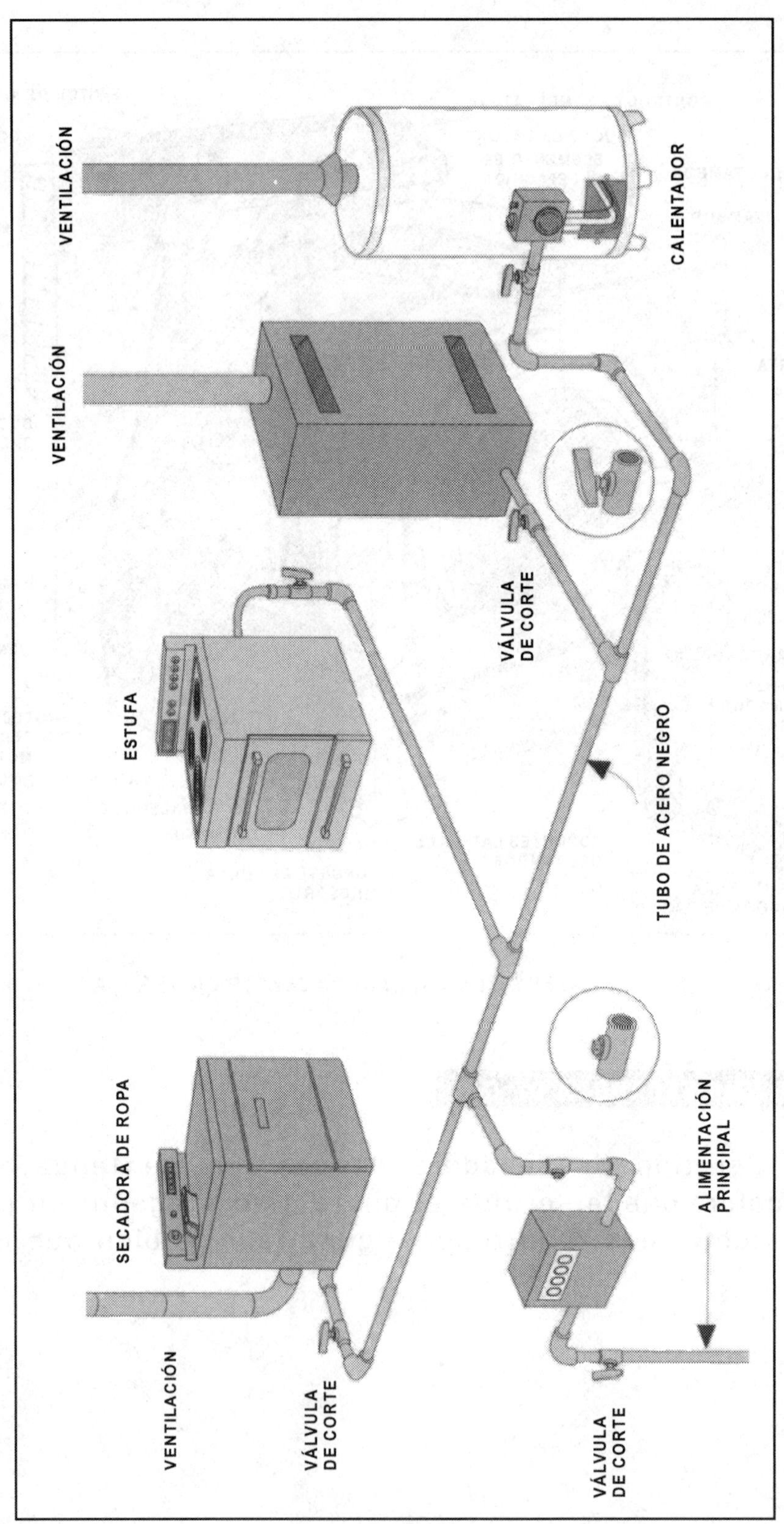

ANATOMÍA DE UNA INSTALACIÓN DE GAS

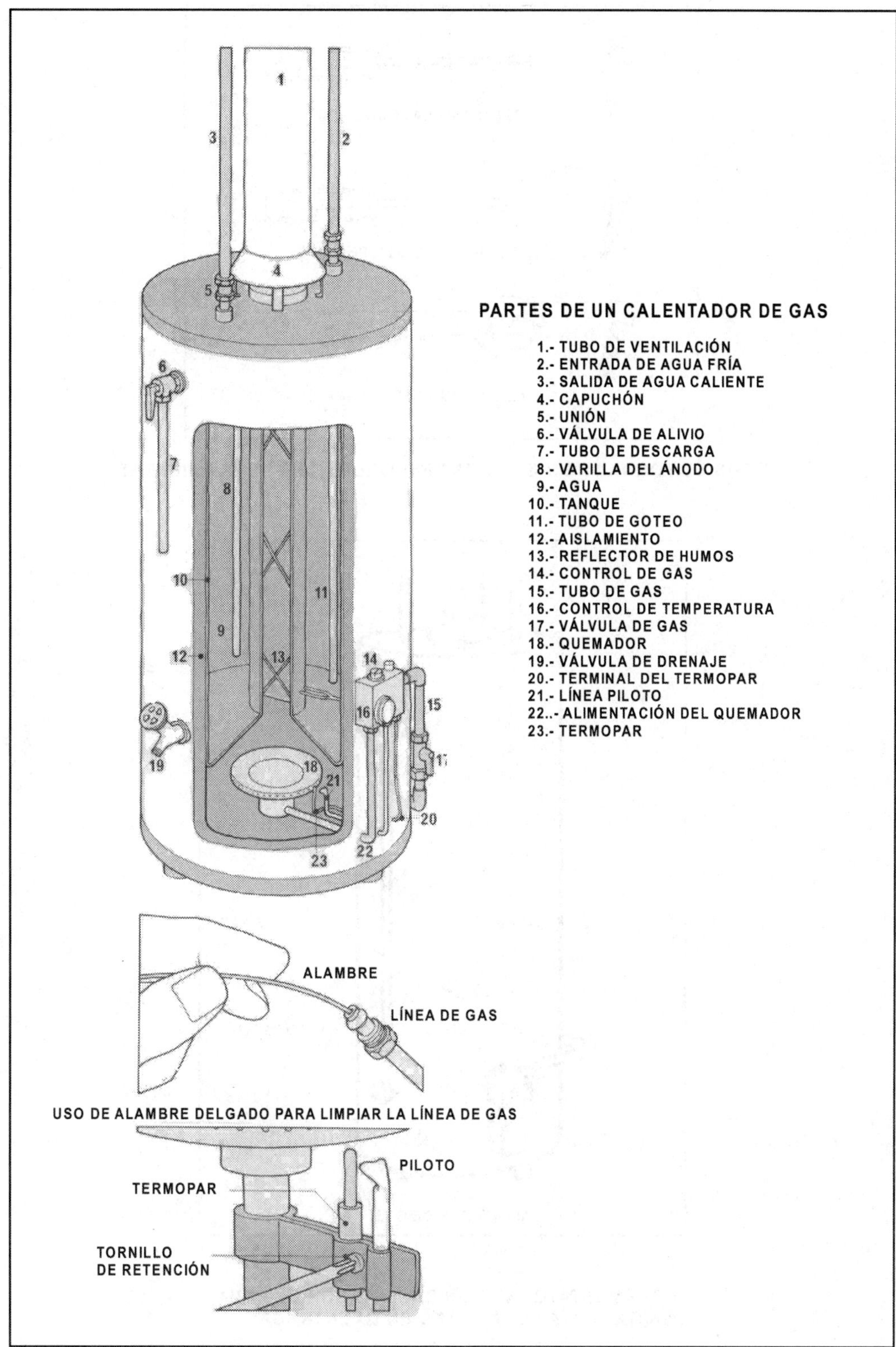

COMPONENTES DE UN CALENTADOR DE GAS

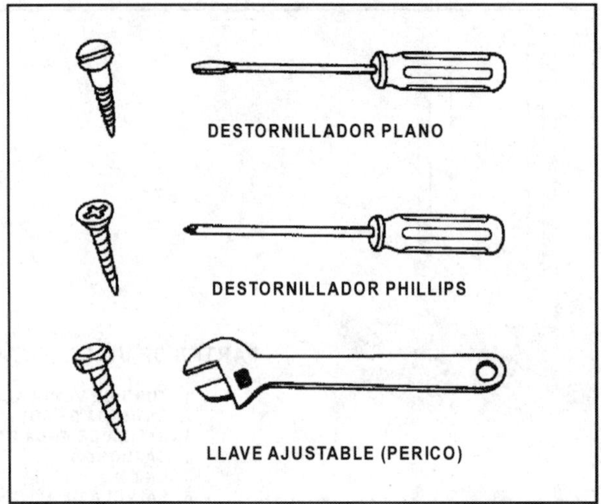

TIPOS DE TORNILLOS Y SUS CORRESPONDIENTES HERRAMIENTAS

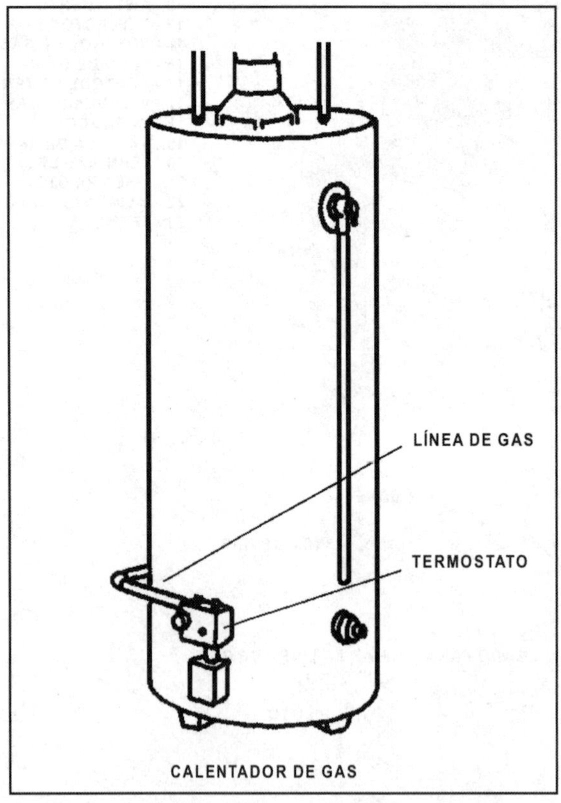

EL TERMOSTATO PARA UN CALENTADOR DE AGUA CON GAS ESTÁ LOCALIZADO EN LA ENTRADA

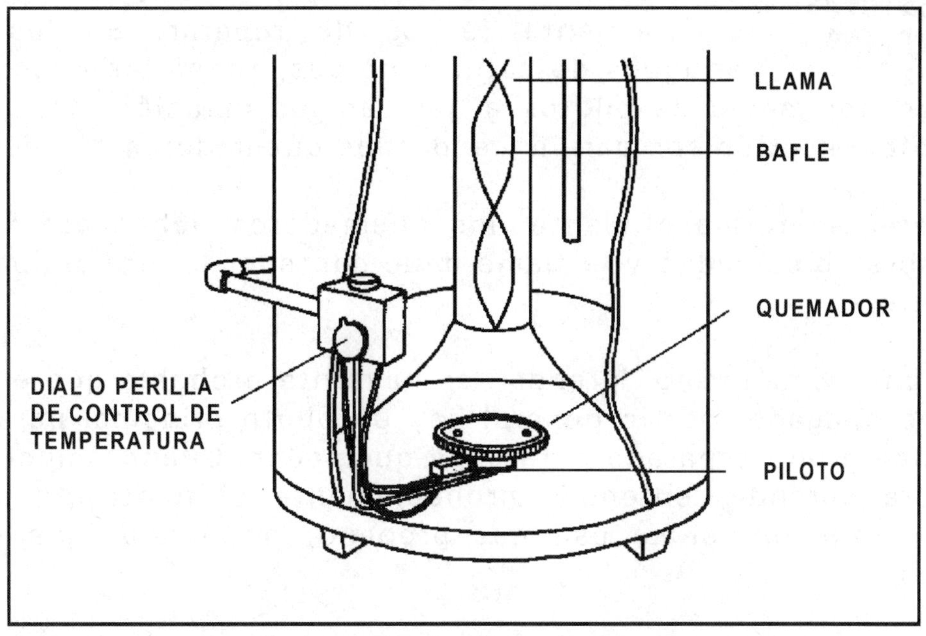

CORTE DE UN QUEMADOR MOSTRANDO EL PILOTO

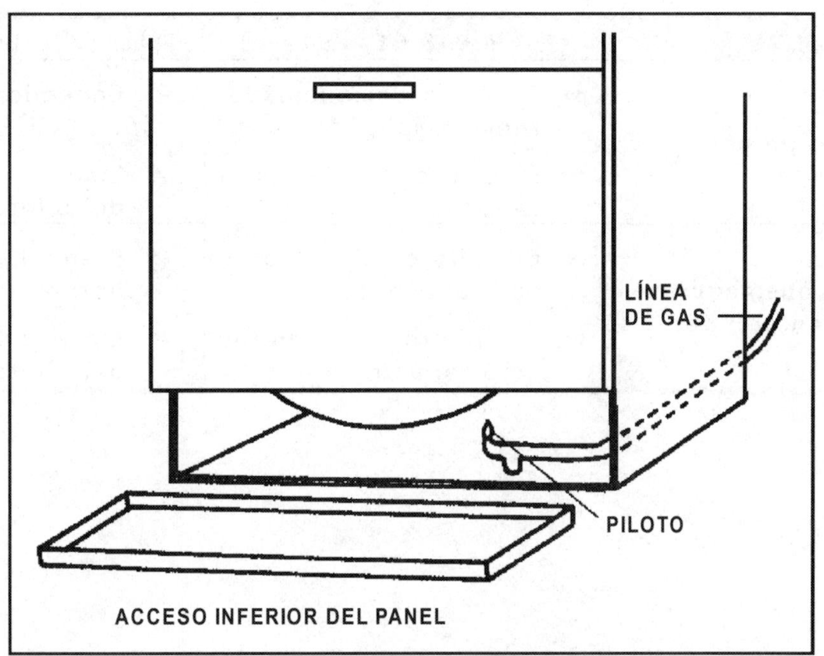

EL PILOTO DE GAS ESTÁ LOCALIZADO DETRÁS DEL TABLERO DE ACCESO EN EL FONDO DEL FRENTE DE LA SECADORA

4.6 ESTUFAS DE GAS.

Las estufas de gas son menos complicadas y generalmente fáciles de reparar. En los modelos antiguos de estufas de gas, todos los quemadores se encendían por medio de pilotos a gas; en los modelos más nuevos se usan **pilotos electrónicos** para encender los quemadores.

Para operar en forma eficiente, los quemadores deben estar libres de "cochambre" o suciedad y la flama debe contener la proporción correcta de gas y aire.

Cuando un quemador no "prende" es bastante probable que el piloto se encuentre apagado, por lo general hay un piloto principal para el horno y usualmente uno separado para cada quemador. Cuando ninguno de los quemadores prende, entonces probablemente el piloto principal está apagado. También, si se usa gas propano, no olvidar que el tanque tenga gas.

Los probables problemas que se pueden presentar y sus causas se indican en la tabla siguiente:

PROBLEMA	PROBABLE CAUSA	SOLUCIÓN
El quemador no enciende	☛ El piloto del quemador fuera o apagado. ☛ El piloto puede estar tapado.	✓ Encender el piloto. ✓ Limpiar el quemador del piloto.
Todos los quemadores no pueden prender	☛ El piloto del horno está apagado. ☛ El piloto del horno está tapado.	✓ Prender el piloto del horno. ✓ Limpiar el quemador del piloto.

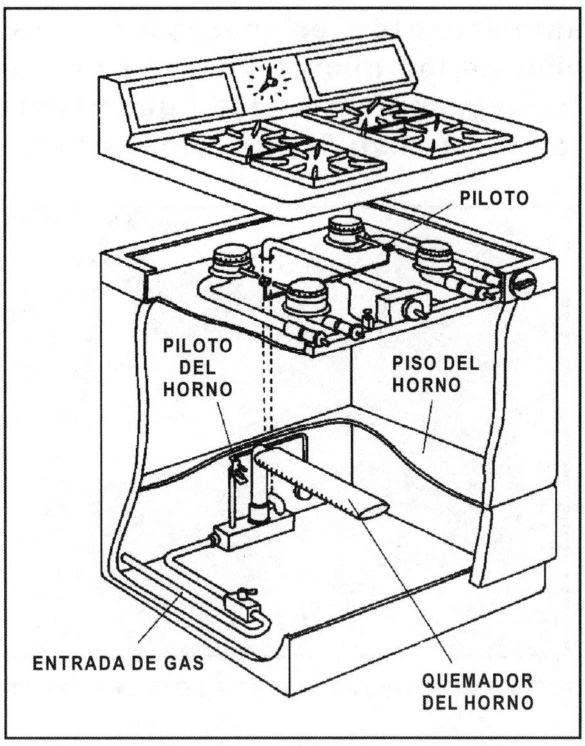

CORTE DE UNA ESTUFA DE GAS

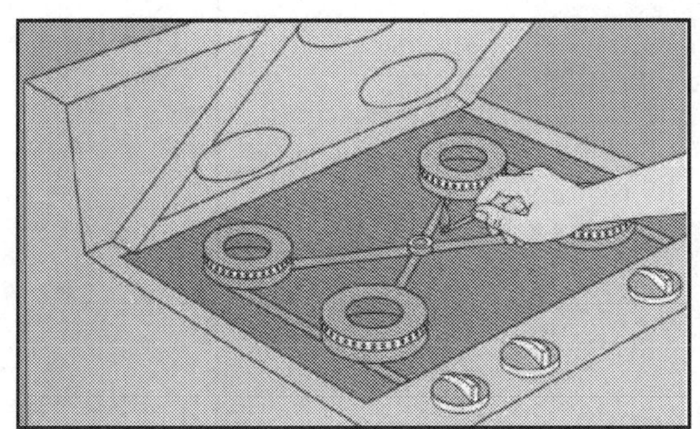

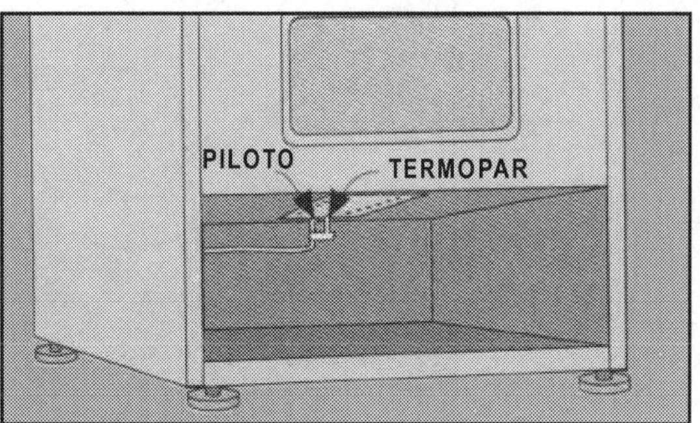

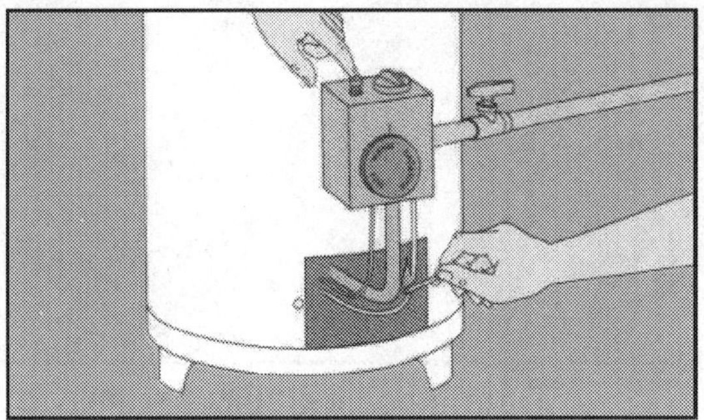

LOCALIZACIÓN DE PILOTOS EN ESTUFA, HORNO Y CALENTADOR

Para fines de mantenimiento, es necesario tener identificados los puntos de localización de los pilotos en cada uno de los elementos que operan cargas. Por ejemplo, en los quemadores de las estufas eléctricas, los hornos de las estufas y los calentadores de agua.

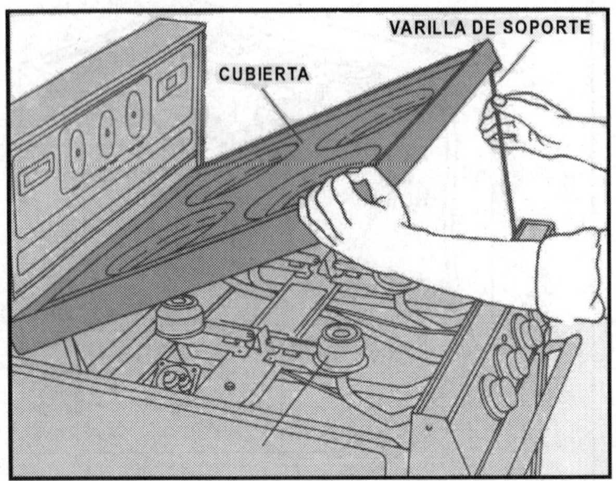

FORMA DE ACCESO A LOS QUEMADORES Y PILOTOS EN UNA ESTUFA DE GAS

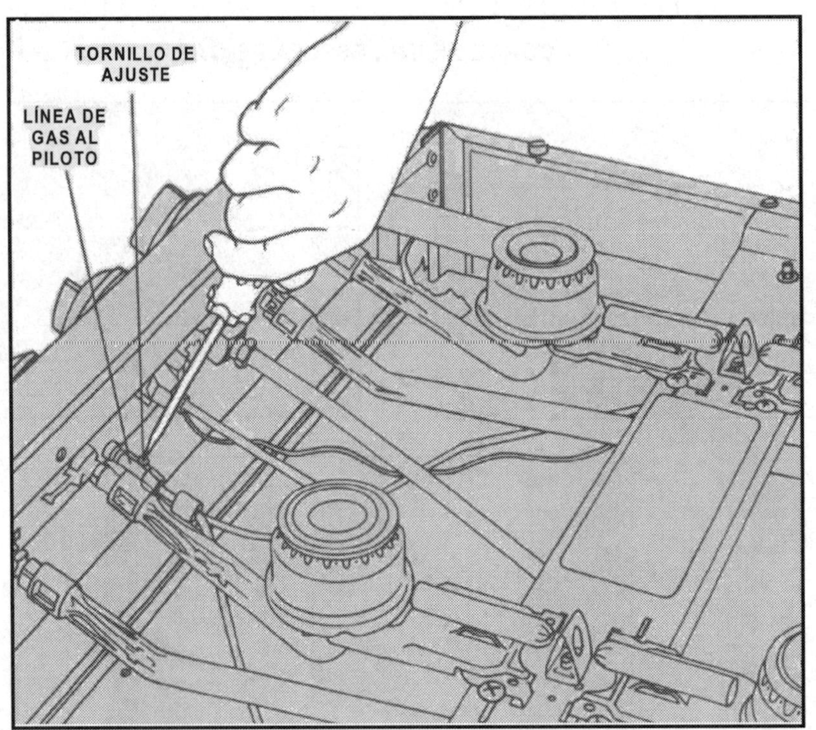

AJUSTANDO LA ALTURA DEL PILOTO

EL AJUSTE DE LA ALTURA DEL PILOTO SE HACE CUANDO LA LLAMA DEL MISMO ES MUY ALTA O MUY BAJA; PARA ESTO SE ACCIONA SOBRE EL TORNILLO DE AJUSTE.

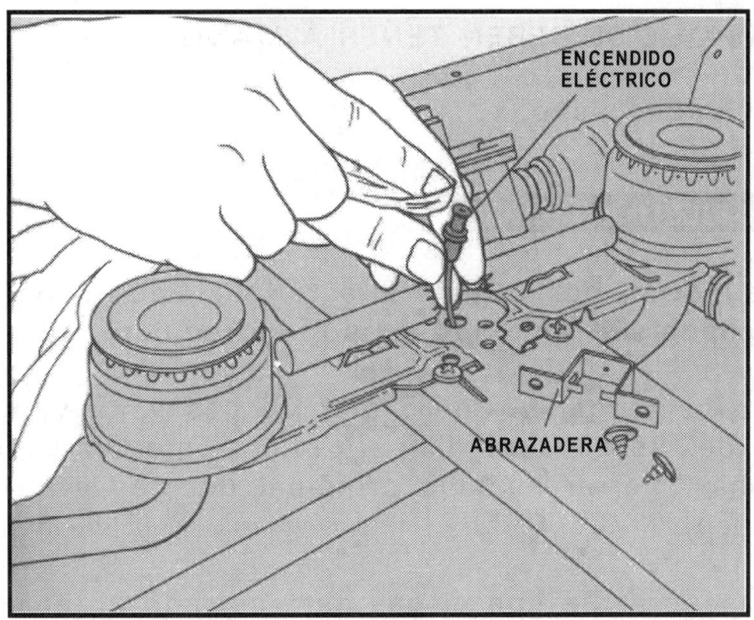

EN LAS ESTUFAS CON ENCENDEDOR ELÉCTRICO PARA REVISAR CUANDO NO ENCIENDE, SE DEBE RETIRAR.

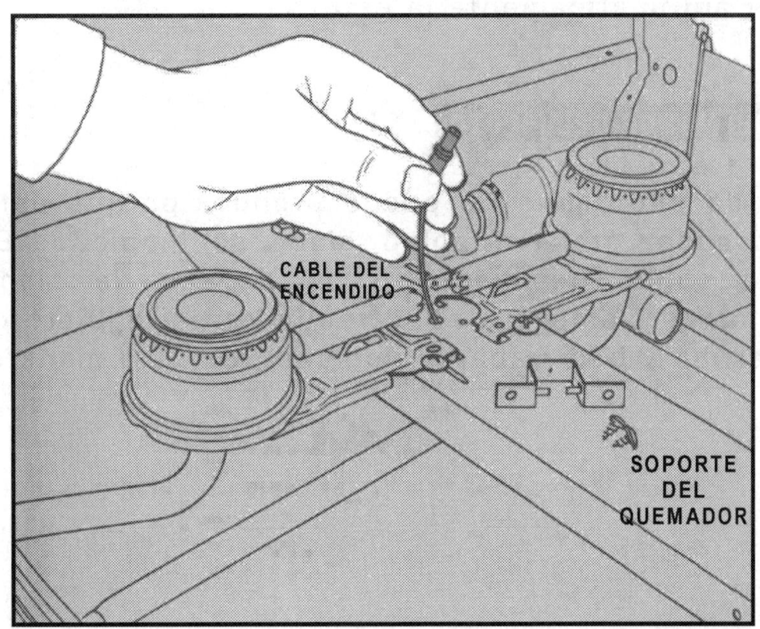

PARA REMPLAZAR EL ENCENDEDOR SE DEBE RETIRAR.

HERRAMIENTAS QUE SE DEBEN TENER A MANO:

- ☛ Destornillador plano.

REENCENDIDO DEL PILOTO PRINCIPAL.

El piloto para el horno, por lo general está localizado debajo del piso del horno, el cual puede ser removido cuando se requiere.

En caso de que se tenga un ligero olor de gas y no venga del piloto, abrir la puerta del horno para disiparlo. Si el olor es fuerte, estonces abrir las ventanas, cerrar la llave principal del gas y no tocar ningún apagador eléctrico.

1. Se debe asegurar de que el gas está cerrado en el horno y en los quemadores, se abre la puerta del horno y se retiran los racks, y si es necesario, se retira el piso del horno.

2. Si se prende el pilto después de reencenderlo, entonces se podría encender automáticamente la estufa.

LIMPIANDO EL QUEMADOR DEL PILOTO.

Un quemador de piloto que no puede prender porque está obstruido o tapado con comida, grasa o polvo, debe se limpiado. Esto se puede hacer con un palillo de diente o un pedazo de alambre delgado, cualquiera de estos elementos se introduce en el agujero del piloto y se mueve hacia arriba y hacia abajo, limpiando de esta manera.

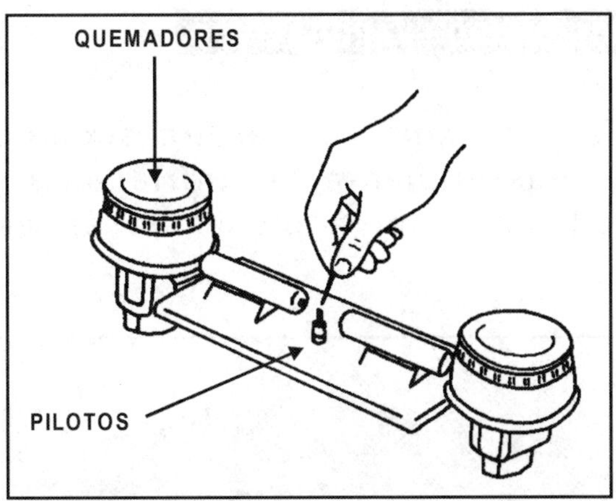

EL PILOTO SE LIMPIA EN FORMA CUIDADOSA CON UN PALILLO O UN ALAMBRE DELGADO

La flama del quemador debe ser azul y brillante, en caso contrario, se debe cambiar la relación aire/gas, ajustando la entrada de aire al quemador.

4.7 SISTEMAS DE AIRE ACONDICIONADO.

Los sistemas de aire acondicionado son deseables en climas cálidos. No sólo enfrian el aire, hay muchos otros tipos que también humifican y filtran el aire.

Los dos sistemas de aire acondicionado que se usan en forma más común en las casas, son los de **tipo evaporativo y el refrigerado**, cualquiera de éstos puede enfriar un cuarto sencillo o una casa completa; por lo general son controlados por un termostato.

Los equipos de aire acondicionado **tipo evaporativo** trabajan bien en regiones desérticas secas, éstas y las de tipo refrigerado, que son generalmente de mayor costo, se montan en las paredes o en las ventanas. Generalmente, el costo de operación del equipo de aire acondicionado es elevado, por lo que se deben mantener siempre en buenas condiciones.

EQUIPOS DE AIRE ACONDICIONADO EVAPORATIVOS.

En áreas cálidas secas, los equipos de aire acondicionado evaporativos representan la forma más eficiente de enfriar una casa. Se fabrican en unidades que se pueden montar a pleno sol en el techo, o bien a un lado de la casa.

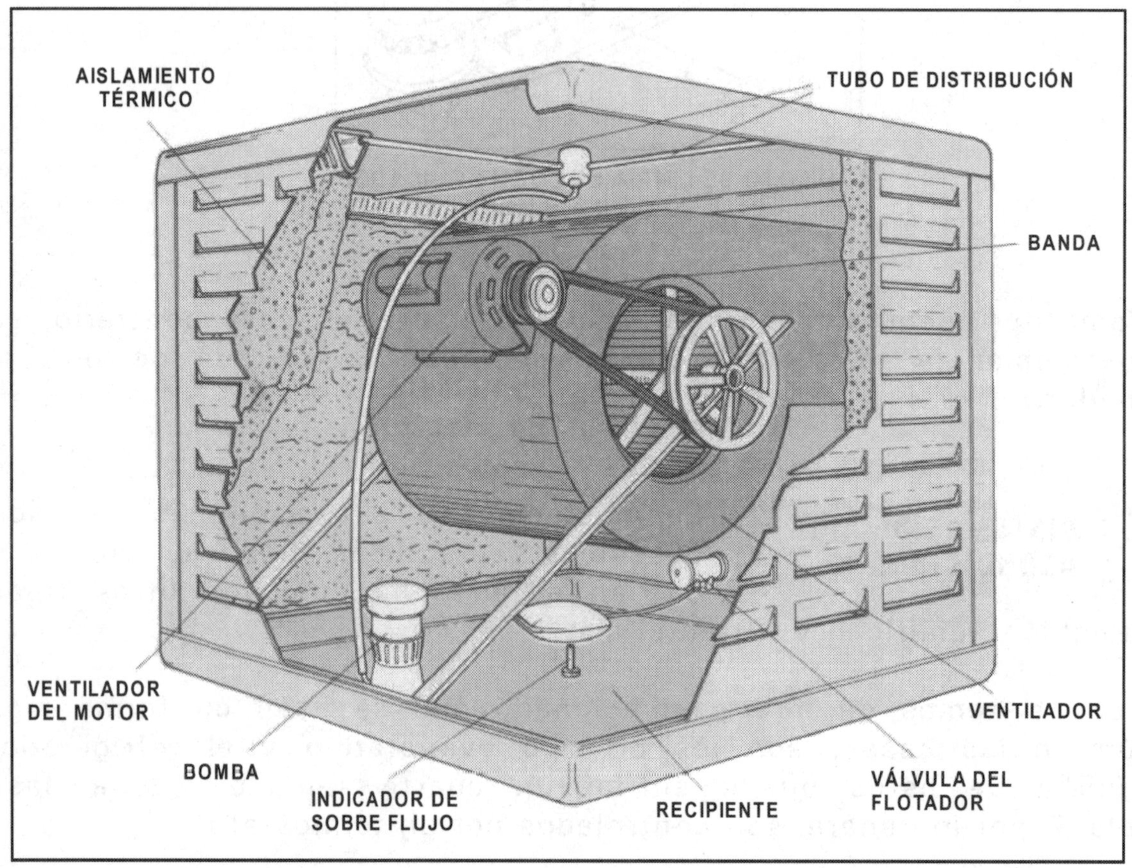

SISTEMA DE AIRE ACONDICIONADO DE EVAPORADOR

En el interior de la unidad, el agua se rocía en forma de spray sobre poros absorbentes de placas; el aire caliente del exterior es jalado a través de las placas -filtro por medio de un ventilador, esto produce que el agua se evapore, enfriando el aire, entonces el aire frío entra a la casa forzando al aire estacionario a salir por las ventanas.

Con un mantenimiento apropiado, se deben esperar pocos problemas de operación. Cuando se inicia un periodo de enfriamiento y en forma más frecuente si se observan residuos de minerales del agua evaporada en los filtros, entonces se debe limpiar la unidad, la bomba de aceite y el ventilador. Los filtros se deben reemplazar. También se debe verificar la tensión de la banda del ventilador. Si la banda tiene fracturas o tiene daño, entonces se debe cambiar.

Todos los equipos de aire acondicionado, ya sean unidades individuales de cuarto o sistemas centralizados, operan bajo el mismo principio: **extraen el calor y humedad del cuarto**, enfriando y dehumificando el aire y **luego regresan el aire al cuarto.** El refrigerante es la misma substancia usada en los refrigeradores y circula a través del sistema.

ACONDICIONADORES DE AIRE TIPO CUARTO.

Un equipo de aire acondicionado tipo cuarto se monta normalmente en una pared o en una ventana, en la mayoría de los casos, en la parte exterior de las casas.

Un extractor de aire en la unidad, extrae el aire caliente del cuarto a través de un filtro protegido por una rejilla grande. La evaporación del agua se lleva a cabo sobre las bobinas del evaporador y se drena al exterior, y entonces un ventilador sopla al aire exterior alrededor de las bobinas del condensador para disipar el calor.

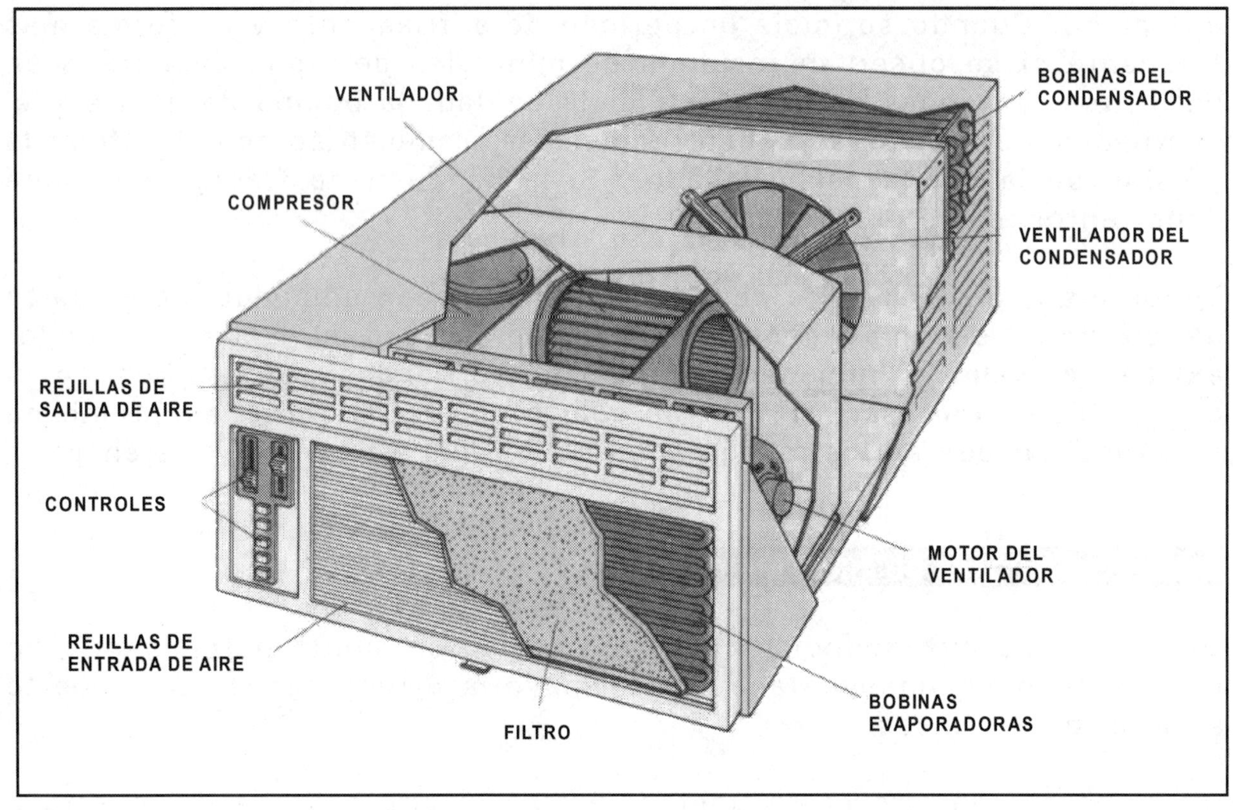

SISTEMA DE AIRE ACONDICIONADO TIPO CUARTO

El mantenimiento requerido es relativamente poco, consiste en limpiar las bobinas del condensador y el filtro cada mes, y reemplazar el filtro en caso de que sea necesario.

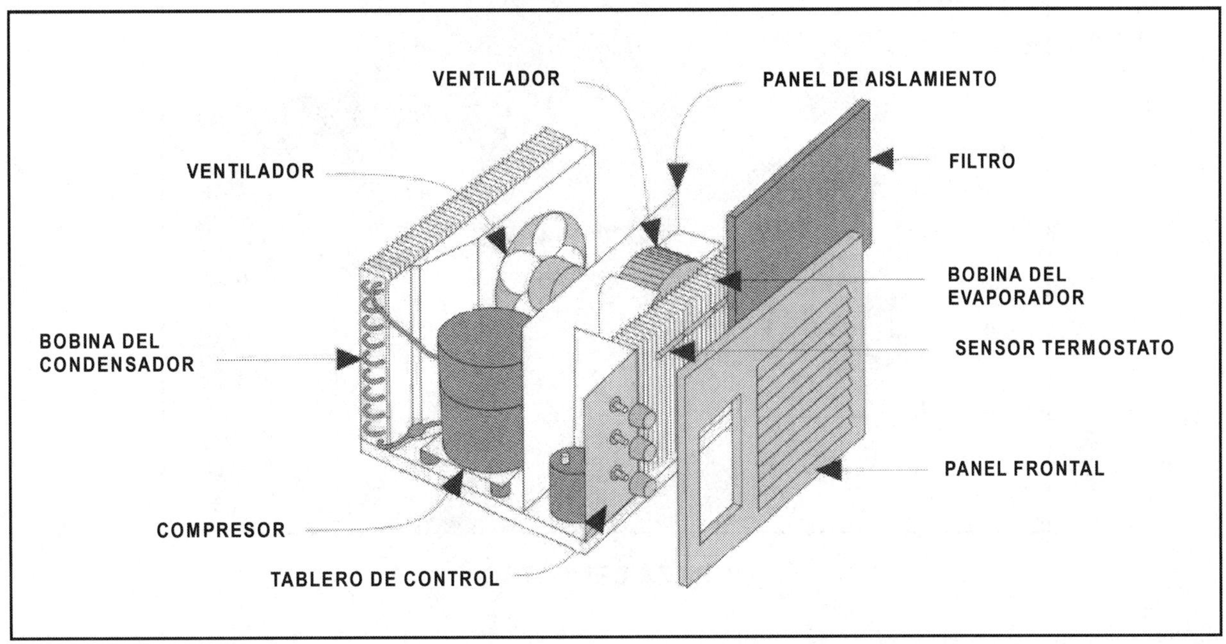

ANATOMÍA DE UN EQUIPO DE AIRE ACONDICIONADO

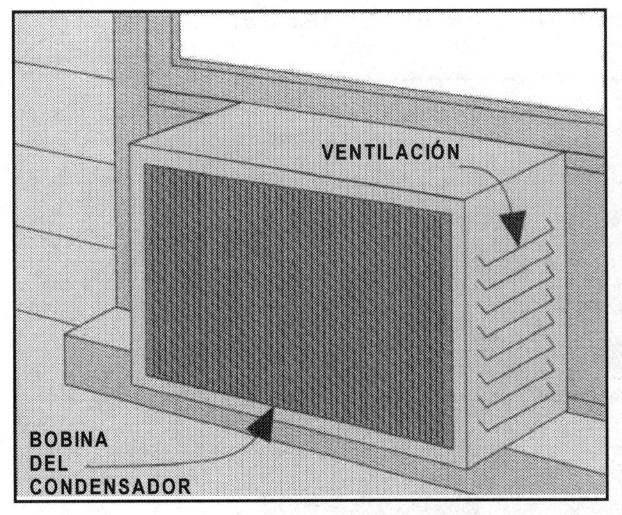

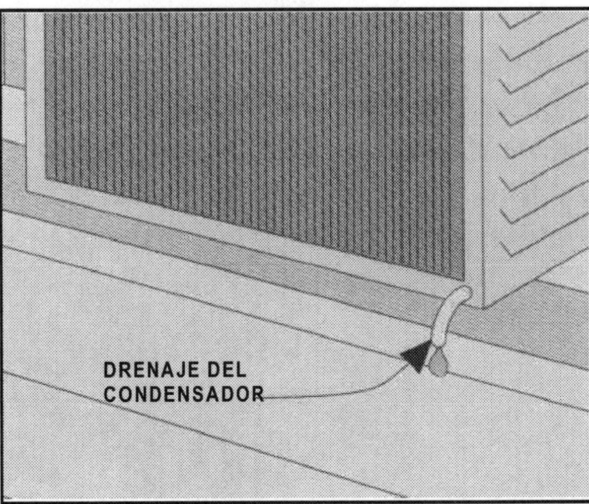

MONTAJE DEL EQUIPO DE AIRE ACONDICIONADO DE TIPO VENTANA

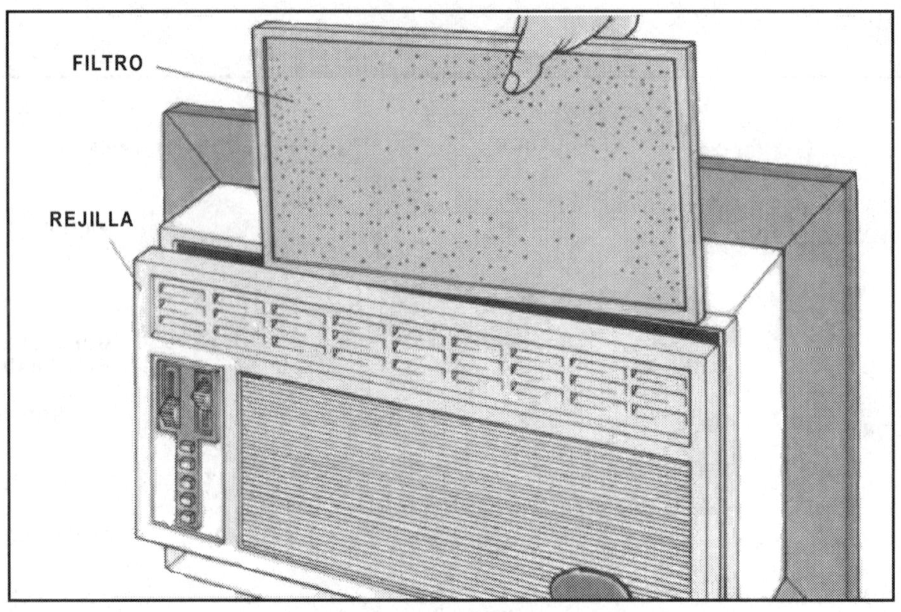

LIMPIEZA DEL FILTRO

Para limpiar el filtro, primero se retira de la unidad y se cepilla. Si es necesario, se aplica el vacío y después de vuelve a instalar.

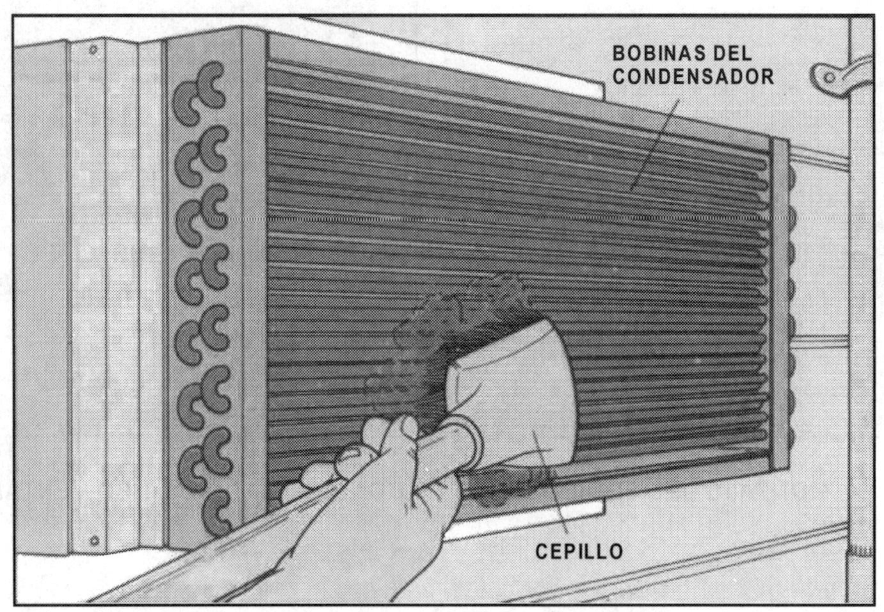

LIMPIEZA DEL LAS BOBINAS DEL CONDENSADOR

Para limpiar las bobinas del condensador, primero se debe retirar el panel de acceso o la cubierta en la parte trasera de la unidad, se cepillan las bobinas o se limpian con una aspiradora y se vuelve a armar.

TERMOSTATOS.

Los termostatos modernos para calefacción y aire acondicionado se descomponen muy poco, de manera que el único mantenimiento requerido es ocasionalmente una limpieza ligera.

Cuando un termostato está dañado, es mejor cambiarlo que intentar repararlo, sólo se debe asegurar que es el tipo correcto y del voltaje adecuado para el sistema. Los termostatos son switches (apagadores) que son conectados por un sensor de temperatura, que a su vez activa el switch que controla la operación del calefactor, de un horno o del equipo de aire acondicionado en su caso. Los tipos más comunes de termostatos son los de bajo voltaje y de milivolts.

Las partes más importantes de un termostato son: El sensor de calor, el switch y, en el caso de los de bajo voltaje, el anticipador de calor.

El sensor, es usualmente una bobina bimetálica que se contrae en la medida que se enfria, disparando al switch a la posición DENTRO (ON); se expande, en la medida que se calienta, y entonces dispara el switch a la posición FUERA (OFF).

LIMPIEZA DEL TERMOSTATO

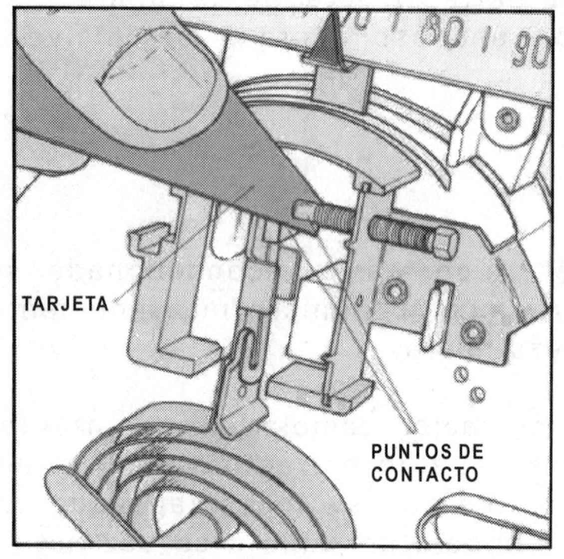

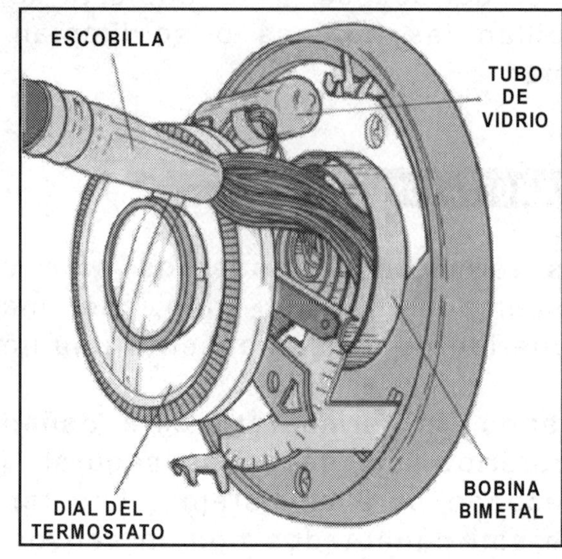

PARA LIMPAR LOS PUNTOS DE CONTACTO, GIRAR EL TERMOSTATO HASTA QUE LOS PUNTOS CIERREN, RETIRAR LA CUBIERTA Y, TOMANDO UNA CINTA O TARJETA DELGADA ENTRE LOS PUNTOS, DAR LIMPIEZA.

PARA LIMPIAR LA BOBINA SENSORA BIMETÁLICA, SE RETIRA LA CUBIERTA Y SE CEPILLA LA BOBINA CON UN CEPILLO SUAVE, DESPUÉS SE SOPLA.

PARA LIMPIAR LOS CONTACTOS DEL SWITCH O APAGADOR, EN CASO QUE EL TERMOSTATO ESTÉ EQUIPADO CON ELLOS, RETIRAR LA CUBIERTA Y LIMPIAR LOS CONTACTOS CON UN ALGODÓN EN PALILLO Y MOJADO CON ALCOHOL.

INSTALACIÓN DE UN TERMOSTATO

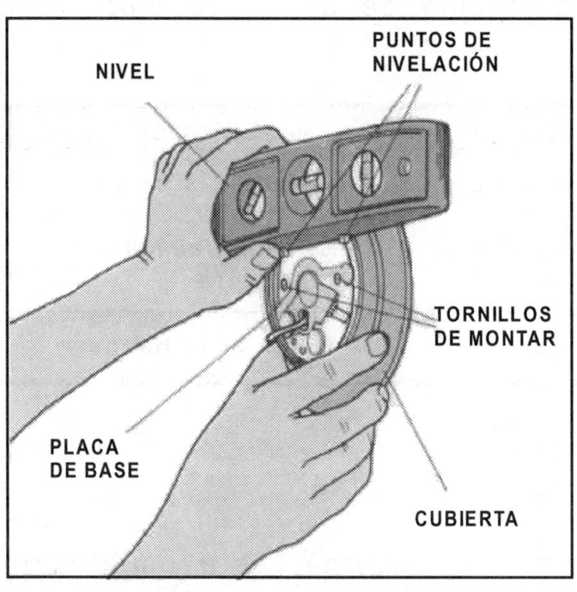

1. DESPUÉS DE RETIRAR EL TERMOSTATO VIEJO, SE LLEVAN LOS ALAMBRES DE CONEXIÓN AL NUEVO TERMOSTATO EN LA BASE NUEVA. SE NIVELA LA PLACA Y SE INSERTAN Y APRIETAN LOS TORNILLOS.

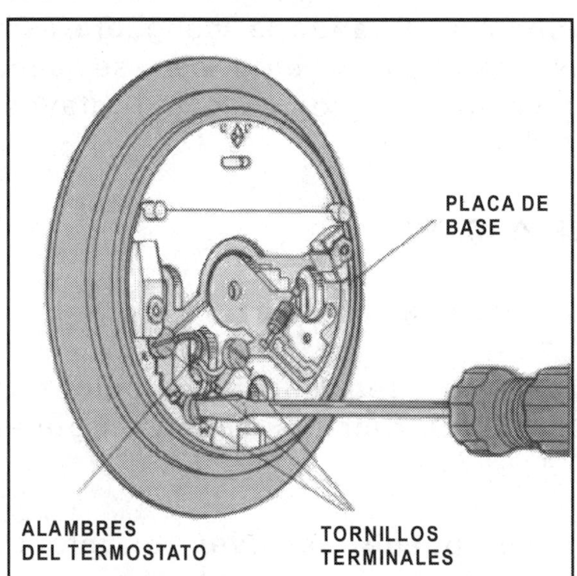

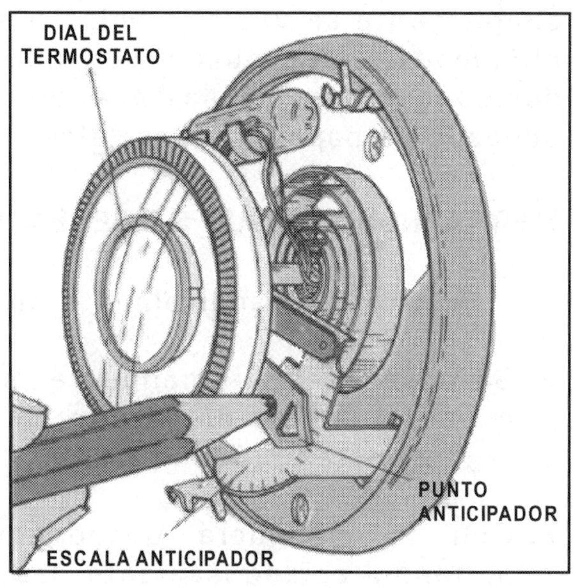

2. SE PELAN LOS EXTREMOS DE LOS ALAMBRES, EN CASO DE SER NECESARIO, SE ENROLLAN ALREDEDOR DE LOS TORNILLOS DE LAS TERMINALES Y SE APRIETAN LOS TORNILLOS PARA FIJAR LOS CONDUCTORES.

3. MONTAJE DEL TERMOSTATO: SOBRE LA PLACA DE BASE, SE USA UN LÁPIZ, SE AJUSTA LA AGUJA DEL ANTICIPADOR PARA DAR EL VALOR DE LA CORRIENTE MARCADO SOBRE LA VÁLVULA DE GAS.

4.8 ASPIRADORAS.

Las aspiradoras durante su operación pueden presentar el problema de una reducción en la succión.

PROBLEMA	POSIBLE CAUSA	SOLUCIÓN
Reducción en la succión	☛ La bolsa está llena. ☛ Manguera bloqueada.	✓ Cambiar la bolsa. ✓ Desbloquear la manguera.
El cepillo no gira	☛ Banda atorada o rota.	✓ Cambiar la banda.

REDUCCIÓN EN LA SUCCIÓN.

Si hay una reducción en la succión de la máquina, ésta usualmente puede ser causada por una bolsa llena de polvo, en este caso, simplemente se vacía la bolsa o se reemplaza. Cuando la manguera está bloqueada, esta puede ser una causa también y entonces se debe desbloquear, las causas pueden ser presencia de clips de papel, clavos, pedazos de papel grandes, etc.

HERRAMIENTAS QUE SE DEBEN TENER A MANO:

- ☛ Destornillador plano o phillips (según se requiera).

1. Se desconecta la manguera, se arranca la aspiradora y se coloca la mano en la entrada de aire; si se siente una fuerte succión, entonces la manguera está bloqueada.

2. Con la manguera desconectada, se puede remover el bloque agitando cuidadosamente la manguera o introduciendo una varilla manualmente.

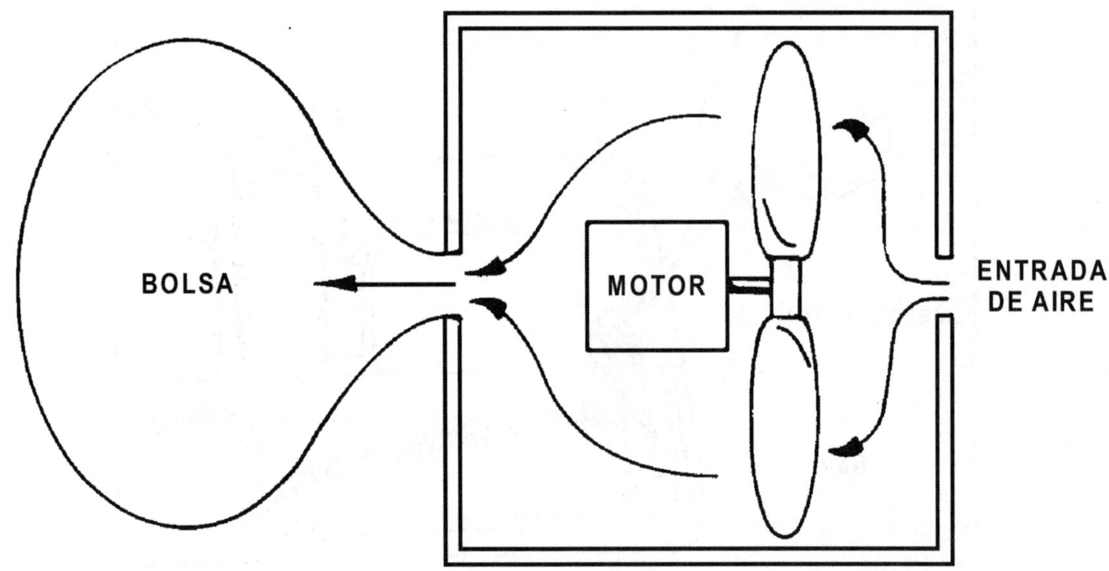

TRAYECTORIA DE AIRE EN UNA ASPIRADORA TIPO MONTANTE

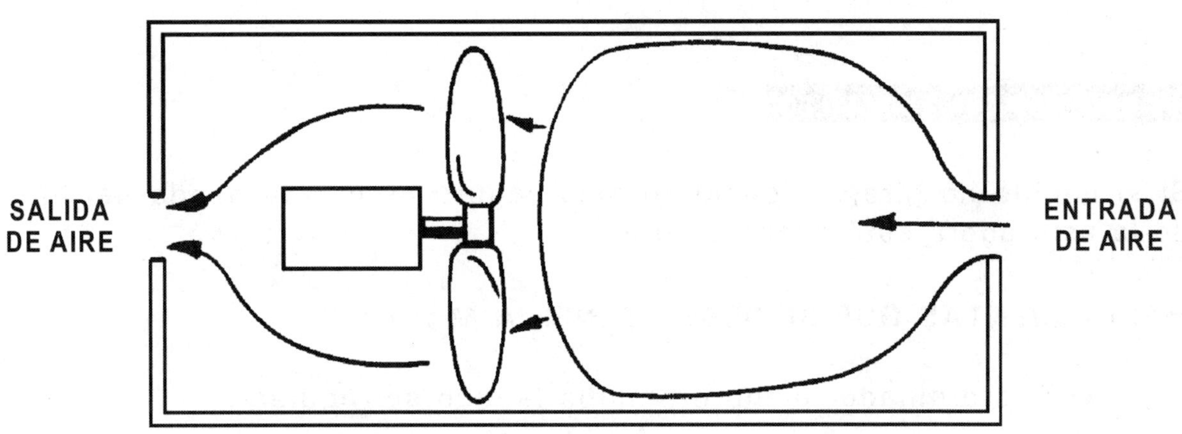

TRAYECTORIA DE AIRE DE UNA ASPIRADORA TIPO TANQUE

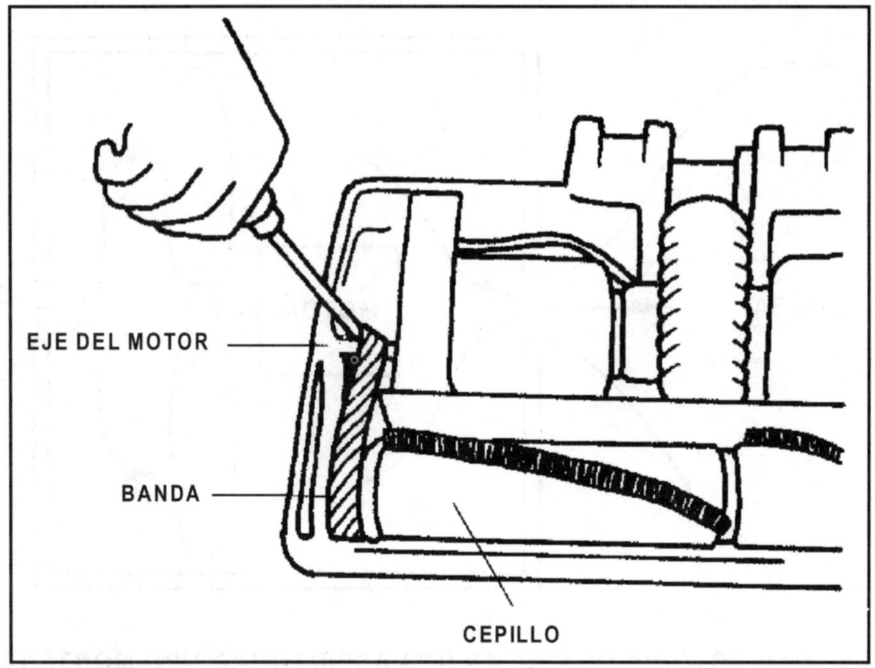

USAR UN DESARMADOR (DESATORNILLADOR) PARA RETIRAR LA BANDA DE LA POLEA EN EL EJE DEL MOTOR

PROBLEMAS CON EL CEPILLO.

Si el cepillo no gira, entonces lo más seguro es que la banda del motor de la aspiradora esté suelta o rota.

HERRAMIENTAS QUE SE DEBEN TENER A MANO:

- Destornillador plano o phillips (según se requiera.

1. Asegurarse que la aspiradora esté desconectada.

2. Voltear la aspiradora boca arriba y retirar la cubierta de la banda, si está rota, se debe reemplazar por otra igual, según lo indique el manual.

3. Suponiendo que la banda está en buen estado, levantarla de la polea del motor, retirar el cepillo y deslizar el otro extremo de la polea.

4. Para colocar una nueva polea, colocarla en la parte media del portacepillo y ajustar éste, apretar la banda y colocarla alrededor de la polea del motor.

5. Colocar nuevamente la cubierta, conectar la aspiradora y probar los resultados para observar si trabaja la aspiradora.

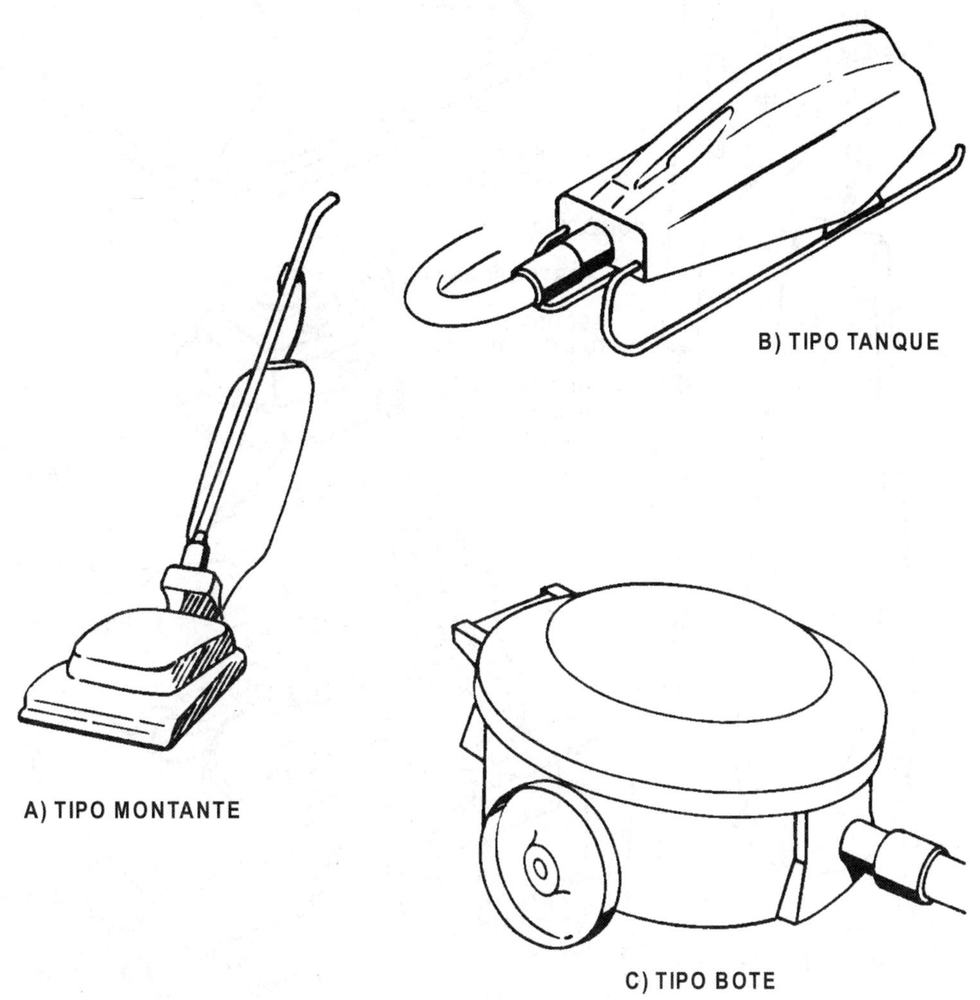

TIPOS DE ASPIRADORAS

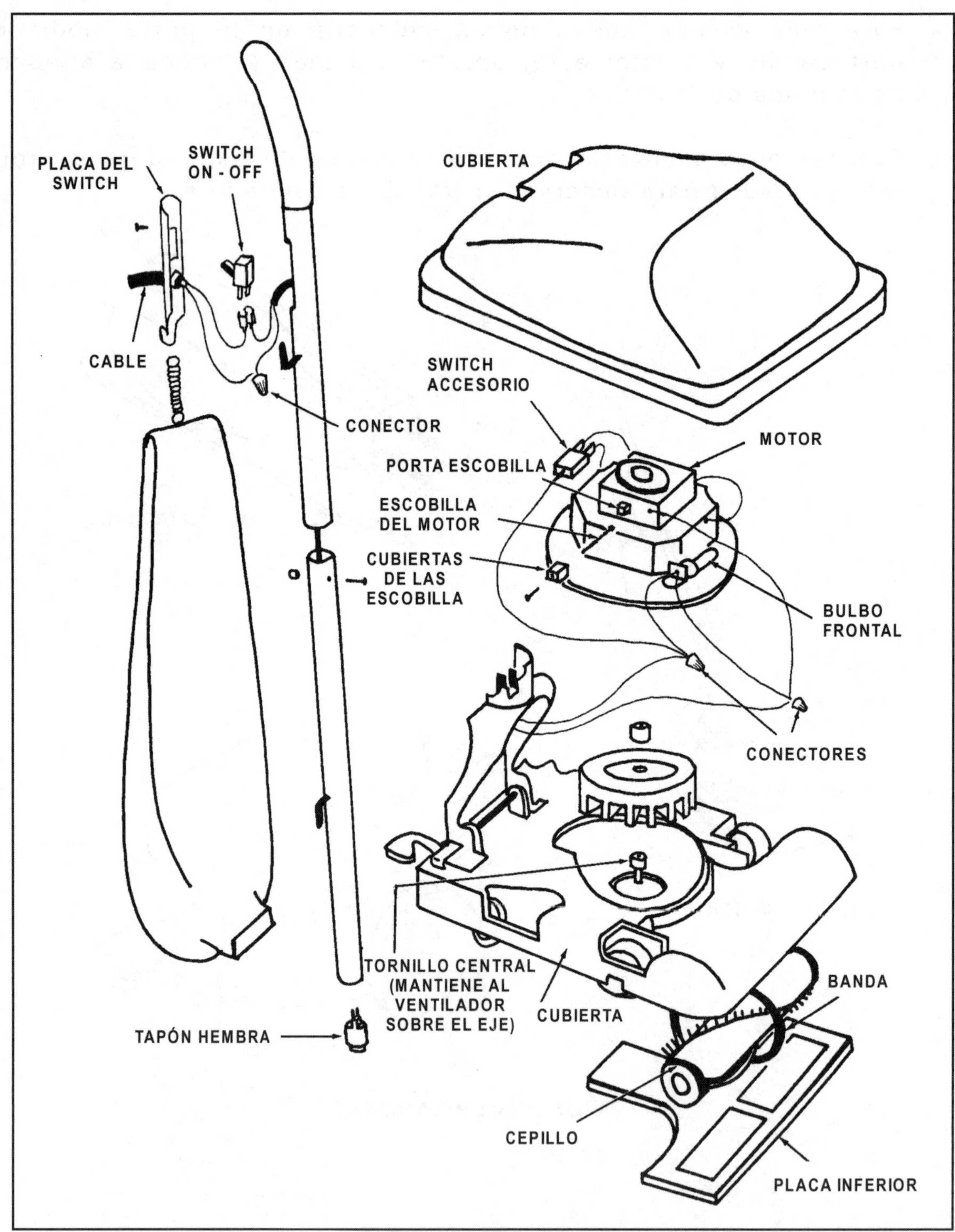

ASPIRADORA TIPO MONTANTE

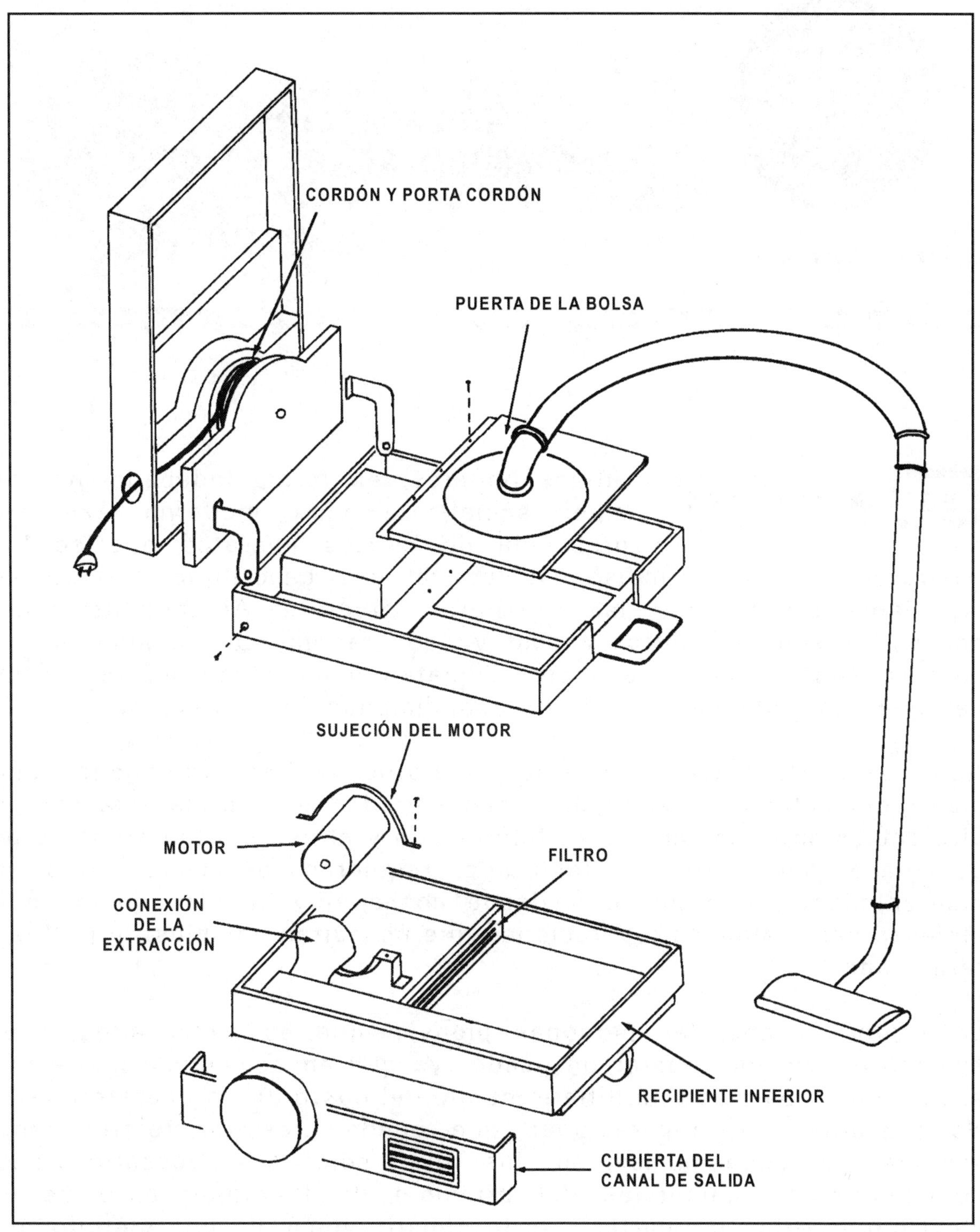

PARTES DE UNA ASPIRADORA TIPO BOTE

LOS APARATOS ELECTRODOMÉSTICOS MENORES

5.1 INTRODUCCIÓN..

En los hogares, en forma independiente del nivel social, la vida moderna exige la presencia de ciertos aparatos que se han vuelto en cierto modo indispensables, tal es el caso de los televisores, las planchas eléctricas, las licuadoras, etcétera. Algunos otros son necesarios sólo en ciertos casos, ya que representan condiciones de confort, según sean los aspectos climatológicos, como ocurre con los ventiladores y los equipos de aire acondicionado y calefacción.

Aún cuando la mayoría de estos aparatos se han catalogado como electrodomésticos y existe una gran variedad de fabricantes, existen diferencias en la calidad de su fabricación y el uso continuo que se les da, hace que tarde o temprano requieran de cierto tipo de mantenimiento, que puede ir desde cosas muy simples como es la limpieza hasta algunas reparaciones que necesitan cambios de partes o refacciones.

En algunos casos, las personas piensan que es mejor adquirir un aparato nuevo que reparar un usado, ya que en ocasiones ocurre que el costo de reparación no difiere mucho del costo de un aparato nuevo. No obstante, hay reparaciones que pueden resultar relativamente sencillas y económicas, en las que sólo es necesario tener conocimientos elementales del principio de funcionamiento de un electrodoméstico, las partes que lo constituyen y de una metodología de diagnóstico para determinar su estado y posible reparación.

Esto también hace necesario en ciertos casos del manejo correcto de algunas herramientas e instrumentos de medición, mismos que se deben usar con las medidas de seguridad apropiadas.

5.2 CAFETERAS ELÉCTRICAS.

En la vida diaria moderna, uno de los aparatos electrodomésticos que tiene mucho uso, tanto en las casas como en las oficinas, son las cafeteras que operan en forma eléctrica. En realidad existe una variedad de estas cafeteras que tienen algunas variantes en su principio de funcionamiento para producir el café. También ha habido un proceso evolutivo en los diseños y eficiencia lograda a lo largo del tiempo, y dependiendo del tipo de cafetera es el uso y cuidado que se debe tener de ella. La mayoría de las cafeteras eléctricas funcionan a base de resistencias que producen calor, de acuerdo a la expresión RI^2, pero tienen control de tiempo, de modo que el calor se aplique por el tiempo que es requerido para hacer el café.

Básicamente hay *tres tipos de cafeteras eléctricas*, que se denominan según su forma constructiva y principio de operación como: **tipo elevador o de filtro**, **de vacío** y **de goteo**, en este último tipo se tienen algunas variantes que se indican más adelante.

CAFETERAS TIPO FILTRO.

En la siguiente figura, se muestra una cafetera tipo filtro o elevador, que tiene un termostato para el control de la temperatura. En este tipo de cafetera, la resistencia o elemento principal de calefacción calienta el agua, la cual sube una y otra vez por un **tubo de levantar o de filtrado**, que tiene una válvula en su parte inferior que va desde el centro de la placa de base hacia una canasta, la cual contiene el café molido, que está en la parte superior y tiene una tapa perforada para evitar que se derrame el café.

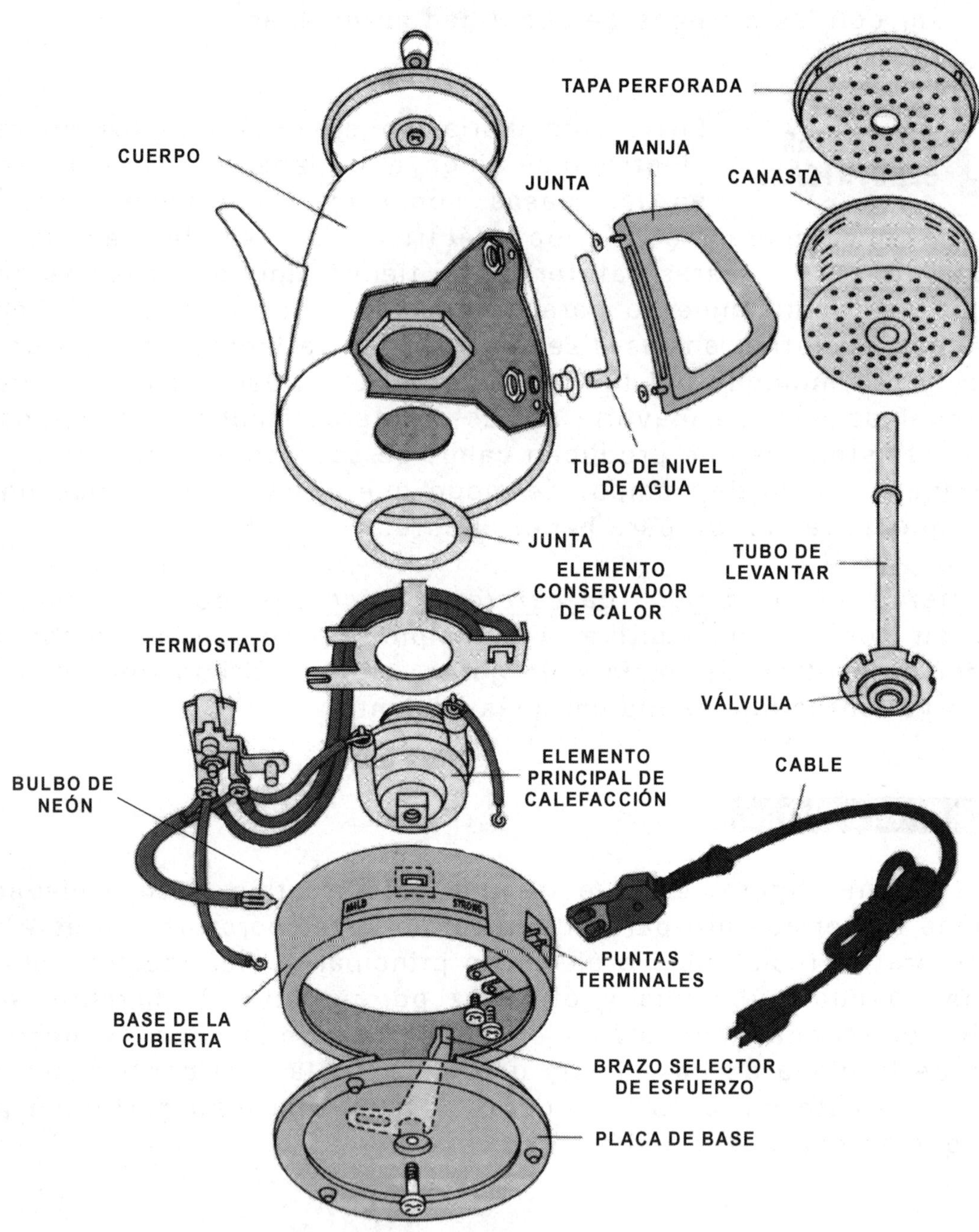

CAFETERA TIPO ELEVADOR O FILTRO

TABLA DE DEFECTOS

PROBLEMA	CAUSA PROBABLE	SOLUCIÓN
La cafetera no calienta	☛ No hay corriente en la toma de corriente (contacto)	✓ Verificar con un probador o una lámpara de prueba.
	☛ Cordón dañado.	✓ Probar el cordón para identificar falla y en caso necesario reemplazarlo.
	☛ Fusible fundido.	✓ Si la cafetera de filtro se sobrecalienta, se puede fundir un fusible, y entonces es necesario que se cambie.
	☛ Falla en el termostato.	✓ Desconectar la cafetera y retirar la base para checar si no hay circuito abierto.
El agua se calienta pero no hay filtrado	☛ Tubo levantador bloqueado o tapado.	✓ Quitar el tubo y limpiar, en caso necesario, cambiarlo.
Café demasiado ligero	☛ El agua no esta a la temperatura adecuada en el Filtro.	✓ Probar la temperatura del agua.
	☛ Demasiado café en la canasta.	✓ Si hay demasiado café no permite pasar el agua, ver el manual del fabricante sobre máxima cantidad de café.
	☛ Canasta tapada.	✓ Limpiar los orificios de la canasta.
	☛ Termostato fuera de ajuste.	✓ Si el agua al filtro no hierve, puede ser que el termostato esté desajustado y se debe cambiar, ya que no se pueden ajustar.
Café demasiado fuerte	☛ Tiempo de colado muy largo.	✓ Si esto ocurre, el termostato está roto y entonces se debe cambiar.
	☛ La cafetera refiltra el café.	✓ Si el proceso de filtrado se suspende y vuelve a iniciar después de algunos minutos, entonces el elemento conservador no cumple con la prueba.

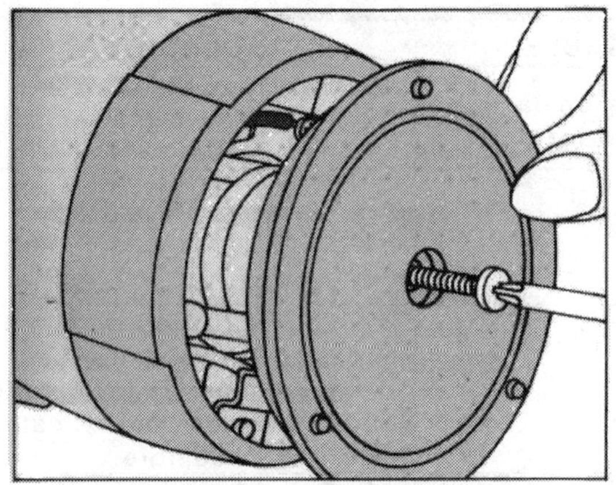

SE RETIRA EL TORNILLO EN EL CENTRO DE LA BASE Y SE JALA LA PLACA DE LA BASE.

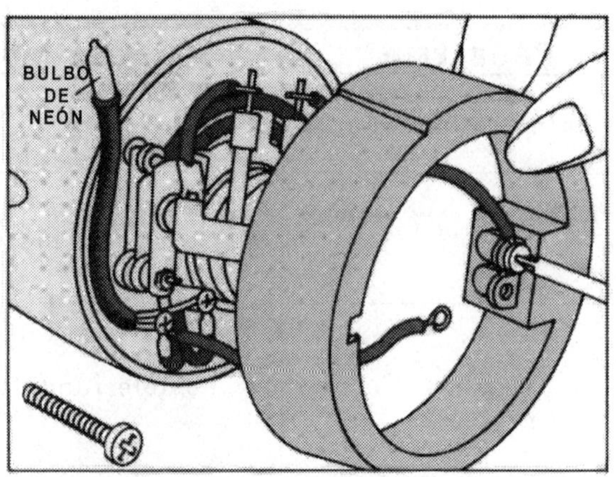

SE RETIRA N LOS TORNILLOS Y SE DESCONECTAN LOS ALAMBRES DE LAS TERMINALES EN LA BASE, SE RETIRA LA LÁMPARA NEÓN AL EXTERIOR.

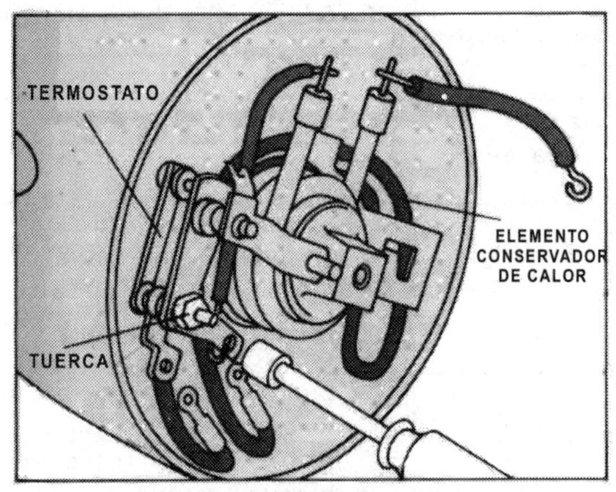

DESPUÉS DE RETIRAR TORNILLOS Y DESCONECTAR, SE QUITA LA TUERCA QUE SOSTIENE AL TERMOSTATO.

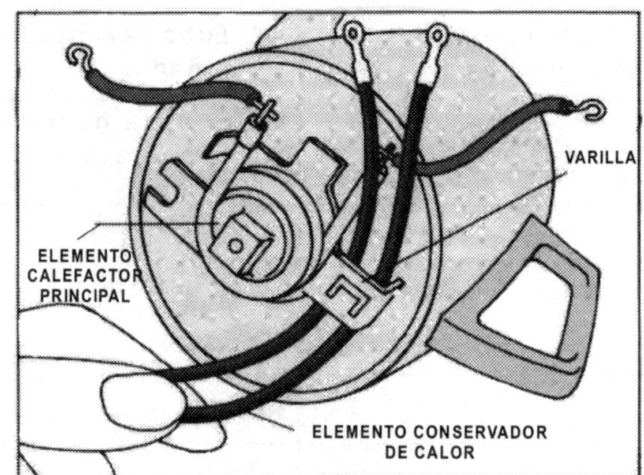

SI ES NECESARIO RETIRAR EL ELEMENTO QUE CONSERVA EL CALOR, SE DESCONECTAN SUS ALAMBRES.

DESARMADO DE UNA CAFETERA TIPO ELEVADOR O FILTRO

Cuando se trata de revisar algunas de las causas de falla, o bien dar mantenimiento a una cafetera tipo elevador o filtro, es necesario que se revise: el tubo de levantar, el termostato, se cambie el elemento conservador de calor, etcétera. Es necesario desarmar la cafetera, en la figura se muestran algunos pasos para este trabajo.

PRUEBA PARA LOCALIZAR CORTOCIRCUITO

PARA ENCONTRAR UN PROBLEMA DE CORTOCIRCUITO EN UNA CAFETERA DE FILTRO, SE CONECTA UNA PUNTA DEL PROBADOR (MULTÍMETRO) A CORDÓN Y LA OTRA A LA JARRA.

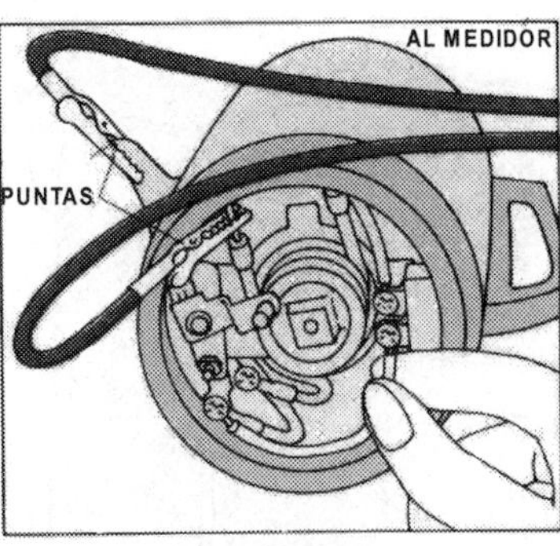

UNA FALLA DE TIERRA INTERNA PUEDE PRODUCIR UN SHOCK, SE DEBE DESCONECTAR LA CAFETERA, RETIRAR LA PLACA DE LA BASE Y CONECTAR LAS PUNTAS DEL PROBADOR COMO SE MUESTRA EN LA FIGURA.

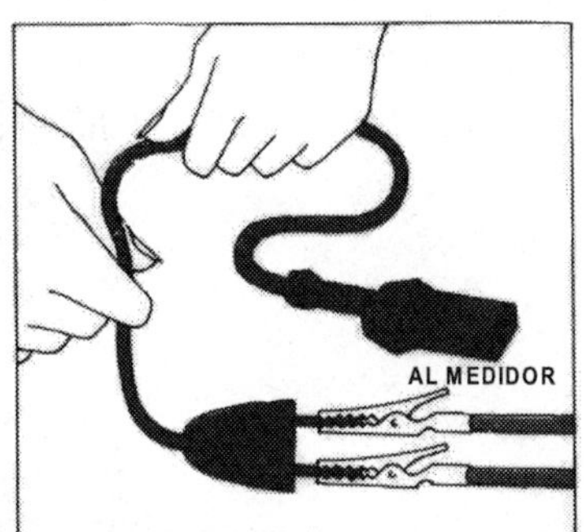

UN CORTOCIRCUITO EN LOS CORDONES O CABLES PUEDE FUNDIR FUSIBLES Y SE PUEDE PROBAR ESTA CONDICIÓN FLEXIONANDO EL CORDÓN Y OBSERVANDO EL MEDIDOR QUE INDICA LECTURA CERO (CORTO).

CAFETERAS TIPO GOTEO.

Este tipo de cafeteras tienen algunas variantes en su diseño, de acuerdo con el fabricante, en estas cafeteras el agua caliente **gotea** a través del café molido hacia un recipiente que está colocado debajo. Se usa un filtro para evitar que durante el goteo el polvo de café pase a la bebida.

Una de las variantes de las cafeteras del **tipo goteo**, es la llamada **tipo bombeo**, que calienta el agua en su base y la hace circular hacia la parte superior, de manera que gotea hacia la garrafa.

Las partes principales de una cafetera de goteo, que usa el principio de bombeo, se muestran en la siguiente figura:

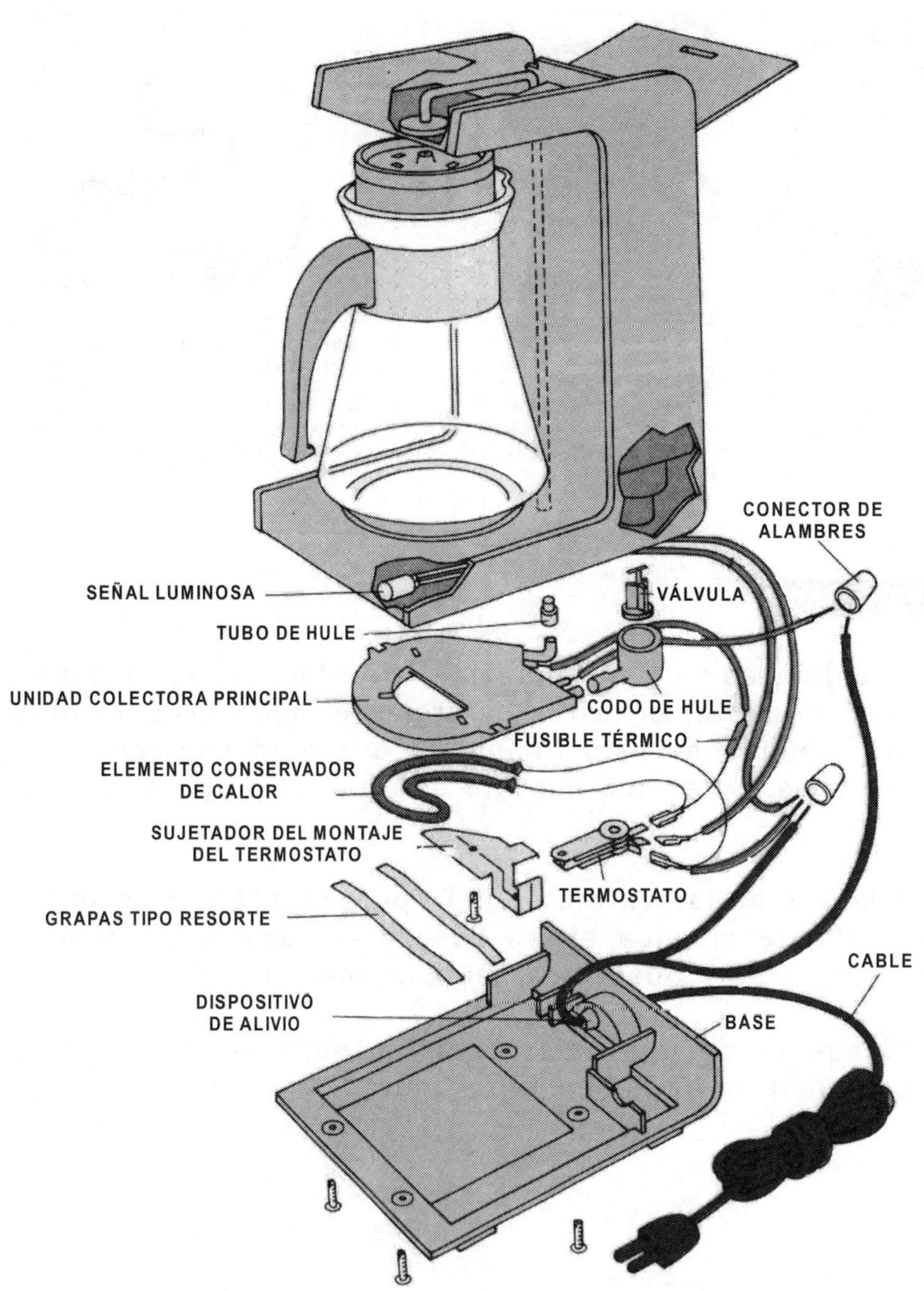

ELEMENTOS DE UNA CAFETERA ELÉCTRICA TIPO GOTEO CON PRINCIPIO DE BOMBEO

TABLA DE DEFECTOS

PROBLEMA	CAUSA PROBABLE	SOLUCIÓN
No hay energía en la toma de corriente (contacto)	☛ El cordón puede estar desconectado en su clavija. ☛ No hay alimentación al contacto.	✓ Probar con una lámpara de prueba. ✓ Verificar fusibles o interruptor del circuito.
Falta de alimentación a la garrafa (Garrafa bloqueada)	☛ Acumulación de minerales, especialmente cuando se usan aguas duras.	✓ Desconectar la cafetera y limpiar. Limpiar la garrafa de residuos. ✓ Probar para un ciclo de operación con agua hirviendo.
Válvula de la bomba atascada o rota y el agua no sube al depósito (cafetera de bombeo)	☛ Probable depósito de minerales o suciedad en la válvula.	✓ Desconectar la cafetera, vaciar el agua, retirar la placa de la base, jalar el tubo de hule. Examinar la válvula; si está rota, se debe cambiar.
Una parte de la unidad de calefacción rota	☛ Uso continuo o probable golpe.	✓ Medir con un multímetro conectado a las terminales. El valor debe estar entre 7 y 15 ohms en el elemento de calefacción. Si la unidad está rota, se debe reemplazar.

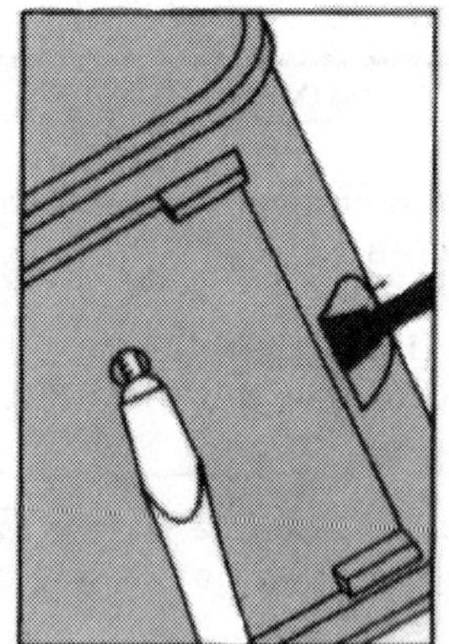

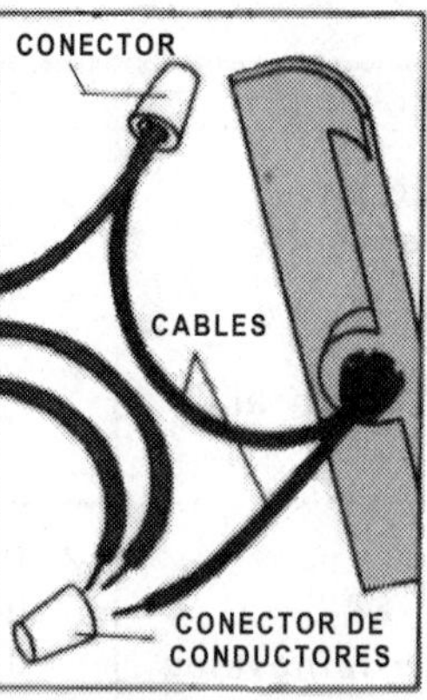

DESCONECTAR LA CAFETERA, RETIRAR LOS TORNILLOS Y QUITAR LA PLACA DE LA BASE, RETIRAR LOS CABLES.

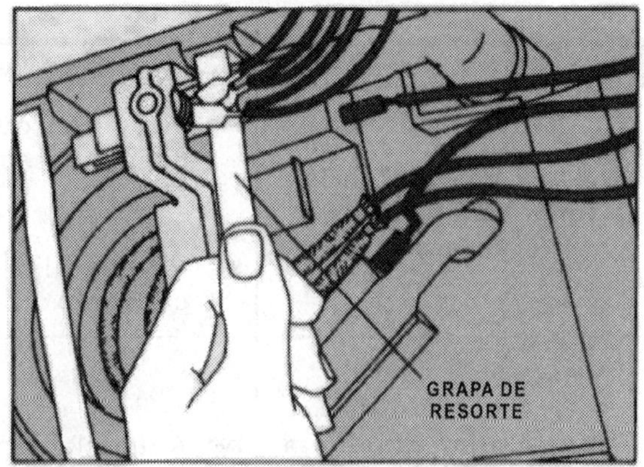

RETIRAR LOS RESORTES QUE MANTIENEN EL ELEMENTO DE CALEFACCIÓN EN SU POSICIÓN.

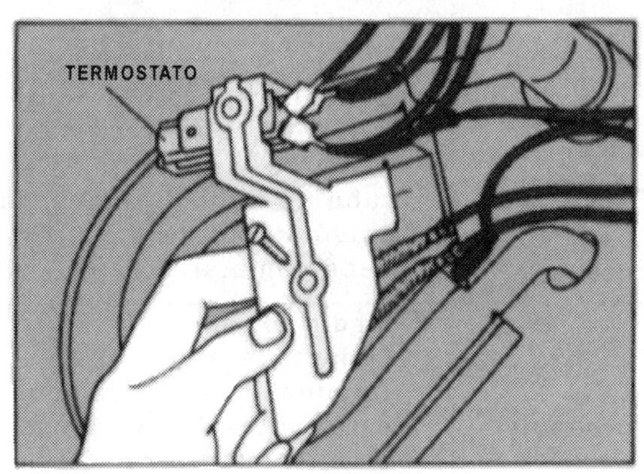

LEVANTAR EL SEGURO DE MONTAJE DEL TERMOSTATO.

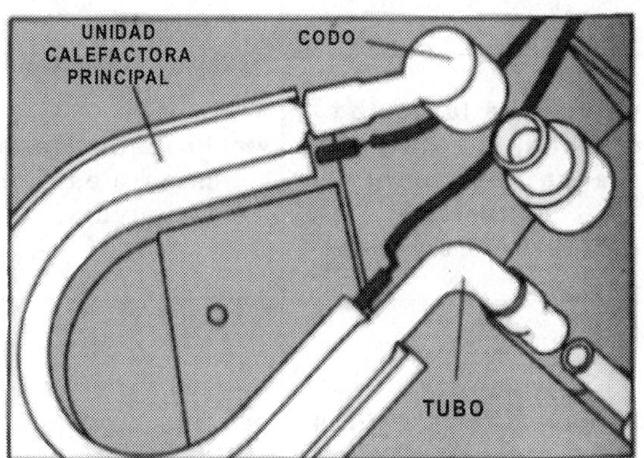

QUITAR EL CODO DE HULE Y LAS MANGUERAS DE HULE DE LOS TUBOS PARA RETIRAR EL CALEFACTOR.

PASOS DEL DESARMADO DE UNA CAFETERA TIPO BOMBA

Para probar la condición de un switch, el calentador o el termostato de cualquier cafetera tipo goteo, se puede apoyar en un circuito como el mostrado en la siguiente figura. El uso de un multímetro como óhmetro ayuda a identificar los problemas.

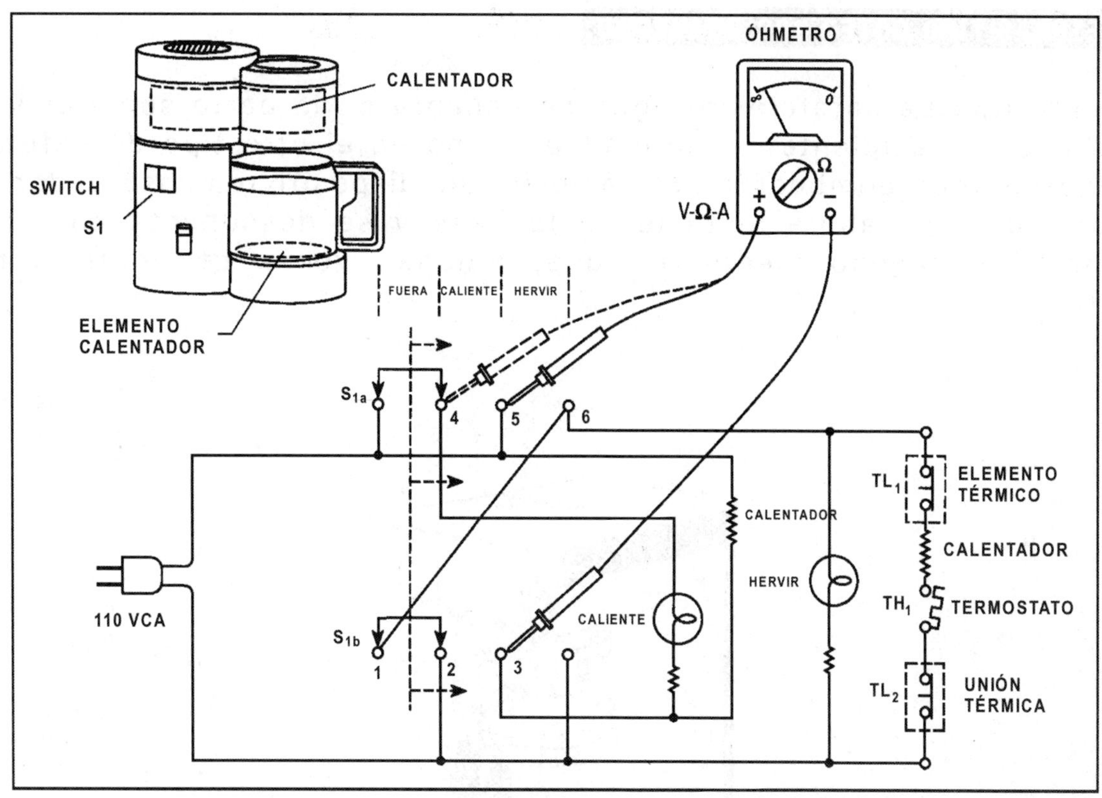

DIAGRAMA ESQUEMÁTICO DE UNA CAFETERA

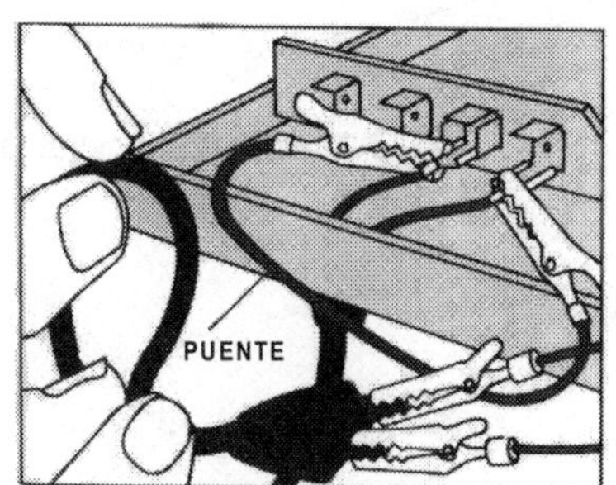

SE COLOCA UN PUENTE EN LAS TERMINALES Y LAS PUNTAS DE UN MULTÍMETRO SE CONECTAN A LAS TERMINALES.

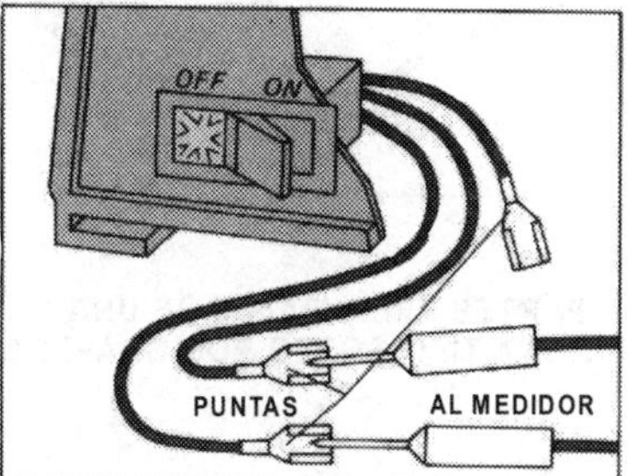

SI LA CAFETERA TIENE UN SWITCH DE HERVIDO, VERIFICAR EL CIRCUITO ABIERTO POR MEDIO DE UN MULTÍMETRO.

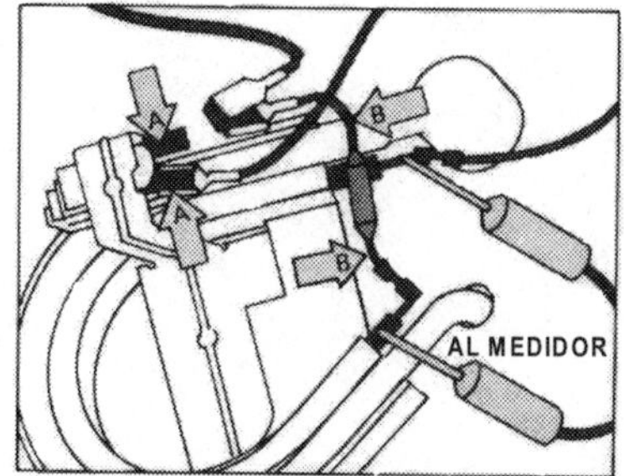

PARA PROBAR LA UNIDAD DE CALEFACCIÓN COMPLETA, LAS PUNTAS DE PRUEBA SE CONECTAN A LAS TERMINALES DEL ELEMENTO.

PRUEBAS PARA IDENTIFICAR CIRCUITOS ABIERTOS

CAFETERAS TIPO GOTEO POR GRAVEDAD.

En este tipo de cafeteras el agua se calienta en la parte superior y se deja caer al recipiente por gravedad, como en el otro tipo de cafetera de goteo (por bombeo) tiene también un dispositivo conservador de calor, sólo que ahora lo tiene en la base y se desconecta en forma automática cuando hierve el agua, algunas veces se controla por switch.

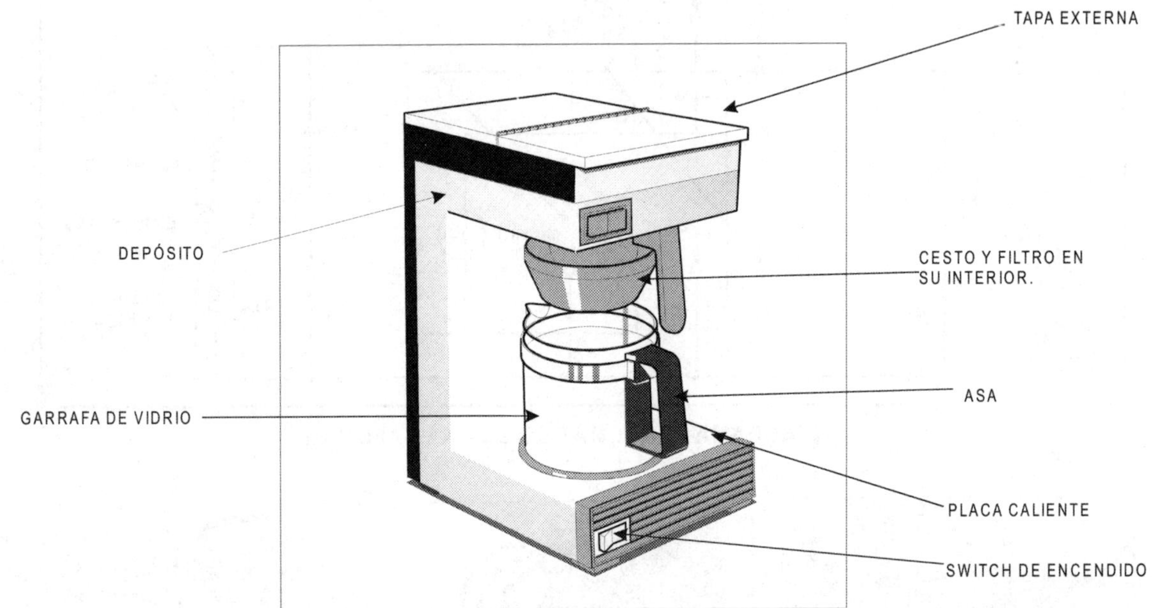

PARTES PRINCIPALES DE UNA CAFETERA TIPO GOTEO POR GRAVEDAD

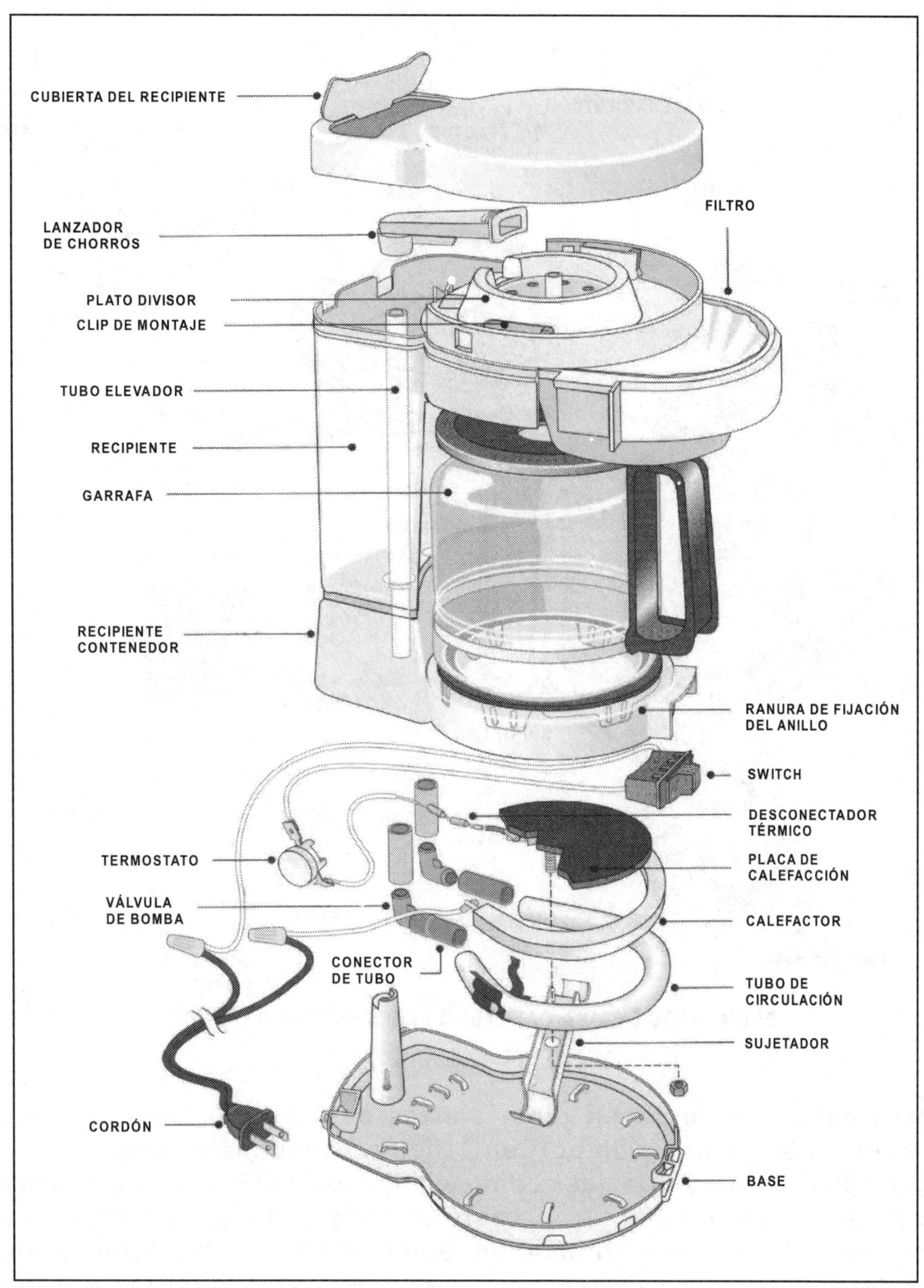

PARTES DE UNA CAFETERA DE GOTEO

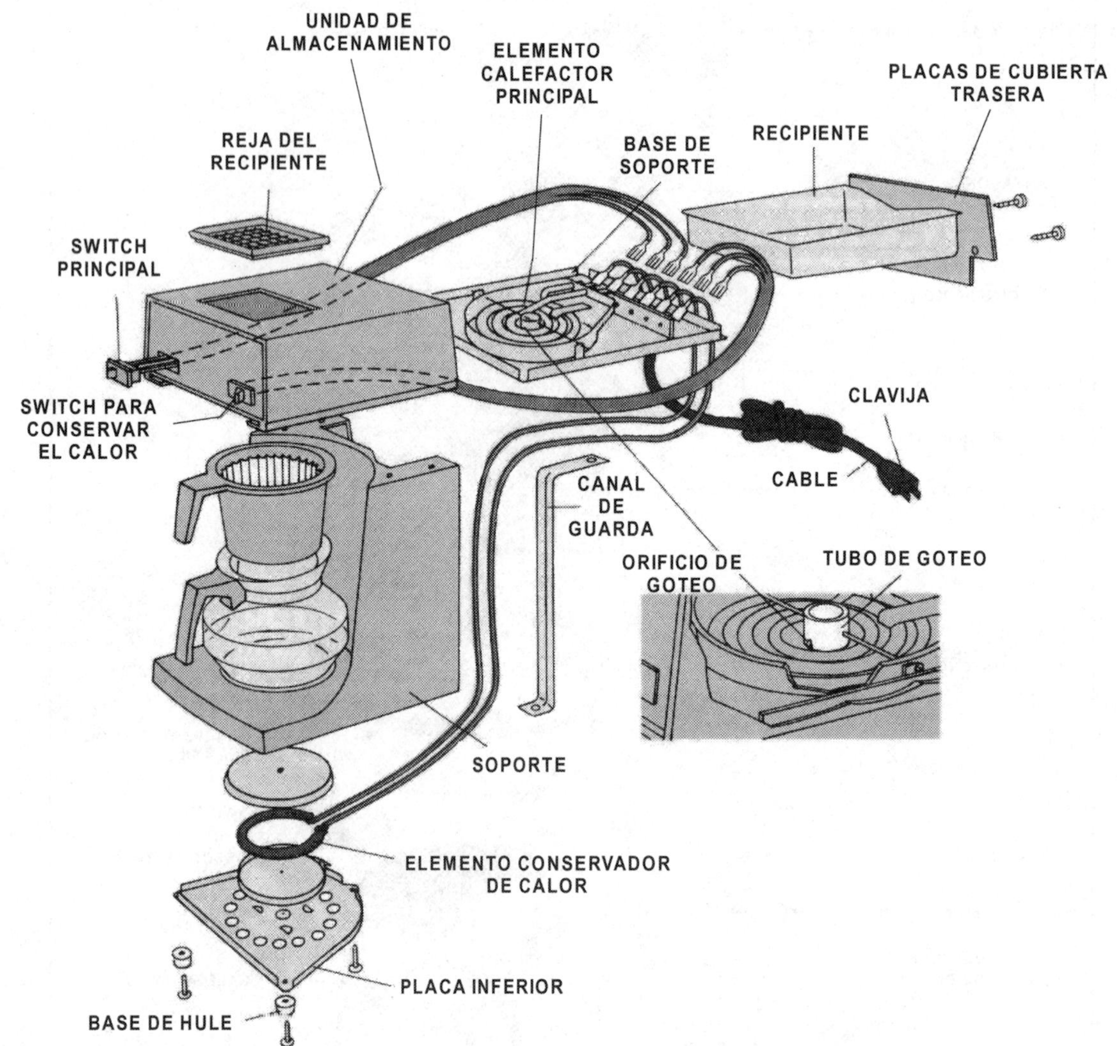

ELEMENTOS DE UNA CAFETERA ELÉCTRICA TIPO GOTEO

En estas cafeteras se deben tener ciertos cuidados de uso para que se conserven por más tiempo en mejor condición, por ejemplo: 1) usar agua limpia y fría, así como el tipo de café que recomienda el fabricante, 2) no recalentar el café poniendo la jarra sobre fuego, 3) no meter la cafetera nunca en agua. Para un mantenimiento de mayor detalle, en que sea necesario desarmar, se siguen los pasos que se indican a continuación:

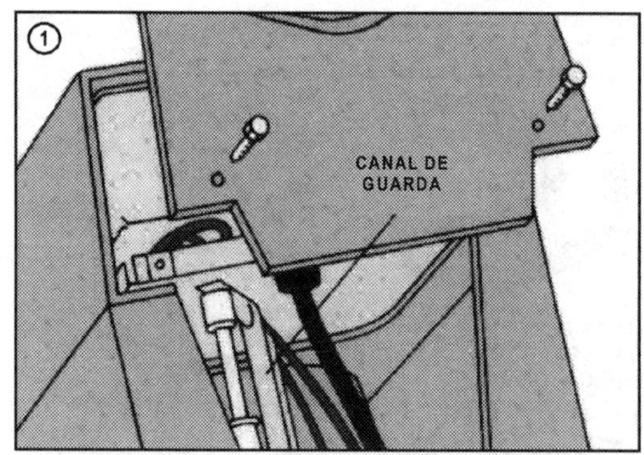

DESPUÉS DE DESCONECTAR LA UNIDAD Y RETIRAR LA GARRAFA O RECIPIENTE, SE QUITAN LOS TORNILLOS Y SE RETIRA LA PLACA DE LA PARTE TRASERA.

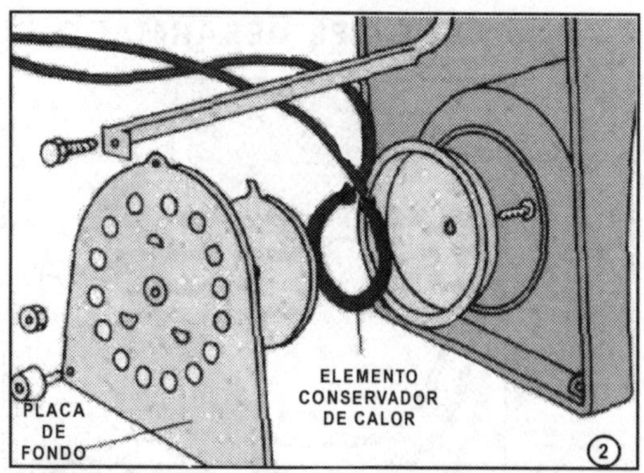

SE RETIRAN LOS TORNILLOS DE LA BASE Y SE QUITAN LAS PATAS DE HULE, RETIRANDO TAMBIÉN EL ELEMENTO CONSERVADOR DE CALOR.

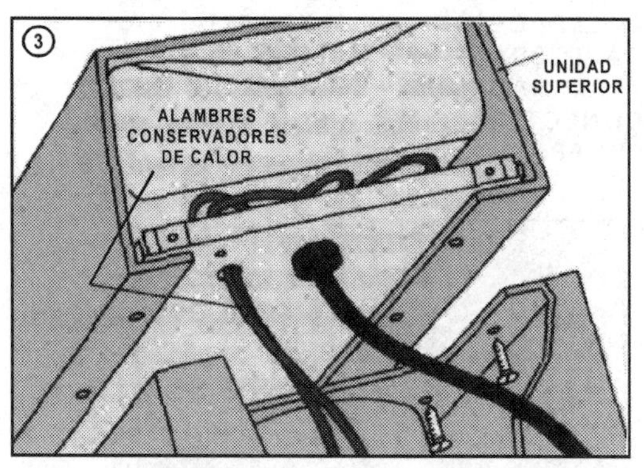

SE RETIRAN LOS TORNILLOS DE LA PARTE SUPERIOR Y ÉSTA SE LEVANTA, PROCURANDO NO CAUSAR DAÑO.

SE RETIRA LA PLACA DE SOPORTE CUIDADOSAMENTE, MANTENIENDO EL RECIPIENTE EN POSICIÓN.

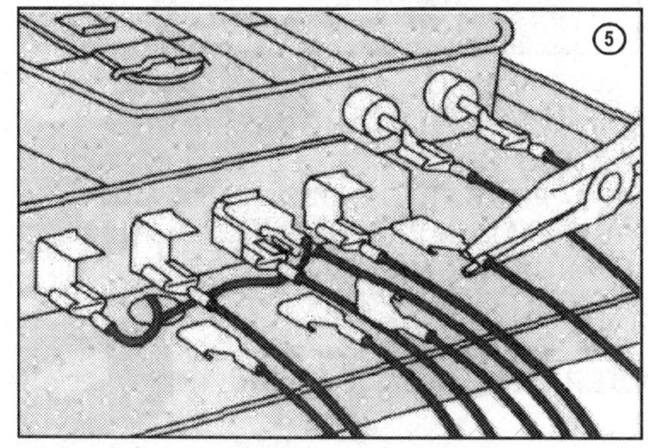

CON UNAS PINZAS LARGAS SE RETIRAN LAS CONEXIONES.

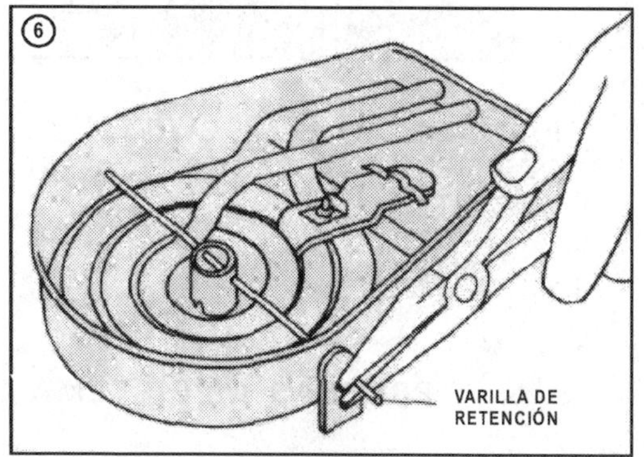

SE DESLIZA EL ELEMENTO DE SOPORTE DE LA PLACA DEL ELEMENTO CALEFACTOR.

PASOS DEL DESARMADO DE UNA CAFETERA TIPO GOTEO

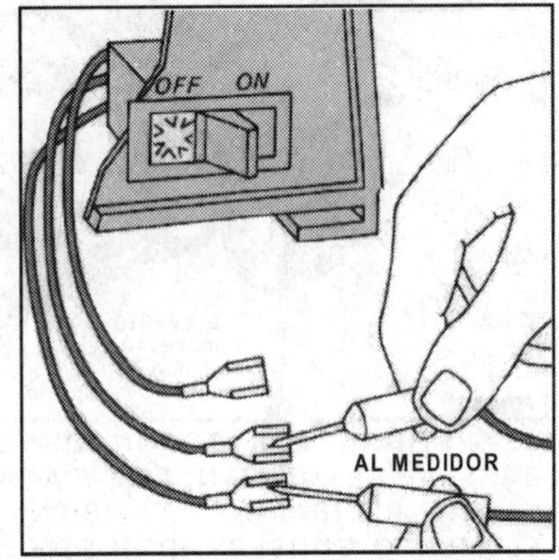

SI DESCONECTA LA CAFETERA SE PONE EL SWITCH EN ON Y SE CONECTAN LAS PUNTAS DEL MULTÍMETRO A LA VEZ.

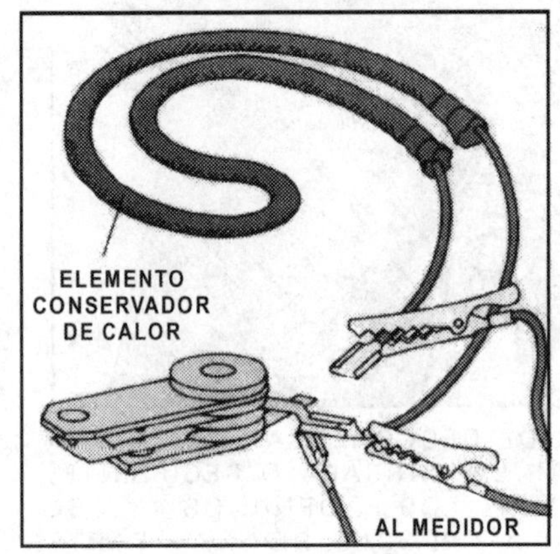

PARA PROBAR EL ELEMENTO DE CALEFACCIÓN, SE DESARMA LA CAFETERA, SE TOMA UNA TERMINAL DEL ELEMENTO Y SE CONECTAN LAS PUNTAS DE PRUEBA.

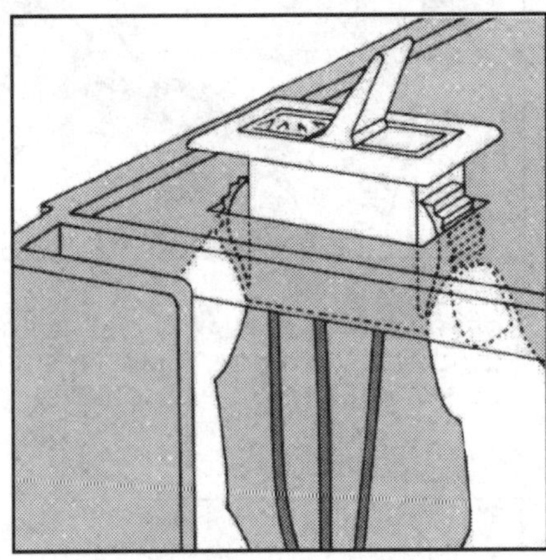

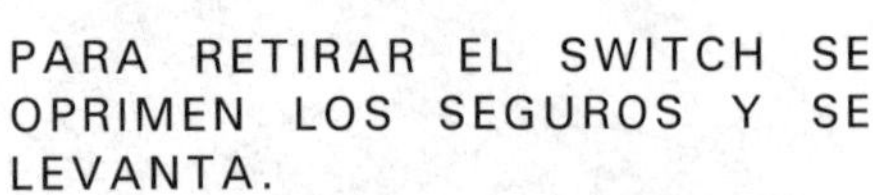

PARA RETIRAR EL SWITCH SE OPRIMEN LOS SEGUROS Y SE LEVANTA.

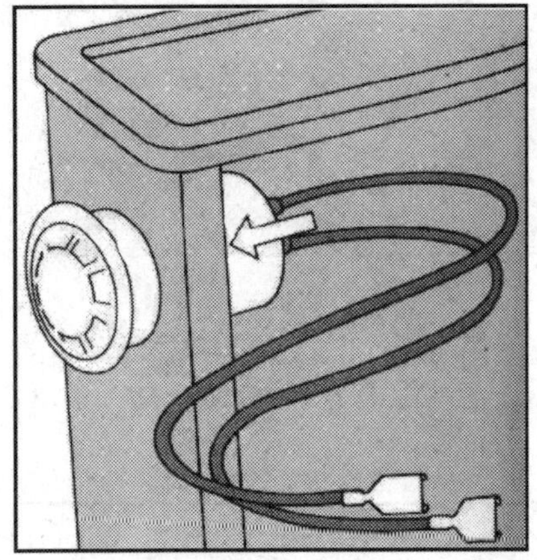

LA SEÑAL LUMINOSA INDICA CUANDO EL CAFÉ ESTA LISTO PARA PROBAR SE DESCONECTAN LOS ALAMBRES DE SUS TERMINALES DENTRO DE LA BASE.

PRUEBAS AL SISTEMA CONSERVADOR DE CALOR

De acuerdo a los fabricantes, existen algunas variantes en la construcción de estas cafeteras, como las que se muestran a continuación:

OTROS TIPOS DE CAFETERAS DE GOTEO

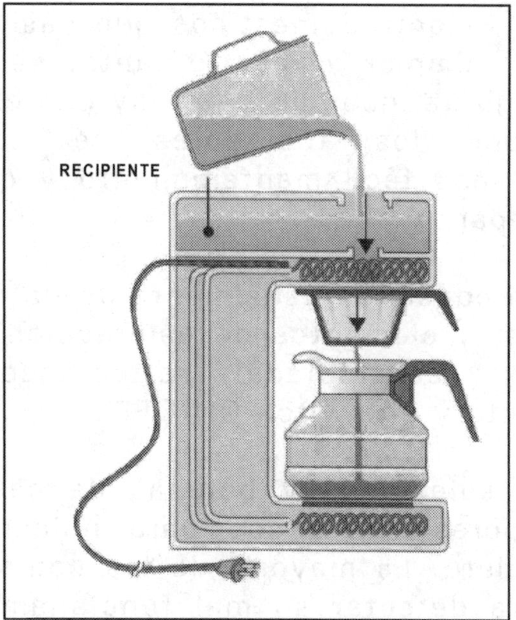

CAFETERA ALIMENTADA POR GRAVEDAD

CALIENTA EL AGUA FRÍA EN UN RECIPIENTE LOCALIZADO SOBRE LA GARRAFA. CUANDO EL AGUA SE CALIENTA GOTEA A TRAVÉS DE UN CONTENEDOR QUE TIENE UN FILTRO Y EL CAFÉ.

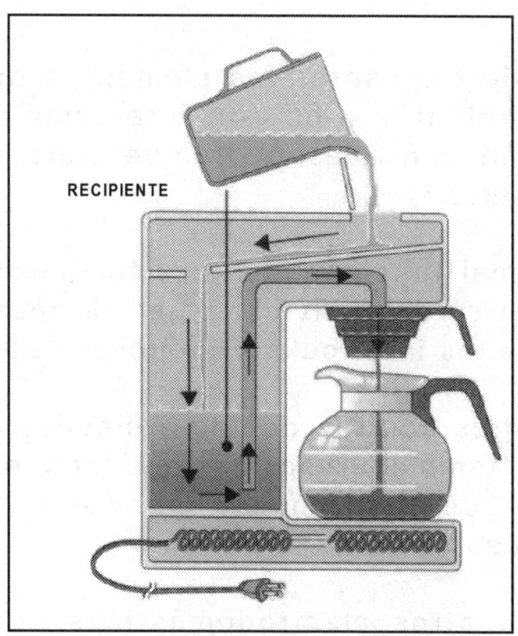

CAFETERA DE DESPLAZAMIENTO

MANTIENE EL AGUA CALIENTE TODO EL TIEMPO EN UN RECIPIENTE. EL AGUA FRÍA ES VERTIDA EN LA CAFETERA, DESPLAZANDO EL AGUA CALIENTE, EMPUJÁNDOLA HACIA ARRIBA EN UN TUBO. MIENTRAS ESTO SUCEDE, EL AGUA FRÍA NUEVA SE CALIENTA Y SE MANTIENE HASTA QUE ES REQUERIDA.

5.3 TOSTADORES DE PAN.

Los tostadores de pan son uno de los aparatos electrodomésticos que casi **todo mundo olvida limpiar** y, por lo tanto, se han convertido en aparatos con alto riesgo de incendio y no hay una excusa real para que esto ocurra, ya que los tostadores se cuentan entre los electrodomésticos de más fácil mantenimiento y que no ofrecen una gran dificultad para reparar.

Los tostadores de pan consisten usualmente de un cordón y su clavija, al menos un termóstato, elementos de calefacción (generalmente dos por rebanada de pan a ser tostada), partes mecánicas de carga y resorte de levantamiento y un switch ON/OFF.

Algunos tipos tienen solenoides y bobinas de calefacción auxiliares alrededor de los sensores bimetálicos, para indicar cuando el proceso de tostado está completo. La mayoría de los componentes se pueden probar fácilmente para detectar su mal funcionamiento y también la mayoría de los componentes se pueden reparar o reemplazar con relativa facilidad. **La clave de esto está en poner mucha atención al proceso de desarmado y asegurarse que todas las partes regresen a su lugar cuando se arme.**

En unos pocos tipos de tostadores los elementos de calefacción están arreglados como fuera/dentro y no son intercambiables. Hay modelos sofisticados que tienen controles de temperatura para el tostado de pan ligero, medio y fuerte.

Cuando se pruebe el mal funcionamiento eléctrico en los modelos más caros de tostadores no se debe olvidar bajar el mecanismo de inserción del pan y checar todos los interlocks y switch de seguridad.

Las fallas más frecuentes ocurren debido a clavijas dobladas o rotas, o bien cordones rotos, también resortes vencidos o dañados. El calor dentro del tostador de pan puede producir un envejecimiento prematuro de las partes.

En forma semejante a otros electrodomésticos que se calientan, las causas del mal funcionamiento son visibles después de una inspección.

Un problema común que se tiene es con el switch, ya que como éste es empujado hacia abajo, el pan se baja al interior del tostador y se tiene un gancho que lo mantiene abajo hasta que un termostato o temporizador destraba el gancho o seguro y le permite al pan tostado brincar hacia arriba. Una guía rápida para la localización de fallas, se indica en la tabla siguiente:

TABLA DE DEFECTOS

PROBLEMA	CAUSA PROBABLE / SOLUCIÓN
Problema:	**El tostado falla al principio, el tostador no opera, la lámpara no enciende.**
☛ Falla en el cordón o la clavija de conexión.	✓ Revisar el cordón o la clavija.
☛ Switch defectuoso.	✓ Verificar el switch.
☛ No hay energía en el contacto.	✓ Verificar el contacto o toma de corriente.
☛ Los elementos calefactores están rotos.	✓ Probar y cambiar en caso necesario.
Problema:	**El interruptor se opera o los fusibles se funden cuando el aparato se conecta o se energiza.**
☛ Sobrecarga en el circuito.	✓ Buscar otra toma de corriente.
☛ Cortocircuito.	✓ Comprobar esta condición por prueba.
Problema:	**El tostador opera tostando pero no brinca el pan o no puede permanecer abajo.**
☛ Puede haber pan quemado en el carro.	✓ Limpieza.
☛ Resortes rotos o dañados.	✓ Examinar, para reparar o reemplazar según sea el caso.
☛ El mecanismo del carro está dañado o roto.	✓ Examinar, para reparar o reemplazar.
☛ Falla en el termóstato.	✓ Probar para reemplazar si es necesario.

TIPOS DE TOSTADORES DE PAN.

Aun cuando todos los aparatos tostadores de pan operan bajo el mismo principio y su revisión y/o reparación está basada prácticamente en los mismos conceptos, existen algunas variantes que pueden establecer diferencias en su selección y aplicación, estas variantes se describen a continuación por el tipo de aplicación.

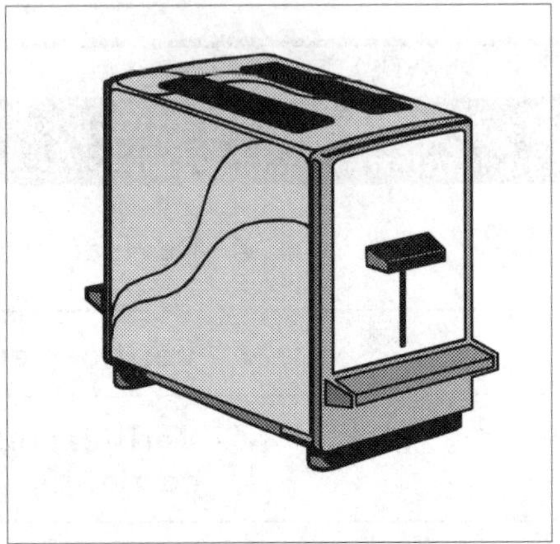

Los tostadores de pan: Son elementos a base de resistencias.

CORRIENTE Y RESISTENCIA COMO FUNCIÓN DE POTENCIA EN UN TOSTADOR		
POTENCIA (watts)	CORRIENTE (amperes)	RESISTENCIA (ohms)
500	4.35	26.40
750	6.52	17.60
1000	8.70	13.20
1250	10.87	10.90
1500	13.04	8.82

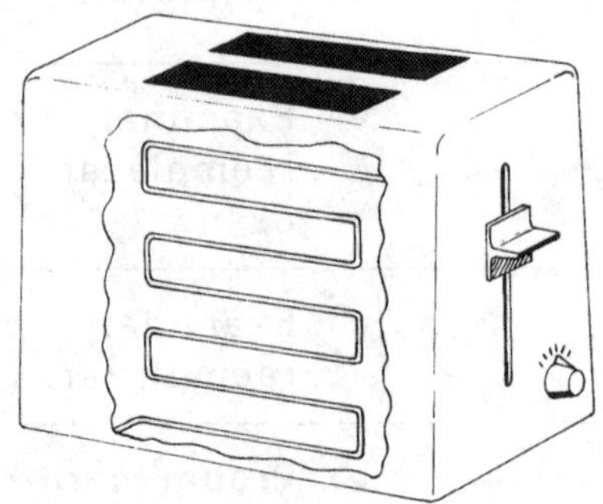

ELEMENTOS DE CALEFACCIÓN DE UN TOSTADOR

A) TOSTADOR PARA DOS REBANAS CON PERILLA DE GRADO DE CALOR. (1)

Para iniciar, se estudia el funcionamiento correcto de este modelo. En primer término, se debe conectar a un tomacorriente de 110-120 volts; después, debe colocarse la perilla en el grado de calor que se desea para lograr el tostado del pan, el cual puede ser desde el tostado claro hasta el obscuro. Para obtener un máximo resultado, es conveniente operar el tostador unas dos o tres veces, a efecto de calentarlo.

Se coloca el pan en las ranuras superiores del tostador. En el asa que se encuentra colocada en la parte contraria al cordón alimentador de corriente, está situada una pequeña palanca o tecla, la cual hay que operarla hacia abajo hasta que se trabe, quedando perfectamente fija; en ese momento quedará conectado el interior del tostador y empezará a funcionar calentando y tostando las rebanadas de pan que ya deben de encontrarse en el interior.

El tostador de pan tarda aproximadamente: 45 segundos como máximo cuando el tostado que se desea es claro y 2 minutos como máximo cuando es tostado obscuro; las variaciones de tiempo para los términos intermedios deberán ser proporcionales.

Una vez transcurrido este tiempo, la tecla ascenderá, subiendo automáticamente las rebanadas al alcance de la mano para que puedan sacarse fácilmente.

Cuando se desee cambiar el tostado de un pan obscuro a uno más claro, conviene esperar a que transcurra un tiempo prudencial para que el tostador se enfríe a la temperatura normal de funcionamiento y puede hacerse el cambio de posición de la perilla, evitando de esta manera que se descomponga el aparato.

Cuando se termine de utilizar el aparato, hay que esperar a que enfríe antes de enrollar el cordón alimentador.

Se puede decir que los tostadores tienen dos tiempos: uno, el de calentamiento, y el otro, de enfriamiento. El de calentamiento se toma desde que se baja la tecla hasta que automáticamente se bota hacia arriba el pan. El de enfriamiento se toma desde que botó el pan hasta que la tecla suba apagando el tostador.

LAS FALLAS Y REPARACIONES EN TOSTADORES DE PAN CON PERILLA DE GRADO DE CALOR.

Las fallas que más comúnmente se presentan en este tipo de aparatos son:

a) Que no enciende.

b) Que quema o dora demasiado el pan.

c) Que el carro elevador no se detiene en la posición de tostado.

d) Que no sube el carro elevador.

e) Que tiene un cortocircuito.

Vamos a analizar cada una de estas fallas, qué las producen y cómo se solucionan.

A. CUANDO EL TOSTADOR NO ENCIENDE, LAS CAUSAS PUEDEN SER:

a) Que el cordón tomacorriente o la clavija se encuentran defectuosos; si ya se investigó que el estado de la clavija sea bueno, es decir, que no presente señales de carbonización o que tenga flojo algún tornillo o que alguna de las terminales no esté conectada; si una vez hecho esto no calienta, se debe proceder a reemplazar el cordón y la clavija.

b) Se puede deber también a que el bimetal esté defectuoso, es decir, que la resistencia se encuentre abierta, por lo que lo más fácil y rápido es su sustitución por una nueva.

c) Que el interruptor principal se encuentre defectuoso, porque los platinos no estén haciendo contacto, en este caso, lo que hay que hacer es juntar los platinos; esto se logra doblando ligeramente los muelles del interruptor.

d) Cuando el interruptor principal se encuentre defectuoso, se confirma al ver si los platinos están flameados; si es así, lo conveniente es reemplazar el interruptor dañado.

e) Otra de las causas más comunes es la de los falsos contactos en las conexiones del interruptor principal, del interruptor de cortocircuito, el bimetal, etcétera; revisar todas las conexiones ajustando cada una de las terminales firmemente para eliminar la falla.

B. CUANDO EL TOSTADOR QUEMA O DORA DEMASIADO EL PAN:

a) Se puede deber a que el bimetal se encuentra desajustado. Para hacer un perfecto ajuste del tiempo de calentamiento y de enfriamiento, hay que girar los tornillos que se encuentran en la parte inferior del tostador del lado de la tecla.

El tornillo que regula el tiempo de calentamiento se encuentra a un costado del tostador. Si los tornillos se giran en el sentido que giran las manecillas del reloj, se disminuye el tiempo de calentamiento y como consecuencia el de enfriamiento, ya que, como anteriormente se indicó, éste debe ser proporcional. Si a la inversa, se mueven los tornillos al contrario de las manecillas del reloj, se aumenta el tiempo.

b) También se puede deber a que el interruptor de cortocircuito se encuentre defectuoso porque los platinos están pegados, en este caso, hay que reemplazar el interruptor de cortocircuito.

c) Otra causa puede ser que el botón de cerámica del interruptor de cortocircuito se encuentra caído; bastará entonces con ponerlo nuevamente en su lugar.

d) Otra posible causa puede ser que el soporte pestillo esté torcido o que el bimetal se encuentre rozando la lámina del chasis; en ambos casos, hay que enderezar, en el primero, el brazo, y en el segundo, la lámina del chasis.

C. QUE EL CARRO ELEVADOR NO SE DETIENE EN LA POSICIÓN DE TOSTADO.

Esto puede ser provocado por dos razones:

- Que el bimetal esté desajustado; esto se arregla como en el punto anterior, ajustando los tornillos debidamente.
- Que el brazo del interruptor se encuentre gastado; entonces hay que reemplazarlo por uno nuevo.

D. QUE NO SUBE EL CARRO ELEVADOR.

La única razón, en este caso, es que el resorte se encuentra vencido, por lo que se reemplazará por uno nuevo.

E. QUE TIENE UN CORTOCIRCUITO.

El cortocircuito puede ser provocado por el carro elevador, el cual seguramente baja demasiado pegado a las barras conductoras, causando los conectores de la resistencia. El camino a seguir es: enderezar las patas de la lámina del chasis, para que el carro tope en ellas y no baje hasta las barras conductoras

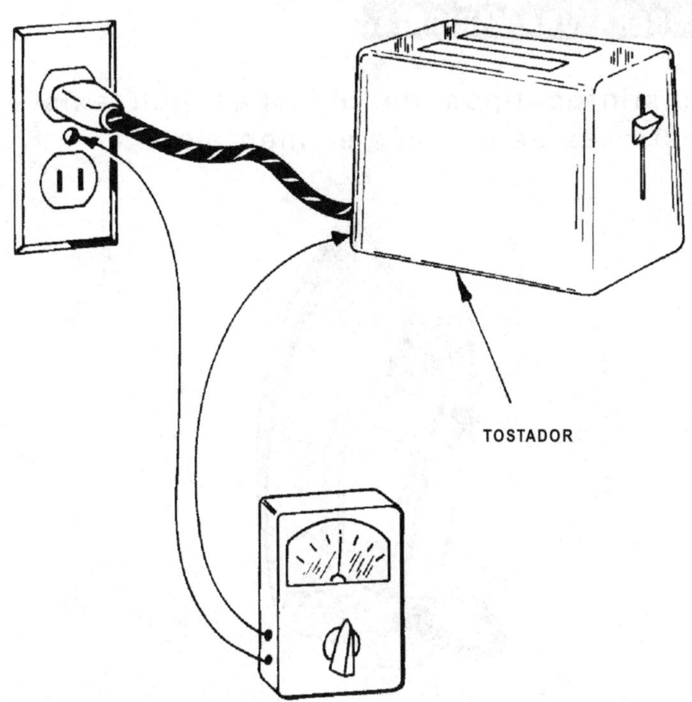

PRUEBA DE TIERRA EN LA CONEXIÓN DE UN TOSTADOR DE PAN

5.4 LAS PLANCHAS ELÉCTRICAS.

Las planchas eléctricas son de los aparatos electrodomésticos más populares en los hogares, su uso data de muchos años atrás, y ha habido una gran variedad de variantes en su diseño y construcción, todas éstas tratando de obtener mejores condiciones de operación y mayor economía.

En general, las **planchas eléctricas** constan de una placa de acero fundido o de aluminio que está perfectamente pulida y de forma casi triangular, con una tapa de hierro niquelada o cromada, en cuyo interior, en el concepto más elemental de plancha eléctrica, se encuentra una resistencia calefactora y un termostato.

Actualmente, existen una gran variedad de planchas, todas basadas en el mismo principio pero con comentarios de fabricante a fabricante, que se basan principalmente en la forma de inyectar el vapor y el control de la temperatura.

LA PLANCHA DE TEMPERATURA VARIABLE.

Dentro de los distintos tipos de planchas que existen actualmente, probablemente este sea de los más elementales.

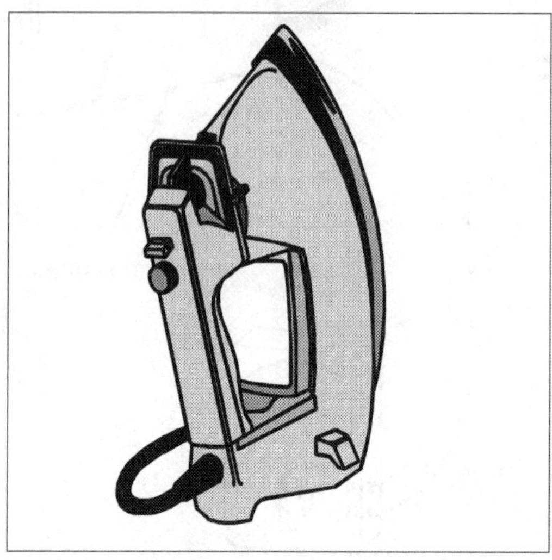

LA PLANCHA

Las planchas de temperatura variable incluyen en su construcción un termostato generalmente regulable.El nombre común de estas planchas es el de automáticas, ya que cuando tienen termostato, éste se combina con un interruptor automático que desconecta la resistencia calefactora, cuando la plancha alcanza una temperatura dada. Las planchas automáticas más comunes se conectan a una fuente de alimentación de 125 volts y consumen de 950 watts a 1100 watts.

La temperatura que deberá alcanzar la plancha, después de no más de dos minutos, deberá ser de 100 °C en la posición mínima de su perilla de control y será de 260 °C cuando esté en la posición máxima, con un margen de más o menos 10 °C.

Entre estas dos posiciones es donde deberán alcanzarse temperaturas proporcionales al movimiento de la perilla del control.

En estas planchas, al igual que en las de temperatura constante, se debe en primer lugar también confirmar el estado del cordón, siendo éste el motivo de la falla más común en estos aparatos; sin embargo, para otro tipo de fallas, el problema principal radica en su desarmado y armado correcto, para sustituir o reparar las partes internas que se hayan averiado.

ALGUNAS FALLAS ELEMENTALES EN LAS PLANCHAS AUTOMÁTICAS.

Las fallas más comunes en las planchas son generalmente muy simples de detectar y pueden tener varias causas: Si, por ejemplo, la plancha da toques, esto se puede deber a una o varias de las siguientes causas:

a) Las terminales del cordón alimentador de corriente están haciendo contacto con algún punto de la cubierta.

b) Las terminales del cordón alimentador pueden estar haciendo contacto con algún punto de la base.

c) Puede haber formación de suciedad carbonizada entre las terminales y el tubo de la resistencia.

d) La resistencia, por algún sobrecalentamiento, ha perdido el aislamiento y se encuentra haciendo contacto con la suela en su interior.

Para evitar que la plancha siga presentando la falla en los casos **a** y **b**, se debe quitar la tapa trasera y tal vez hasta la coraza, para asegurarse que las terminales no estén haciendo contacto con ninguna parte de la plancha, centrándolas o enderezándolas para dicho efecto.

En el caso de que la causa sea suciedad, entre las terminales y el tubo de la resistencia, se debe desarmar la plancha para limpiar perfectamente las terminales de la resistencia. Por último, cuando ya se han efectuado las anteriores pruebas o reparaciones y aún continúa dando toques la plancha, es señal casi segura de que la resistencia está haciendo contacto en su interior, y por lo tanto, no queda más remedio que sustituir la suela por otra nueva. Otra de las fallas más comunes en las planchas, es que no calientan nada absolutamente.

También esto se puede deber a diversas causas, entre las que se pueden mencionar las siguientes:

a) La clavija o el cordón se encuentran averiados.

b) Existe algún falso contacto entre las terminales del cordón y las de la plancha, o un falso contacto entre las terminales de la plancha y el termostato, o también algún falso contacto entre el termostato y la resistencia.

c) El termostato se encuentra fuera de calibración.

d) El termostato definitivamente está defectuoso y no trabaja debidamente.

e) El bimetal se encuentra flojo y fuera de su lugar, por lo que no trabaja correctamente.

En el supuesto caso de que, al tratar de eliminar la falla mencionada, se encuentre con que es el cordón o la clavija lo que está provocando el problema. Si es imposible repararlo, entonces no queda más remedio que reemplazarlo.

Cuando la causa de que la plancha no caliente sea la de falso contacto, en cualquier parte de su circuito, la medida más adecuada es la de limpiar previamente y apretar firmemente todos los tornillos y tuercas de las terminales, después de lo cual se probará la continuidad para asegurarse de que el falso contacto ha sido eliminado.

Cuando la descalibración del termostato está provocando la falla, debe ajustarse la temperatura moviendo el tornillo de ajuste del bimetal en el sentido contrario de las manecillas del reloj, para aumentar calor. Si a pesar de esos esfuerzos la plancha no calienta, es señal de que el termostato está defectuoso o que la resistencia está abierta, por lo que habrá que reemplazar el termostato o la suela respectivamente, según sea el caso. Por último, si lo que sucede con la plancha es que no calienta lo suficiente, esto se puede deber a que: **a)** El termostato esté descalibrado, **b)** El termostato está defectuoso **c)** El bimetal está fuera de su lugar.

VERIFICANDO EL CORDÓN DE LA PLANCHA

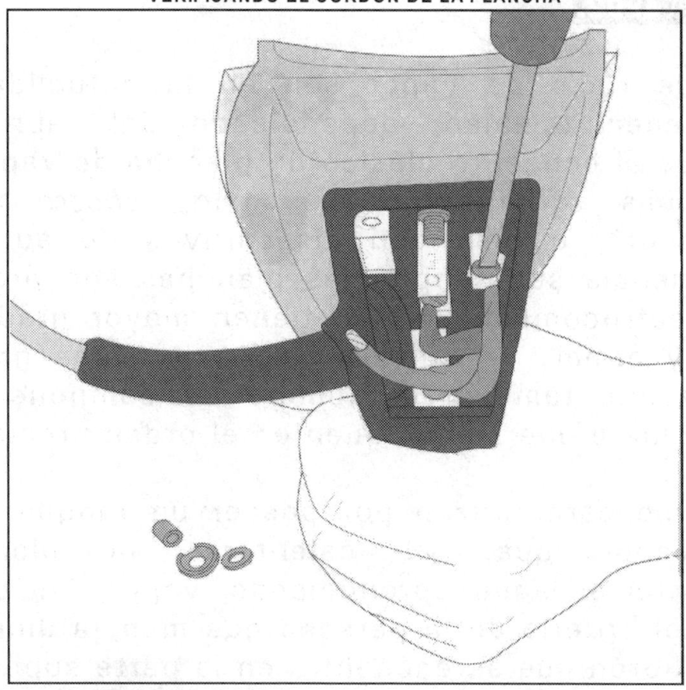

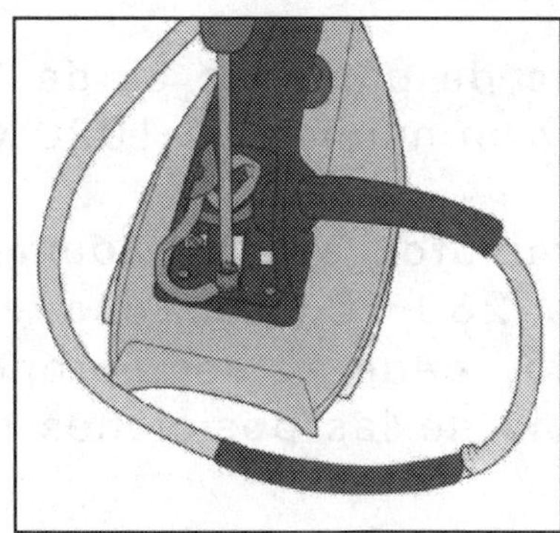

1.- RETIRAR LA CUBIERTA

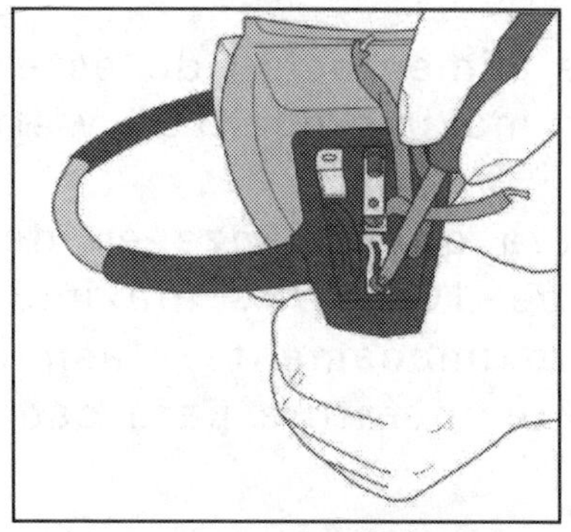

2.- AFLOJAR LA GRAPA DEL CORDÓN DE LA PLANCHA Y RETIRAR EL CORDÓN VIEJO

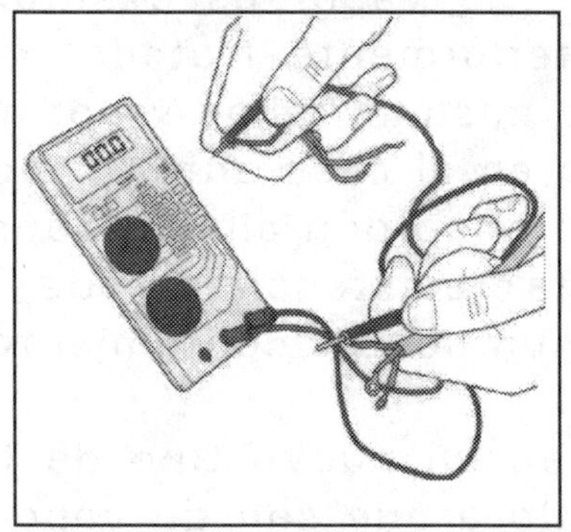

3.- SI SE SOSPECHA QUE EL CABLE ESTÁ ABIERTO, CHECAR CONTINUIDAD

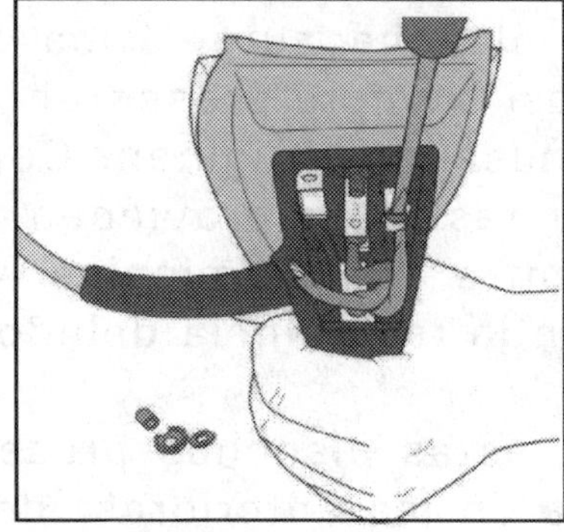

4.- SE CONECTA EL NUEVO CABLE

REEMPLAZANDO EL CORDÓN DE UNA PLANCHA

LAS PLANCHAS DE VAPOR.

Las planchas de rocío de vapor son en la actualidad de las más modernas y tienen también, dependiendo del fabricante, algunas variantes, ya que al concepto clásico de plancha de vapor se le pueden incorporar algunas variantes, tales como *"chorro de vapor"*, de "disparo de vapor", o bien con dispositivos de autolimpieza. Aún cuando su apariencia sea simple, las planchas son probablemente de los aparatos electrodomésticos que tienen mayor grado de dificultad para desarmar y armar, ya que no sólo existe una gran variedad de modelos, si no que también el número de componentes puede ser elevado y se requiere que se coloquen en el orden preciso.

Estas planchas se caracterizan por poseer un tanque de agua y una cámara de vapor que, al calentarse la plancha, calienta consiguientemente el agua, produciendo vapor, el cual va siendo aplicado según el criterio de la persona que maneja dicho aparato, con sólo oprimir un botón que se encuentra en la parte superior del mango.

La fuente de alimentación de este tipo de planchas es de 125 volts y consumen un máximo de 1155 watts y un mínimo de 1020 watts.

La temperatura que alcanza en dos minutos aproximadamente deberá ser mínima de 104 °C y máxima de 260 °C, con una variación de 10 °C, aproximadamente; asimismo deberá ser proporcional la variación de temperatura para cada una de las posiciones de la perilla de control.

El diagrama eléctrico de una plancha de vapor es exactamente igual que el de la plancha automática anteriormente tratada, como en las anteriores, casi siempre presentan las mismas fallas y por consiguiente las mismas causas las originan. Como en el caso anterior de la plancha automática, estas fallas provienen de: el cordón alimentador, la clavija, suciedades entre las terminales y la resistencia, o de la falta de aislamiento en la resistencia debido a un sobrecalentamiento.

Sin embargo, estas planchas presentan un nuevo tipo de falla que no se presentaba en las anteriores, debido a que son de vapor. El tanque almacenador de agua y el botón de vapor son los que presentan muchas veces la falla, ya que debido al mal uso que de ellos se hace, o a la ignorancia de las personas, **generalmente dicho depósito de agua se llena con agua corriente y no con agua destilada,** *que es lo correcto para evitar así la formación de sedimentos que tapan los orificios que expelen el vapor*, o que impiden que el botón accione fácilmente.

En este tipo de planchas, se debe tener especial cuidado en el armado y reparación del tanque de agua y el botón de vapor.

En la siguiente figura, se muestra la forma en cómo opera el vapor en una plancha de vapor.

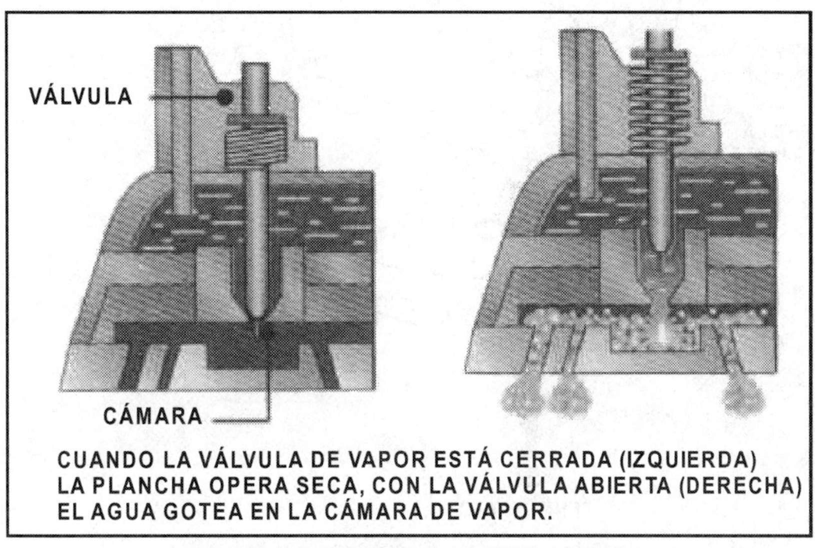

CUANDO LA VÁLVULA DE VAPOR ESTÁ CERRADA (IZQUIERDA) LA PLANCHA OPERA SECA, CON LA VÁLVULA ABIERTA (DERECHA) EL AGUA GOTEA EN LA CÁMARA DE VAPOR.

FORMA DE TRABAJO DEL VAPOR

Las partes más importantes de una plancha de vapor se muestran en las figuras siguientes:

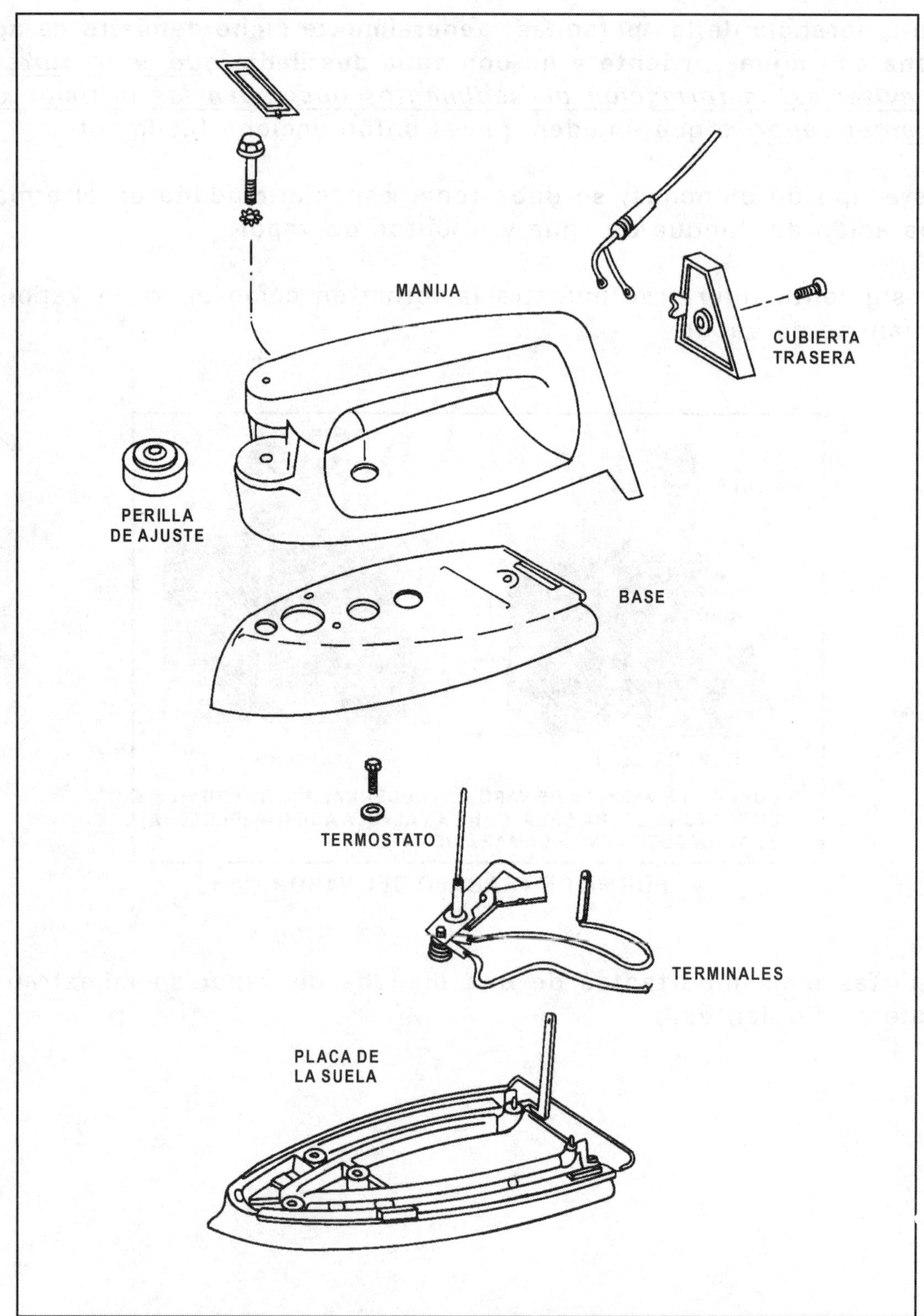

PLANCHA ELÉCTRICA ELEMENTAL

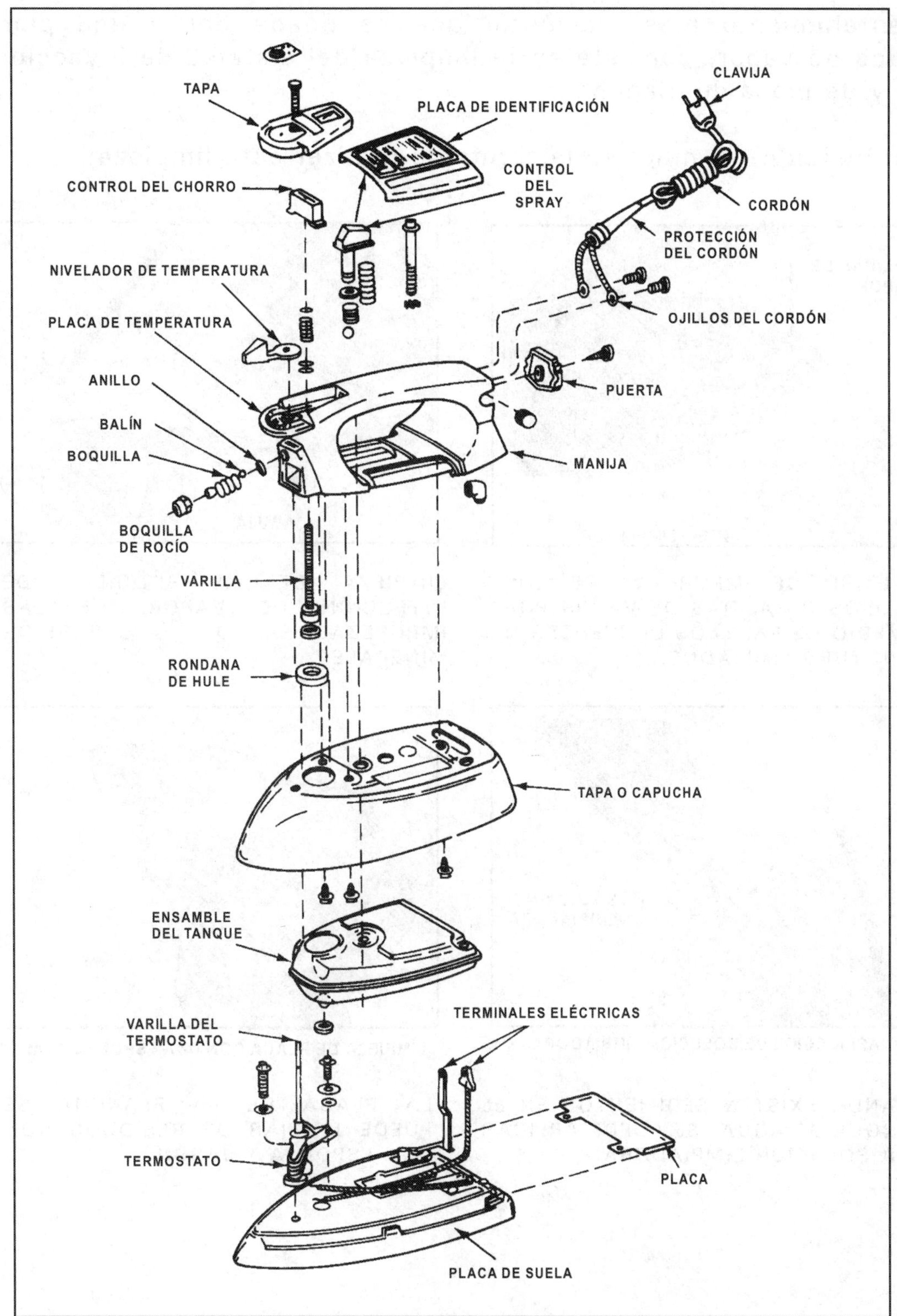

PARTES DE UNA PLANCHA DE VAPOR BÁSICA

El mantenimiento más elemental que se puede dar a una plancha eléctrica de vapor, consiste en la limpieza del sistema de inyección de vapor y de placa de planchado.

A continuación, se muestra la forma de realizar esta limpieza:

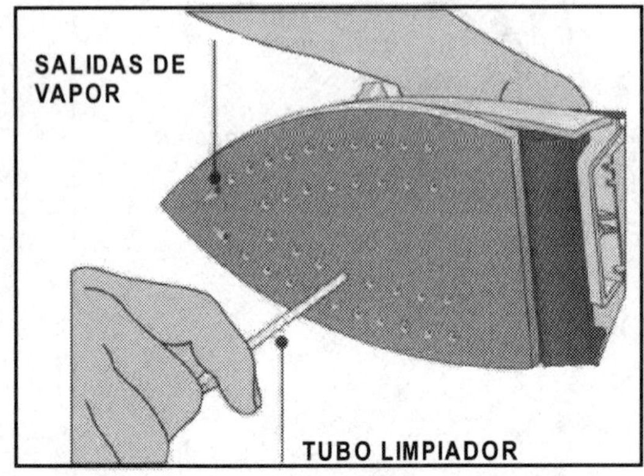

RETIRO DE IMPUREZAS DE LOS TUBOS O SALIDAS DE VAPOR POR MEDIO DE PALILLOS DE DIENTES O UN TUBO LIMPIADOR.

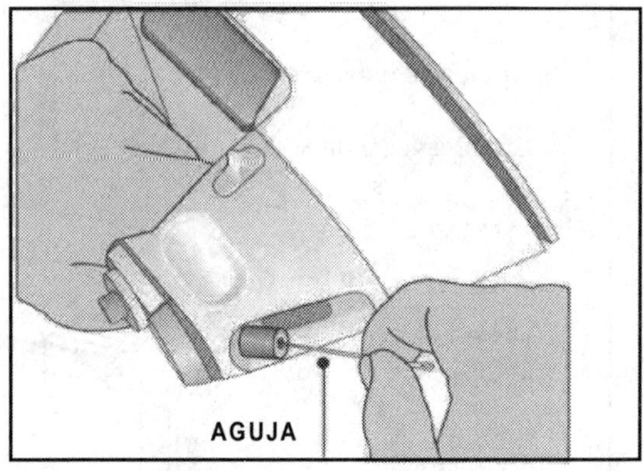

LIMPIEZA DE LA BOQUILLA DE INYECCIÓN DE VAPOR, DE LAS IMPUREZAS O DEPÓSITOS MINERALES.

APLICACIÓN DE SOLUCIÓN LIMPIADORA

CUANDO EXISTEN SEDIMENTOS EN EL TANQUE DE AGUA, SE PUEDE APLICAR UNA SOLUCIÓN LIMPIADORA.

LIMPIEZA DE PLACA CON UNA ESPONJA Y JABÓN

LA PLACA DE LA PLANCHA SE PUEDE LIMPIAR DE RESIDUOS CON UNA ESPONJA Y JABÓN.

5.5 LOS VENTILADORES ELÉCTRICOS.

Los ventiladores eléctricos se les puede encontrar en diversos tipos en cuanto a su forma y tamaño. Los hay del tipo mesa, de pedestal, de techo, etcétera, pero todos funcionan absolutamente bajo el mismo principio, que consiste en un motor acoplado a unas aspas que al girar producen una corriente de aire.

Como se sabe, cuando una persona o un grupo de personas permanece durante algún tiempo en una habitación cerrada, el oxígeno que existe se va substituyendo lentamente por óxido carbónico, como producto de la respiración. Cuando se alcanza un volumen de 0.1% de óxido carbónico, resulta necesario ventilar la habitación, es decir, cambiar el aire.

Por otro lado, el ser humano no sólo produce óxido carbónico, sino también calor (85 calorías/hora aprox.), las cuales si no resultan desalojadas producen malestar, incapacidad de trabajo y aletargamiento.

Esto produce la necesidad de mantener el aire en movimiento para que permita el intercambio de calor y la evaporación necesaria en el cuerpo y de esta forma obtener una temperatura agradable.

Para intercambiar el aire de una habitación, es suficiente (algunas veces) abrir puertas y ventanas, pero muchas otras se requiere del uso adicional de un abanico eléctrico o ventilador.

Se entiende entonces que los **"abanicos eléctricos"** sirven para poner el aire en movimiento, con tanta eficiencia que si se saben aprovechar adecuadamente, puede ser el único sistema para crear un clima de trabajo soportable en las estaciones del año calurosas.

Por otro lado, los ventiladores tienen otras posibilidades de empleo, como por ejemplo: para impedir la entrada de insectos en áreas cerradas (se ha descubierto que las moscas no entran en un local en cuyas puertas exista una corriente de aire de cierta magnitud); aplicado sobre las vitrinas, mostradores, etcétera, en invierno se impide que se empañen; instalándolos en combinación con resistencias calefactoras hacen un excelente emisor térmico.

Cuando se aplican a la salida de los tiros o campanas, se les conoce con el nombre de extractores, los cuales dan muy buenos resultados en cocinas y cuartos de baño.

De todo lo anterior, se deduce que, los ventiladores son aparatos que se pueden emplear prácticamente todo el año.

CLASIFICACIÓN DE VENTILADORES.

Los ventiladores se pueden clasificar por su tipo de construcción en:

CENTRÍFUGOS O DE PALETAS Y DE HÉLICE.

Los del primer tipo aceleran el aire que entra por el centro mediante paletas curvas, produciéndose una alta presión con pequeña cantidad de aire.

Los de segundo tipo son los más conocidos y aspiran el aire en el sentido del eje de giro, igual que los centrífugos, pero lo aceleran en el mismo sentido sin cambio de dirección.

Estos ventiladores se montan generalmente sobre su propio pedestal, en paredes o en marcos de ventanas, siendo de sencillez extrema.Es decir, todos los ventiladores eléctricos comunes mueven el aire axialmente, o sea, en la misma dirección en que entra, sale.

Por lo que se refiere a su forma o disposición, pueden ser de mesa, de pedestal, de pared o de techo.

Generalmente los ventiladores de mesa cuentan con un mecanismo adicional que les permite cambiar de posición, "oscilando" en un sector de 60° a 120°.

La mayor parte de los ventiladores tienen motores de corriente alterna, jaula de ardilla, los cuales giran comúnmente a 1000 ó 1500 r.p.m., salvo los ventiladores de techo cuya velocidad varía de 100 a 200 r.p.m.

Los hay también de varias velocidades (dos o tres) en el tipo de mesa o pedestal, y hasta de seis velocidades en los de techo, para conseguir corrientes de aire de diferentes magnitudes.

El diámetro de las aletas de los abanicos varía desde 10 hasta 60 cm. para uso doméstico y comercial, y de 100 a 150 cm. para los de techo. Los primeros mueven un volumen de aire de más o menos 50 m^3/min., y los segundos llegan hasta 200 m^3/min.

Sobre motores monofásicos de fase partida es aplicable a los motores de los ventiladores; por lo demás, el secreto de una buena reparación consiste en un desarmado y armado correcto de las unidades, y de una experiencia abundante sobre fallas y soluciones de las mismas.

Las partes principales de este tipo de ventiladores se muestran en la siguiente figura. Como se sabe, hay dos clases de ventiladores: los de **circulación** y los de **ventilación**. El de tipo circulación mueve el aire alrededor dentro de un cuarto, en cambio el tipo ventilación, **cambia el aire** dentro de un cuarto.

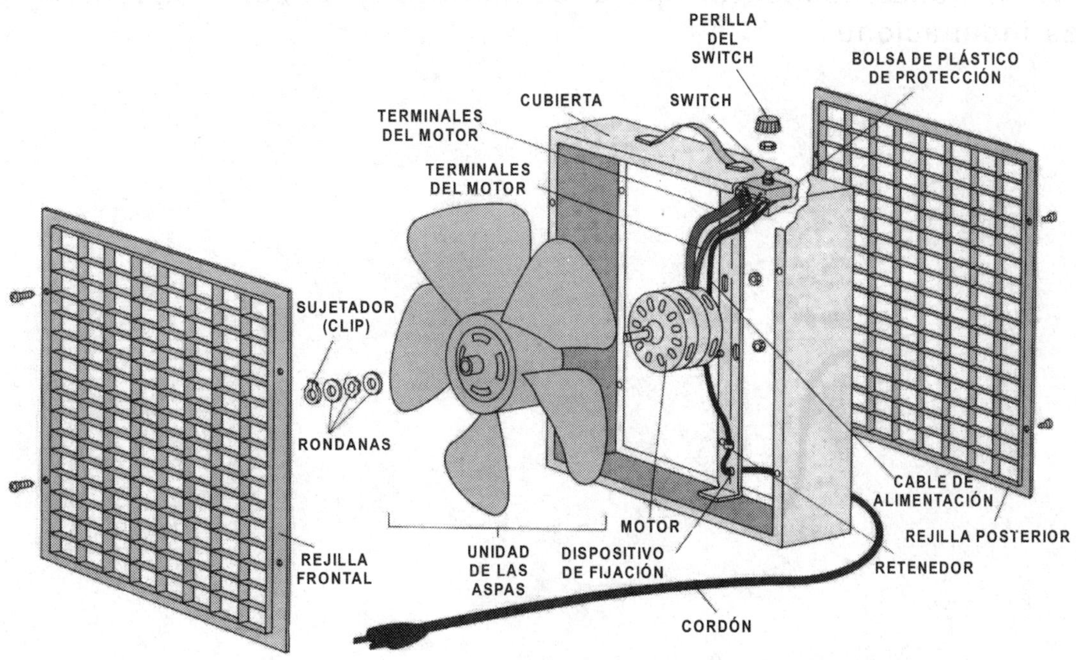

ELEMENTOS DE UN VENTILADOR

Una de las fallas más comunes en un ventilador, es que no opere y el motor no zumbe, en este caso, la falla puede ser: un fusible fundido en la casa y que corresponda al circuito de alimentación, que el cordón de conexión esté roto y, finalmente, puede haber una falla en el motor.

Si el problema es el fusible, se debe reemplazar, o bien, si la falla está en el cordón, entonces se debe cambiar; pero si se trata de una falla en el motor, entonces es necesario hacer un diagnóstico del mismo para determinar el tipo de reparación que es necesario hacer.

VENTILADORES CON SOPORTE AJUSTABLE DE UNA Y DOS VELOCIDADES.

Estos ventiladores poseen aspas de aluminio de cuatro hojas, con un diámetro de 25.4 cm. (10") para el modelo de una velocidad y de 30.48 cm. (12") para el de dos velocidades, ambos se pueden conseguir para 60 hertz (ciclos), 125 volts.

Los dos modelos poseen interruptor en el casco, motor lubricado de por vida, funcionamiento fijo u oscilatorio y soporte ajustable para varias inclinaciones.

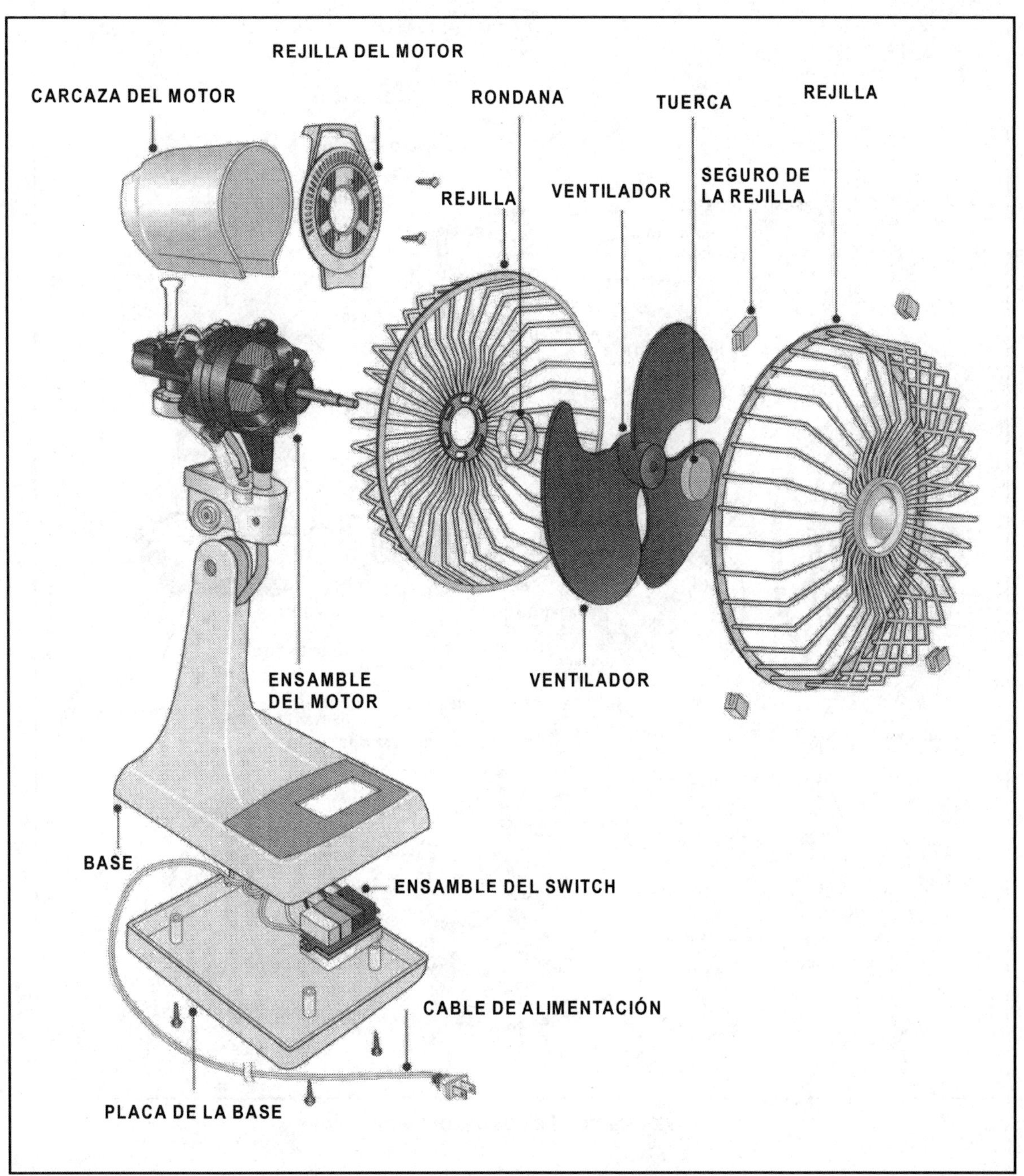

PARTES DE UN VENTILADOR OSCILATORIO

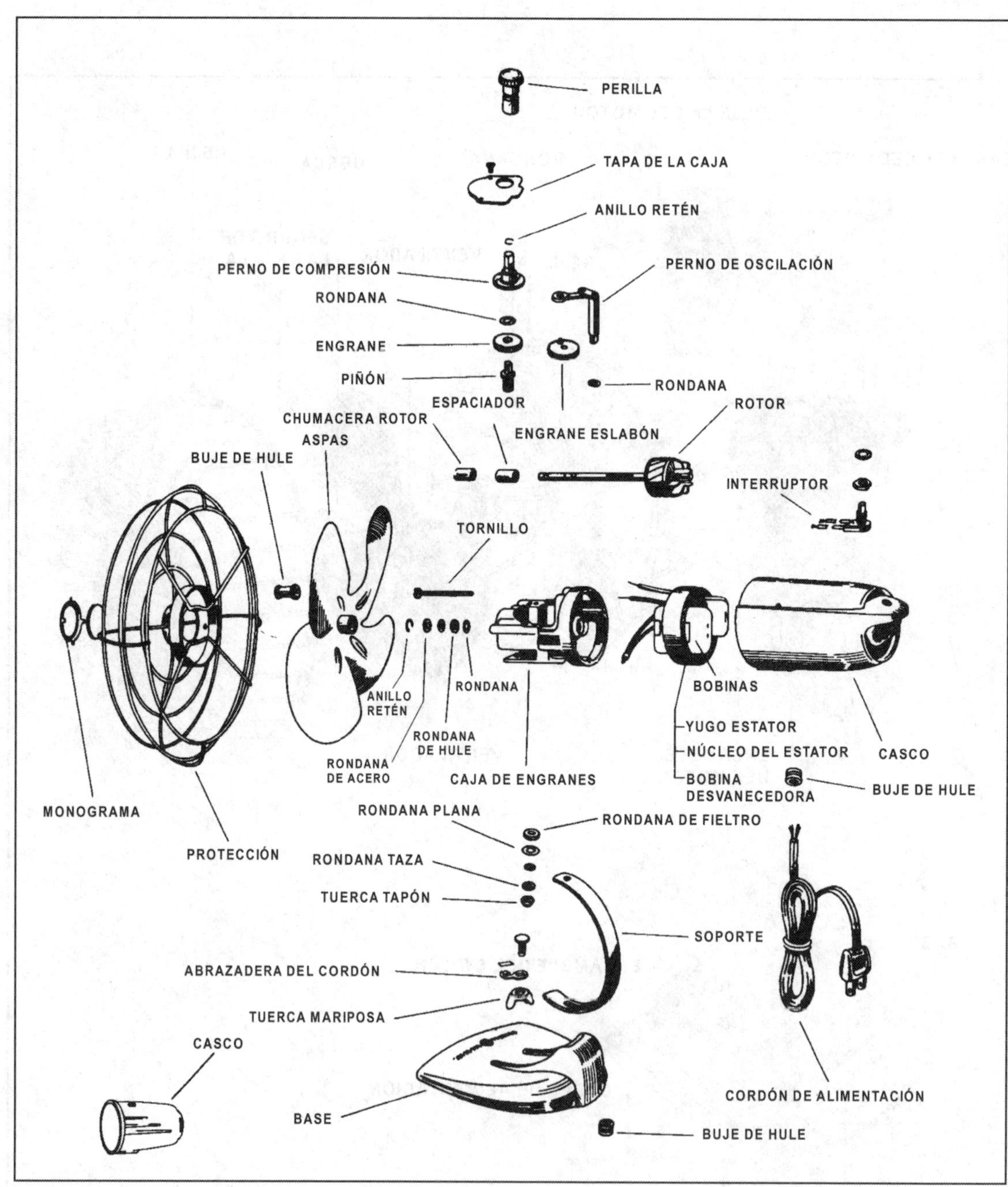

VENTILADOR DE DOS VELOCIDADES

LOS VENTILADORES DE TIPO PEDESTAL.

Estos ventiladores poseen protección de seguridad de dos piezas, hélices de material fenólico en lugar de aspas, con un largo de

45.72 cm. (18") y tienen las siguientes características: 60 ciclos, 2 velocidades, interruptor en la base o en el casco, motor lubricado de por vida, funcionamiento fijo u oscilatorio y soporte ajustable para varias inclinaciones. En la siguiente figura, se muestran las partes principales de estos ventiladores.

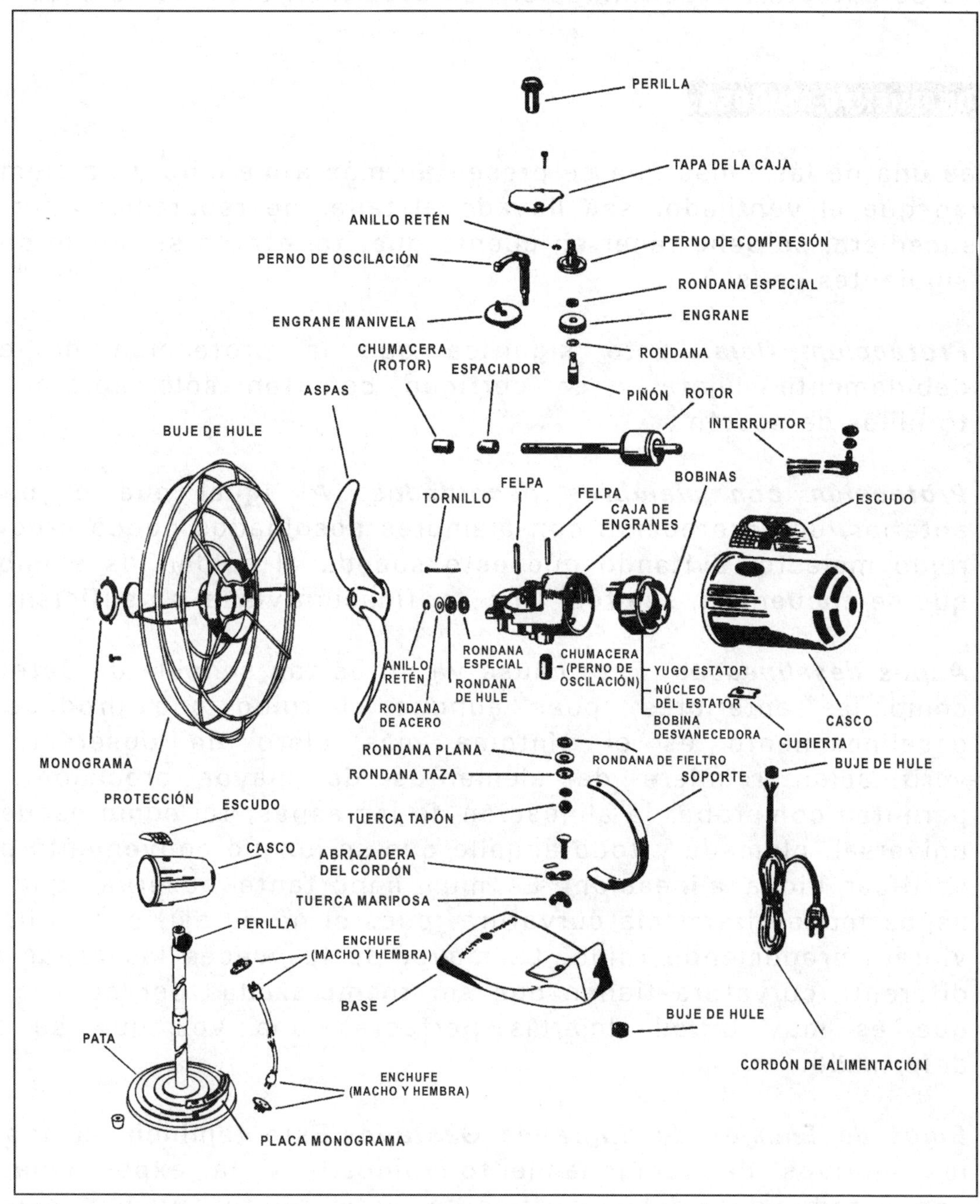

VENTILADOR DE PEDESTAL

5.6 LAS FALLAS MÁS COMUNES EN LOS VENTILADORES Y FORMA DE CORREGIRLAS.

Las fallas más comunes en los ventiladores que han sido descritos hasta ahora y la de muchos otros ventiladores aún de diferentes tipos, son relativamente pocas y generalmente muy simples de detectar. A continuación, se describen algunas de ellas.

FUNCIONAMIENTO RUIDOSO.

Esta es una de las fallas que se presentan más a menudo y no siempre motivan que el ventilador sea llevado al taller de reparación, pero si esto sucediera, se debe tener en cuenta que, tal efecto se puede deber a las siguientes causas.

a) ***Protección floja.*** Esto significa que la protección no está debidamente sujeta y se corrigen con tan sólo apretar los tornillos de sostén.

b) ***Protección con alambres desoldados***. Al igual que el punto anterior, una protección con alambres desoldados puede producir ruido molesto, evitando que esto suceda al soldar los alambres que se encuentren sueltos. Una verificación visual es suficiente.

c) ***Aspas desalineadas.*** Esta causa ya no es tan sencilla de detectar como las anteriores, pues aunque el ruido que produce el desalineamiento es el síntoma más claro de observar, su verificación requiere de elementos de mayor precisión que permitan comprobar la alineación de las aspas, tal como escuadra universal, plumada y todo aquello que se juzgue conveniente para verificar dicha alineación. Es muy importante observar que las aspas tengan la misma curvatura, pues si no es así, el ventilador vibrará produciendo ruido. La mayor de las veces las aspas con diferente curvatura tienen que ser reemplazadas por nuevas, ya que es muy difícil dejarlas perfectas una vez que se han deformado.

d) ***Bujes de Encajes de Engranes Gastados***.Este también es uno de los motivos de funcionamiento ruidoso, y la experiencia ha demostrado que debe verificarse este punto cuando existen ruidos anormales en el ventilador, porque en el caso de que se encuentren los bujes en mal estado, sean reemplazados.

e) ***Flecha del Rotor Gastada o Torcida.*** Al igual que el punto anterior, un funcionamiento ruidoso nos obliga a pensar en esta posible causa, por lo que también se hace su verificación minuciosa y la búsqueda del defecto que nos permita determinar si debe ser reemplazado tanto el rotor como los bujes de la caja de engranes.

EL MOTOR NO FUNCIONA.

Cuando el motor deje de funcionar a pesar de lo que se pueda suponer, esta falla se puede deber la mayor parte de las veces a causas muy simples, siendo solamente una de ellas de verdadera gravedad y que motive una reparación que, sin duda será de las más costosas para este tipo de aparato. Las causas más probables de que el motor no funcione, son las siguientes:

a) ***Clavija o cordón defectuosos.*** Caso que ya se ha visto anteriormente. Esta es la causa No. 1 por la que deje de funcionar un aparato eléctrico. Antes que se piense en desarmar una unidad, se debe primero investigar si el cordón se encuentra en buenas condiciones, asegurándose que exista en sus extremos una continuidad, en caso de que dicha continuidad no exista, muchas veces es preferible reemplazar dicho cordón por otro nuevo.

b) ***Interruptor defectuoso.*** Al igual que en el caso del cordón, es el interruptor causa de falla común en la interrupción de la operación del motor, y por lo tanto, antes de proceder a cualquier forma de desarmado de la unidad, se debe verificar o sustituirse de ser posible por otro.

c) ***Conexión abierta.*** En los ventiladores existen los conectores de "cachucha" para efectuar los diferentes empalmes necesarios en el interior de la caja del motor; como se verá un poco más adelante y que en alguna ocasión pudiera haberse aflojado al grado de producir un falso contacto entre dos terminales diferentes que debieran estar unidas. Para resolver esta causa de falla, se debe quitar la carcaza del motor y asegurar firmemente las conexiones de las terminales mediante el apriete de los conectores.

d) ***Bobinas abiertas o quemadas.*** Esta es una de las causas de fallas en la operación de un ventilador, muy importante de verificar, porque de la decisión de su reemplazo, se deriva una cantidad regular de trabajo a desarrollar.

PARA PROBAR UNA BOBINA, SE PROCEDE COMO SIGUE:

1. Conectar una terminal de la bobina con una de las puntas de un óhmetro y la otra punta del óhmetro se conecta a la cubierta metálica; si está correcta, el óhmetro marcará una alta de resistencia (1000 Ω o más). Si la lectura del óhmetro indicara una baja resistencia (3 Ω o menos), significa que la bobina está a tierra.

2. Colocar el óhmetro entre dos terminales de la bobina, si la lectura marca una baja resistencia (6 Ω o menos) la bobina está correcta. Si la lectura marca una alta resistencia (infinita), significa que la bobina está a tierra.

Si con las pruebas anteriores resultara que la bobina no está correcta, hay necesidad de reemplazarla o repararla.

NO OSCILA (GIRO LATERAL).

Cuando un ventilador equipado con dispositivo de oscilación se niega a seguir efectuando dicho movimiento, esto se debe principalmente a tres causas, todas ellas de carácter mecánico, que son las siguientes:

a) ***Engrane del oscilador o piñón con los dientes barridos.*** Esta causa requiere de una observación directa que es relativamente fácil de efectuar. En este caso, se deben reemplazar las partes que se encuentran defectuosas.

b) ***Flecha del rotor con sinfín barrido***. Es el mismo caso que el anterior, por lo que sólo hay que verificar y reemplazar en caso necesario.

c) ***Eje del engrane piñón suelto***. En caso de que en la verificación de esta pieza se encontrase floja, conviene moletear suavemente con un punto el extremo del eje y colocarlo firmemente en su sitio.

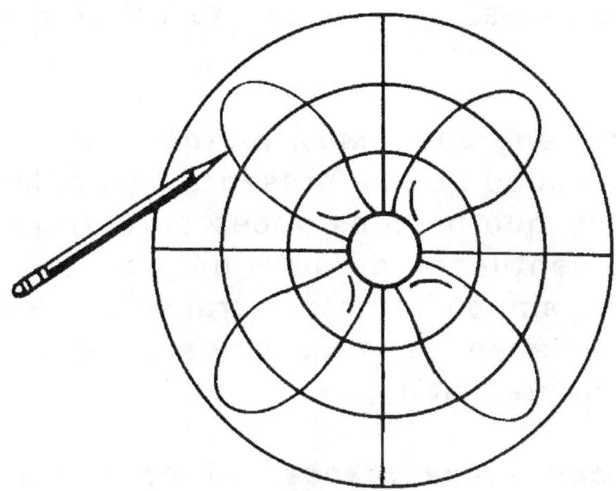

VENTILACIÓN DE LAS ASPAS

SI UN VENTILADOR VIBRA O ESTÁ RUIDOSO PUEDE SER UNA ASPA QUE ESTÁ FUERA DE BALANCE, PARA VERIFICAR QUE ESTÁ FUERA DE BALANCE SE HACE GIRAR MANUALMENTE Y CON UN LÁPIZ SE TOCA CADA ASPA Y SI ESTÁ BALANCEADO CADA ASPA TOCA AL LÁPIZ.

ALINEACIÓN DE LAS ASPAS METÁLICAS

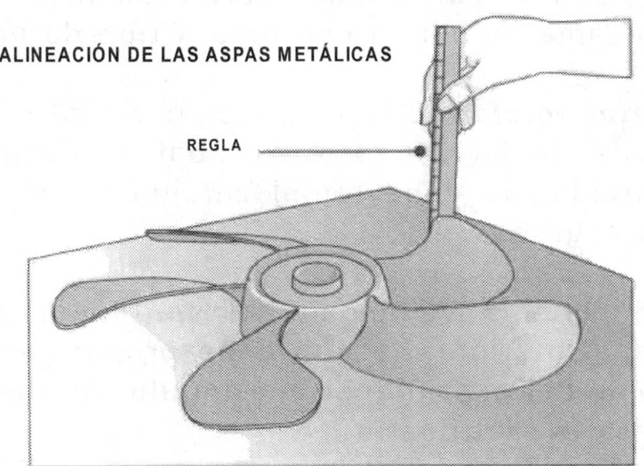

SE DESCONECTARÁ EL VENTILADOR, SE COLOCA EN UNA SUPERFICIE PLANA, CADA ASPA DEBE TOCAR LA SUPERFICIE. SE MIDE LA ALTURA DE CADA ASPA, NO DEBE HABER UNA DIFERENCIA ENTRE ASPAS DE ¼ " pulg.

EL VENTILADOR PRODUCE POCO AIRE.

La única razón por la que un ventilador no produce suficiente aire a pesar de que sus aspas se encuentran en perfecto estado, es porque la velocidad a la que se encuentra girando el motor, es inferior a la normal. La medición de la velocidad de un ventilador, en algunos tipos, resulta sencilla si se cuenta con un tacómetro y se desmonta la protección y las aspas, de manera que dicho tacómetro pueda aplicarse directamente a la flecha del motor. En caso de que la velocidad resulte inferior a la normal, o de placa, esto se puede deber a las siguientes causas:

a) ***Bujes de la caja de engranes muy justos***. Esta es una causa probable de baja velocidad que se presenta particularmente en los ventiladores nuevos y que muchas veces se corrige con tan sólo dejar trabajando el ventilador durante un período de dos horas para que se aflojen; sin embargo, si transcurrido dicho tiempo continúa forzado, se deben limar los bujes, es decir, agrandarlos con la herramienta de precisión.

b) ***Caja de engranes con grasa reseca.*** Al contrario de la causa anterior, esto se presenta en ventiladores muy viejos o que se han dejado de usar mucho tiempo, una inspección visual es suficiente para determinar sobre el estado o cantidad de la grasa que si se encuentra reseca o en poca cantidad, requiere que la caja de engranes sea lavada perfectamente con gasolina y lubricada nuevamente con la cantidad y tipo de grasa apropiada.

c) ***Flecha del rotor torcida***. Una inspección visual también determina el estado de la flecha del rotor, la cual, si desgraciadamente se encuentra torcida, se debe remplazar junto con el rotor y bujes de la caja de engranes.

Ahora, en caso de que la velocidad del ventilador sea normal y la cantidad de aire sea inferior a la que debe proporcionar, entonces se debe a que las hojas del aspa tienen un ángulo de ataque defectuoso, por lo que es necesario rectificarlo.

EL MOTOR SE SOBRECALIENTA.

Si el motor se sobrecalienta tiene como causa principal el hecho de que se encuentre trabajando forzado mecánicamente, y si esto ocurre, la velocidad se debe encontrar por debajo de lo normal o nominal, por lo que se debe repetir todo lo indicado en el párrafo anterior. Si se corrige el problema de baja velocidad, se corregirá simultáneamente el problema de sobrecalentamiento del motor. Otra posible causa de sobrecalentamiento, puede ser el bajo voltaje, en la línea de alimentación no se debe tener una caída de voltaje mayor del 5% del voltaje nominal.

ESCURRE GRASA.

El hecho de que un ventilador escurra grasa en funcionamiento, se puede deber a que esté operando con grasa de un tipo inadecuado o porque la caja de engranes tenga exceso de la misma, por lo que conviene en ambos casos lavar dicha caja con gasolina y usar el tipo adecuado de grasa en las cantidades correctas.

5.7 EL VENTILADOR DE TECHO.

Este ventilador cuenta con la ventaja de poder provocar una mayor circulación de aire, ya que debido a su posición en el techo abarca una mayor área, al mismo tiempo que una mayor uniformidad en la corriente de aire. Tiene una hélice de 92 cm. (36") y debido a su control de velocidades pueden obtenerse cinco distintas revoluciones por minuto en el giro de la hélice. Tiene un consumo aproximado de 110 watts y se conecta a 127 V.-C. A., una velocidad de 420 r.p.m. en 60 hertz y 350 r.p.m. En la tabla siguiente, se indican los tipos más comunes de fallas en los ventiladores de techo y sus posibles soluciones.

CARTA DE LOCALIZACIÓN DE FALLAS EN VENTILADORES TIPO TECHO CON LAMPARA

CAUSAS POSIBLES.	SOLUCIÓN
Problema:	**El dispositivo enfriado por el ventilador se comienza a calentar; el ventilador no gira; la lámpara no enciende.**
☛ Falla en el cordón o la clavija.	✓ Verificar el cordón y la clavija.
☛ Switch (apagador) defectuoso.	✓ Verificar el switch.
☛ No hay energía en el contacto.	✓ Verificar el contacto.
Problema:	**Se opera el interruptor o se funde el fusible cuando se conecta el ventilador.**
☛ Sobrecarga en el circuito.	✓ Buscar otra toma de corriente.
☛ Cortocircuito.	✓ Probar la instalación y salidas.
Problema:	**Se enciende pero el ventilador no gira en forma apropiada o el aire frío no circula en forma apropiada.**
☛ Interruptor abierto o fusible fundido.	✓ Probar.
☛ Devanado del motor abierto.	✓ Probar y/o cambiar.
☛ Cables de la toma de corriente al motor abiertos.	✓ Probar.
☛ Termostato en malas condiciones.	✓ Probar y cambiar.

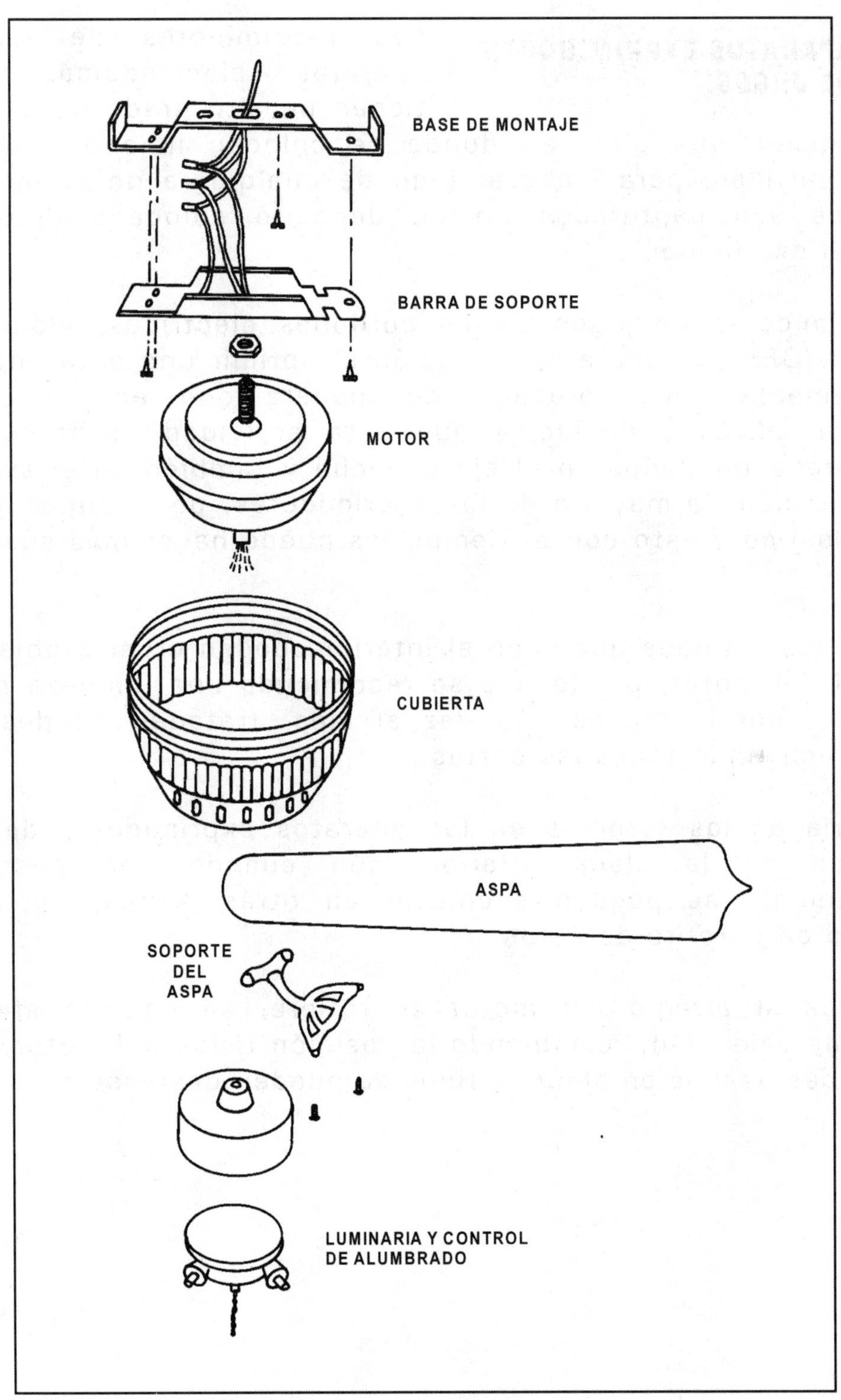

MONTAJE DE UN VENTILADOR DE TECHO

5.8 APARATOS EXPRIMIDORES DE JUGOS.

Los exprimidores de jugos son aparatos electrodomésticos que tienen un alto grado de uso, tienen un mecanismo que gira, en donde se colocan limones, naranjas o toronjas partidas, para elaborar jugo de cualquiera de estos cítricos, los cuales son capturados en un depósito colocado directamente debajo del exprimidor.

Los exprimidores de jugos tienen cordones eléctricos, clavijas y un switch ON/OFF que actúa bajo presión al oprimir una mitad de naranja o simplemente hacer presión, de manera que actúan sobre un interruptor ON/OFF; debido a que esta actividad es frecuente, se pueden presentar daños en el eje o flecha y también en el switch que opera a presión, la mayoría de los exprimidores, por razones de costo, son de plástico y esto con el tiempo los puede hacer más susceptibles de falla.

También, los residuos que caen al interior pueden crear problemas a la velocidad del motor, por lo que se recomienda una limpieza frecuente al aparato, por lo menos una vez al mes, tratando de desarmar la unidad y limpiando todas las partes.

La mayoría de los tornillos en los aparatos exprimidores de jugo se encuentran en la placa inferior, aún cuando son pocos, pero ocasionalmente se pueden encontrar en otras partes, se debe ser cuidadoso en el retiro de éstos.

Por lo que al arreglo del motor se refiere, se podrían afectar los cambios de velocidad, cambiando la posición física del motor, también los engranes usados en algunos tipos se pueden desajustar.

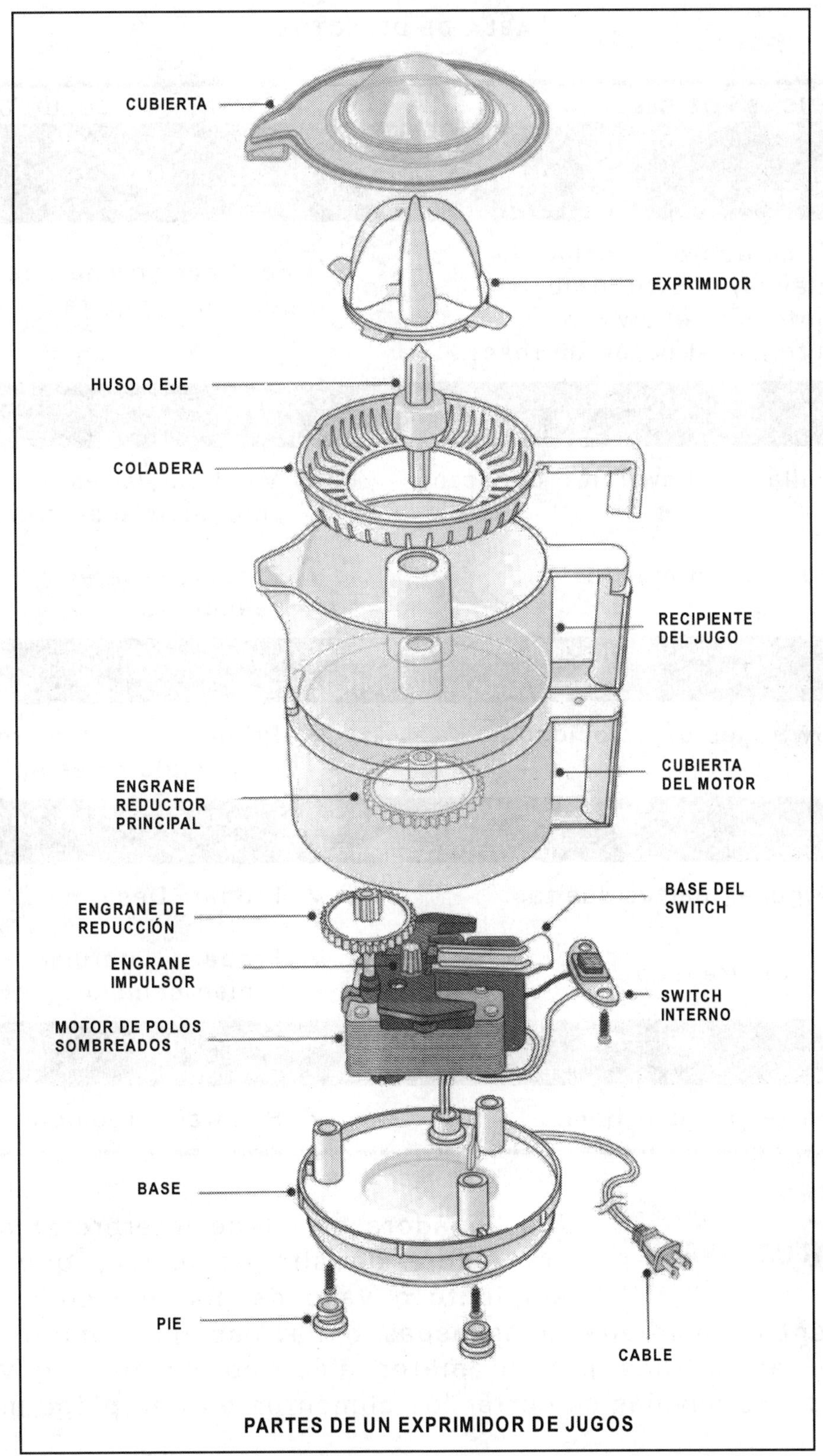

PARTES DE UN EXPRIMIDOR DE JUGOS

TABLA DE DEFECTOS

CAUSAS POSIBLES.	SOLUCIÓN
Problema: El aparato falla al arrancar, funde fusibles, dispara interruptores, el switch ON/OFF no trabaja.	
☛ El contacto, el cable, la clavija, el switch de potencia, el switch interno, el botón de reset.	✓ Verificar en cada caso, si es posible reparar o bien cambiar.
Problema: El voltaje en el switch está correcto pero el motor no se energiza.	
☛ Falla en el switch o conector.	✓ Verificar, si es posible reparar, o bien cambiar.
☛ Falla en el motor.	✓ Probar: reparar o reemplazar.
Problema: El aparato trabaja, pero es difícil o imposible cambiar la velocidad.	
☛ Switches de velocidad.	✓ Probar el switch, reparar si es posible o reemplazar.
Problema: Se puede escuchar que el motor hace ruido pero no se mueve.	
☛ Algunas partes sueltas.	✓ Probar: Desarmar.
☛ Motor frenado.	✓ Probar: Lubricar, reparar, o bien cambiar.
Problema: El aparato parece que funciona pero no hace el giro en forma satisfactoria.	
☛ Partes rotas o flojas.	✓ Reparar o reemplazar.

5.9 LICUADORAS.

Una licuadora se puede interpretar como una mezcladora de alta velocidad, que tiene un recipiente o vaso de plástico en cuyo fondo se encuentran montadas más aspas o navajas que operan con alta velocidad accionadas por un motor eléctrico de tipo universal, la función de las navajas es cortar los alimentos en una pulpa muy fina.

En la base de la licuadora se encuentra el motor y un switch con varias selecciones de velocidad. En la parte superior de la base se tiene un acoplamiento conectado al eje del motor, este acoplamiento a su vez sirve para fijar la base del recipiente o contenedor de alimento.

El motor universal, el control de velocidad y todas las conexiones eléctricas se encuentran en su base, el control de velocidad se logra sacando derivaciones (Taps) del devanado de campo del motor para conectarse a un switch con botones selectores.

El diseño de las licuadoras está hecho de tal forma que permite al usuario retirar y limpiar la jarra o recipiente, sin afectar al motor, también las navajas (aspas) o unidad de corte se pueden retirar de la jarra para ser limpiadas.

Para hacer un diagnóstico y reparar una licuadora, se tiene que retirar: **una tapa o la cubierta de la base, la jarra, desconectar la licuadora** y colocarla boca abajo dándole vuelta. Examinar los tipos de tornillos y tuercas que tiene para seleccionar las herramientas correctas. Se quitan los tornillos y entonces se puede retirar la base.

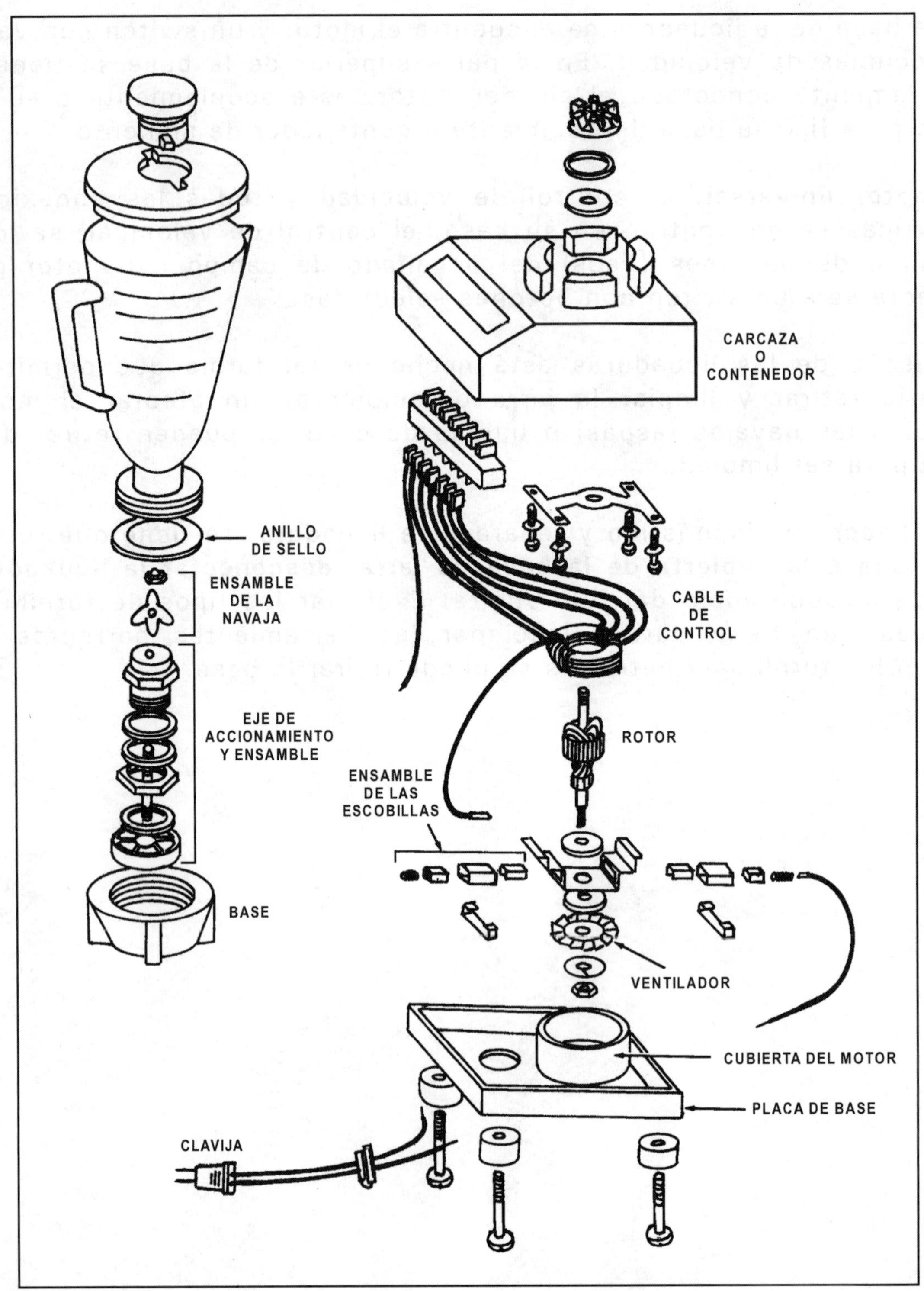

PARTES DE UNA LICUADORA

Algunas licuadoras requieren que se retire la cubierta exterior y también el acoplamiento del eje del motor, **recuérdese que siempre se debe hacer girar en el sentido de las manecillas del reloj**, después que se han retirado los tornillos de la base, se debe retirar la cubierta de la base.

Cuando la licuadora no opere, primero se debe verificar el cordón de alimentación y las clavijas, siguiendo la trayectoria de la clavija a las terminales, se debe desconectar al menos una de las puntas de las terminales antes de probar el cable, para observar si hay continuidad.

Otra falla que se puede presentar y que hace que el motor de la licuadora no opere, es la pérdida de contacto de las escobillas con el conmutador, para esto, se deben revisar las escobillas que hagan buen contacto, que el resorte de apoyo esté bien y que su cable esté bien unido.

TABLA DE DEFECTOS EN UNA LICUADORA

CAUSAS POSIBLES.	SOLUCIÓN
Problema:	Las partes ligeramente frenadas. Una carga demasiado pesada pueden hacer que la velocidad de la licuadora baje, algunas veces al punto de frenarse.
☛ No hay energía en el contacto.	✓ Desconectar la licuadora y probar con una lámpara o un probador de voltaje, revisar los fusibles o el interruptor.
☛ La licuadora está ligeramente frenada.	✓ Limpiar el conjunto de aspas o navajas. ✓ Afloje (desartornillando) la jarra de su base y retirar las aspas, retirar los sellos y presionar para retirar el impulsor (acoplamiento de las aspas).
☛ Cable de la licuadora roto. (la prueba de continuidad se hace como se ha descrito anteriormente en los Capítulos 2 y 3).	✓ Desconectar la licuadora del contacto y revisar el cable de fracturas o marcas de quemaduras. Retirar la tapa de la base y el conectar del cable para revisar la conexión al motor.
☛ Control ON-OFF roto ?	✓ Con la licuadora desconectada se retira la cubierta de control, de manera que el switch ON-OFF, esté accesible, quitando previamente la perilla, para retirar el switch de su base. ✓ Usando un multímetro como vóltmetro, colocar las puntas de prueba a cada una de las puntas o terminales del switch y poner el switch en posición ON, Si está roto, la lectura es muy alta. Si está en buen estado, la lectura es cero.
☛ Falla en el motor.	✓ Si las pruebas anteriores no permiten identificar el problema, entonces es probable que la falla esté en el motor, las cosas simples pueden ser: Lubricación pobre, mal contacto de las escobillas, daños en la chumacera o problemas con las conexiones a los devanados. ✓ Para identificar las fallas, se usan los procedimientos descritas en el capítulo donde se trata el tema de pruebas a motores.

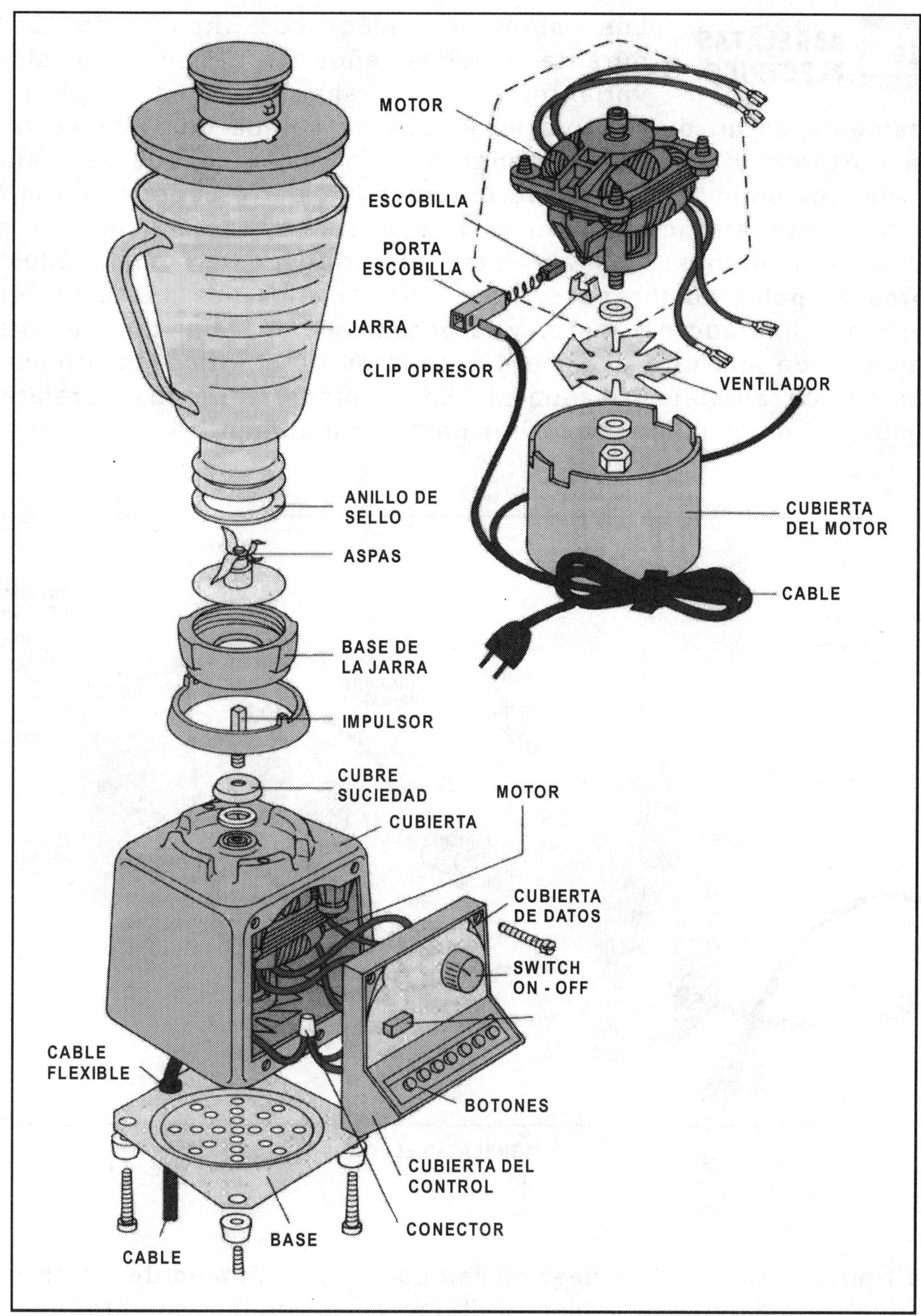

PARTES DE UNA LICUADORA

5.10 ABRELATAS ELÉCTRICO.

Los abrelatas eléctricos han sido usados durante muchos años y tienen sólo algunas variantes de fabricante a fabricante. Básicamente es un dispositivo en el que se coloca una lata entre una rueda cortante y un pequeño engrane, una palanca que se tiene se presiona, forzando a la rueda cortadora en la parte superior de la lata, en este punto arranca un motor que a su vez está acoplado a un sistema de engranes. **Los abrelatas eléctricos están accionados por motores de polos sombreados**. Una serie de engranes multiplica el par de arranque limitado del motor y la potencia a un valor que sea útil. El mecanismo de apertura o corte de las latas es idéntico en principio al usado en los abrelatas manuales. En la mayoría de los abrelatas el ensamble de corte se puede retirar para ser limpiado.

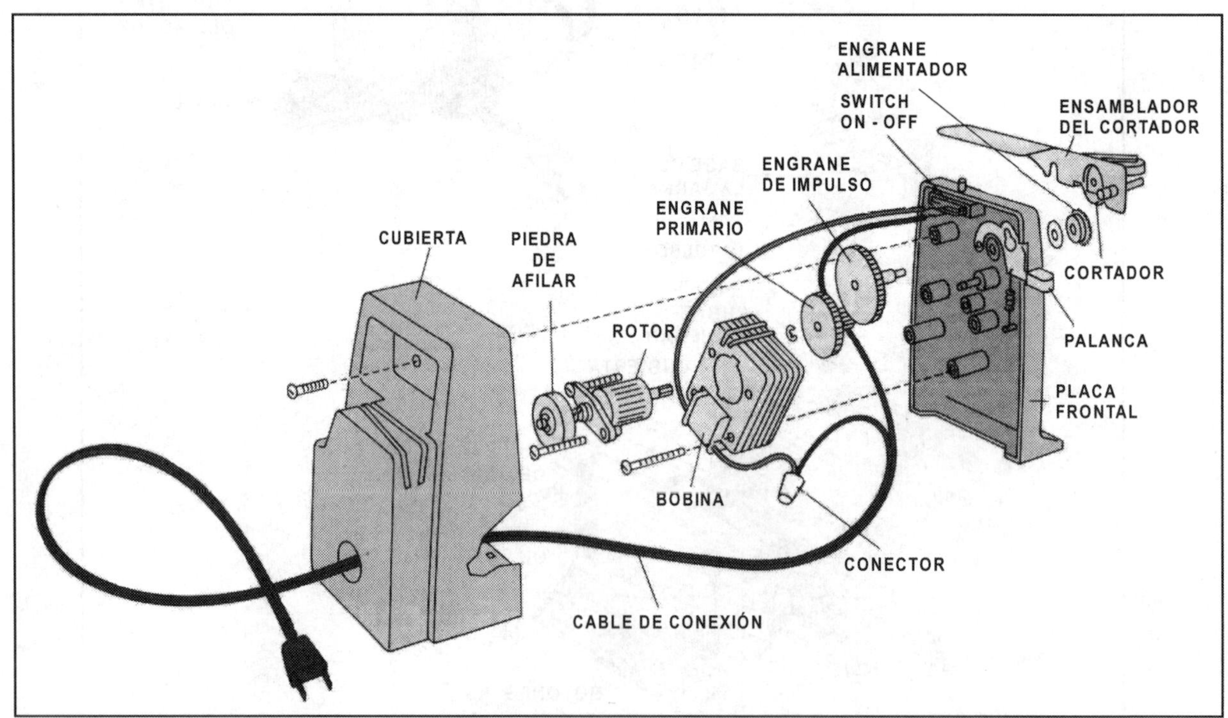

ABRELATAS ELÉCTRICO

En la figura anterior, se muestran las partes principales de un abrelatas eléctrico, en donde se observa el motor de polos sombreados y el juego de engranes de impulso.

Si el cordón de alimentación está abierto o el switch ON-OFF no funciona correctamente, el abrelatas tampoco funcionará, para revisar esto, se hace la prueba de continuidad en el cable y también en el switch, de manera que es necesario desarmar el abrelatas para verificar las partes.

5.11 SECADORES DE PELO.

Las secadoras de pelo son como elementos de calefacción con ventilador en forma compacta, muchas de ellas están construidas de manera que casi es imposible repararlas, están contenidas en un contenedor en forma de pistola de plástico sellado y no se pueden abrir sin destruir el elemento que las contiene.

Aún cuando en la actualidad existe una gran **variedad de secadoras de cabello, todas trabajan bajo el mismo principio** y todas tienen tres componentes principales: **motor con ventilador, elemento de calefacción y switch selector.**

La mayoría también incluye un termostato de seguridad, para prevenir sobrecalentamientos.

Una característica en el uso de las secadoras de pelo es que el cordón, por el uso frecuente, se enreda y tuerce, de manera que con frecuencia se dificulta destorcer para enderezar, esto hace que se pueda safar de su conexión.

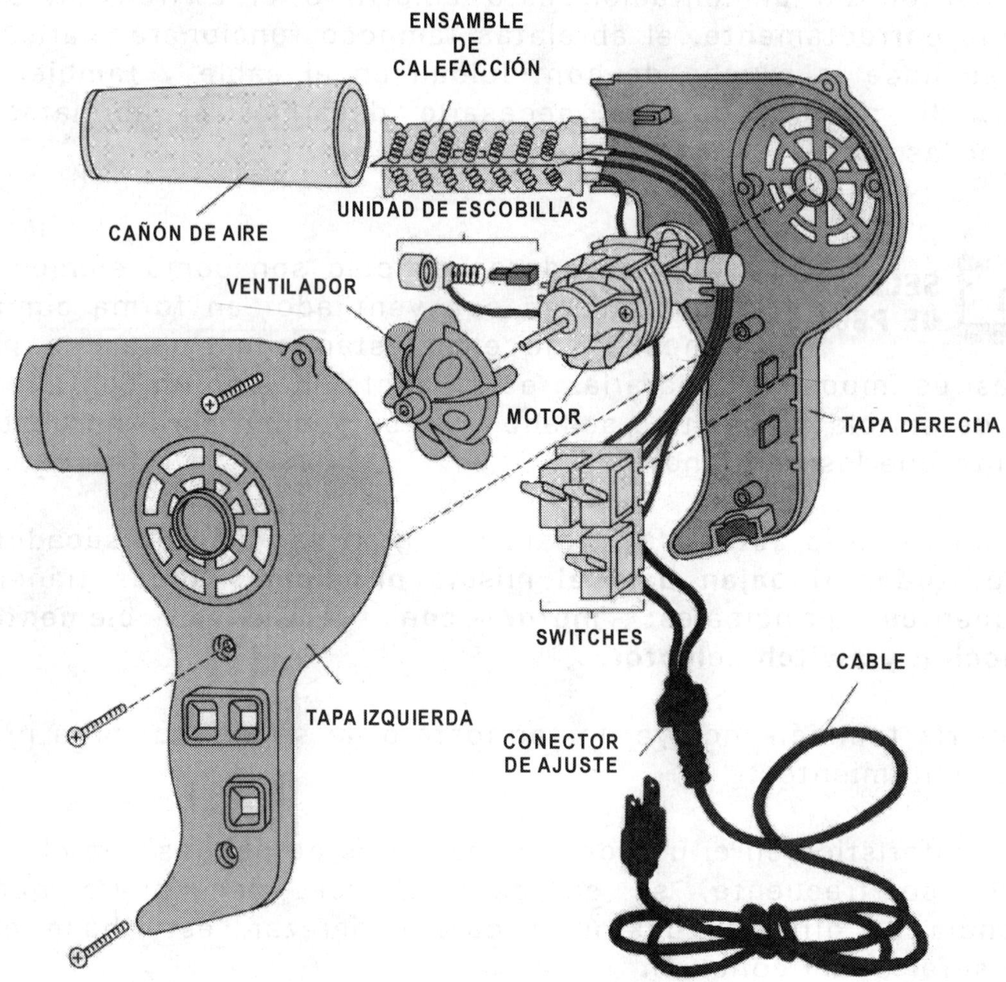

PARTES DE UNA SECADORA DE PELO

Cuando la secadora no quiera trabajar, se debe sospechar del cable de alimentación, antes de cualquier otra componente. La mayoría de las secadoras tienen un conector de ajuste para evitar en lo posible el movimiento del cable y su desconexión del switch de control. Para desarmar una secadora, se requiere generalmente de destornilladores (desarmadores) pequeños tipo phillips. Se debe abrir la secadora para identificar los problemas en la conexión interna del cable o del switch de control.

La mayoría de las secadoras combinan un switch ON-OFF que controla a un pequeño motor universal de una velocidad, con uno o dos switches adicionales para seleccionar una potencia baja o alta, según sea la cantidad de calor requerida, los switches proporcionarán temperaturas de secado muy caliente, caliente, tibio y frío.

El switch ON-OFF está alambrado en serie con los switches de control de temperatura, de manera que éstos no calientan si no opera el motor, de modo que para probar el switch ON-OFF, se puede usar un puente para verificar la continuidad. Cuando no se produce calor, pero el motor opera, entonces se puede esperar que algún elemento de calefacción (resistencia) esté abierta, o bien el termostato de seguridad esté abierto, o también pueden tener falla los switches de calefacción; en todos estos casos, se debe hacer una prueba de continuidad.

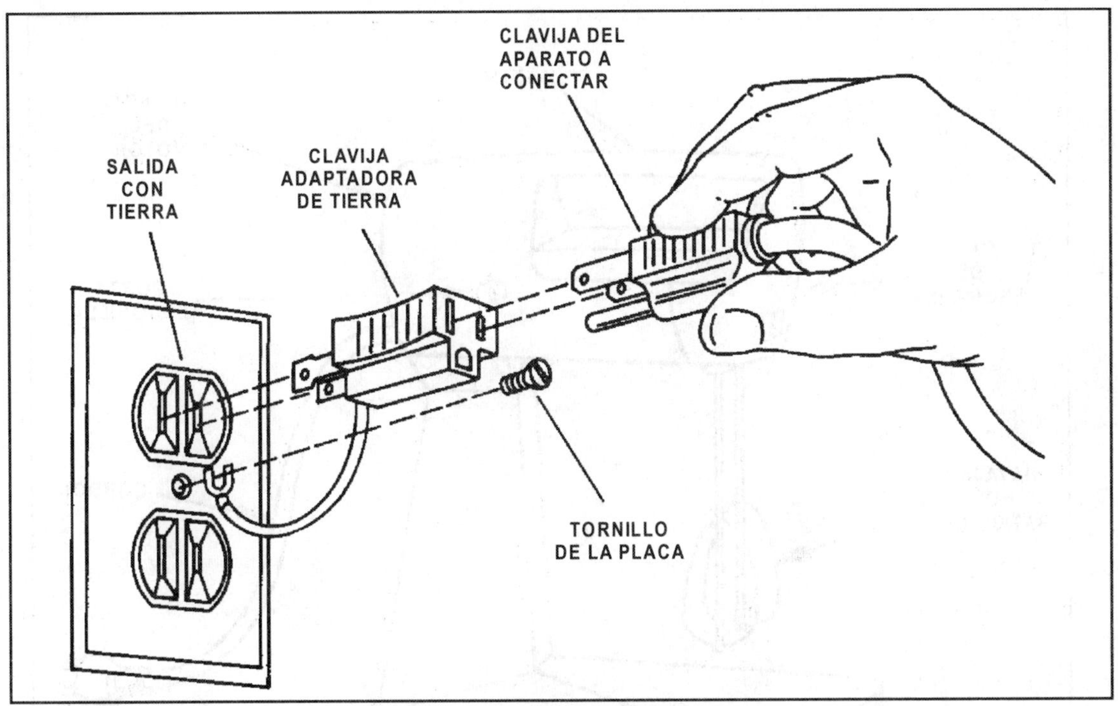

INSTALACIÓN DE UN ADAPTADOR PARA CLAVIJA DE TIERRA

5.12 BATIDORAS.

En la actualidad se pueden encontrar en las cocinas *dos tipos de batidoras*, **la manual de tipo portátil y la fija o montada en base**. Este electrodoméstico consiste de un cordón conectado a un motor que está controlado por un switch selector de velocidad variable. El extremo de la flecha del motor está en realidad conectado a una caja de engranes en donde se hacen girar las aspas en sentido contrario, que es lo que produce el batido. La mayoría de los problemas en las batidoras se dan por fallas en los cables, pero también por sobrecarga, sobre todo en las de tipo manual que no son muy potentes y se pueden dañar los engranes, o bien las aspas o navajas.

Las batidoras se pueden desajustar de su montaje, los problemas en una batidora y su solución son prácticamente las mismas.

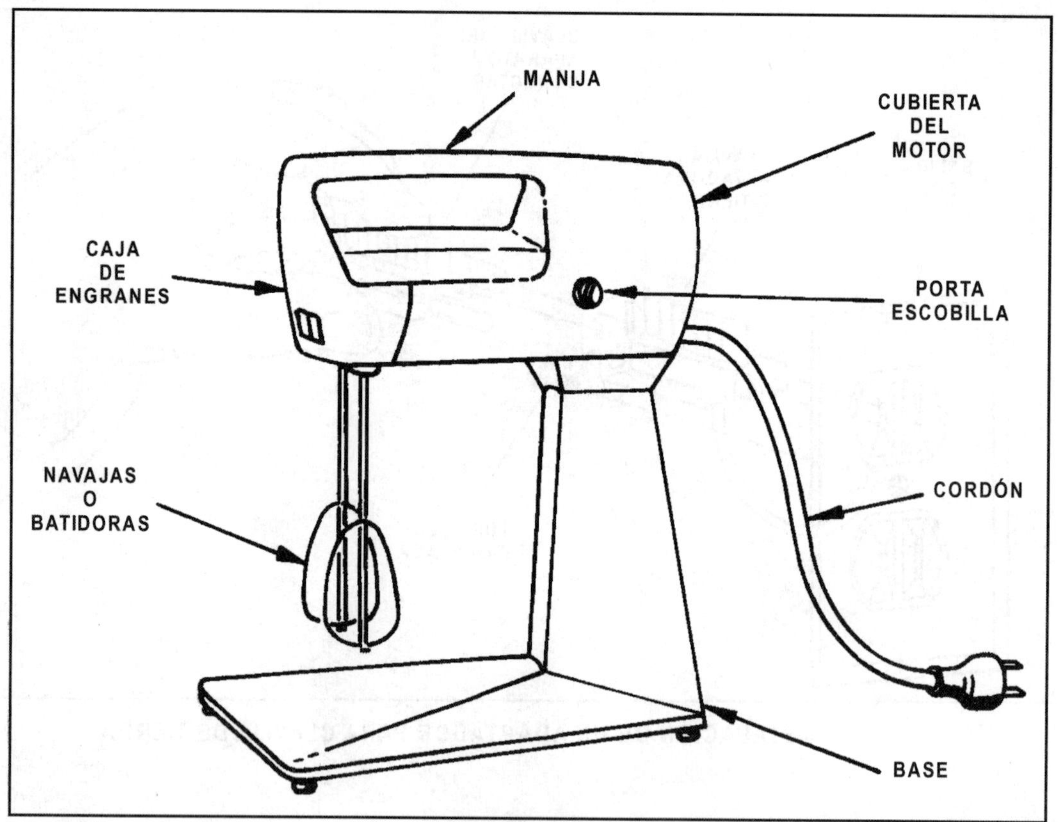

BATIDORA DE BASE

En la figura, se muestra una batidora de tipo base típica, en la que la parte superior contiene al motor y las navajas batidoras. En este modelo, las escobillas del motor son accesibles desde el exterior, esto es porque al usar un motor de tipo universal, su uso produce desgaste continuo y se tienen que cambiar las escobillas con cierta frecuencia, sin necesidad de abrir el motor.

Otros problemas que se pueden esperar con la batidora son en la transmisión, donde el motor se monta en forma horizontal y la caja de engranes está transversal.

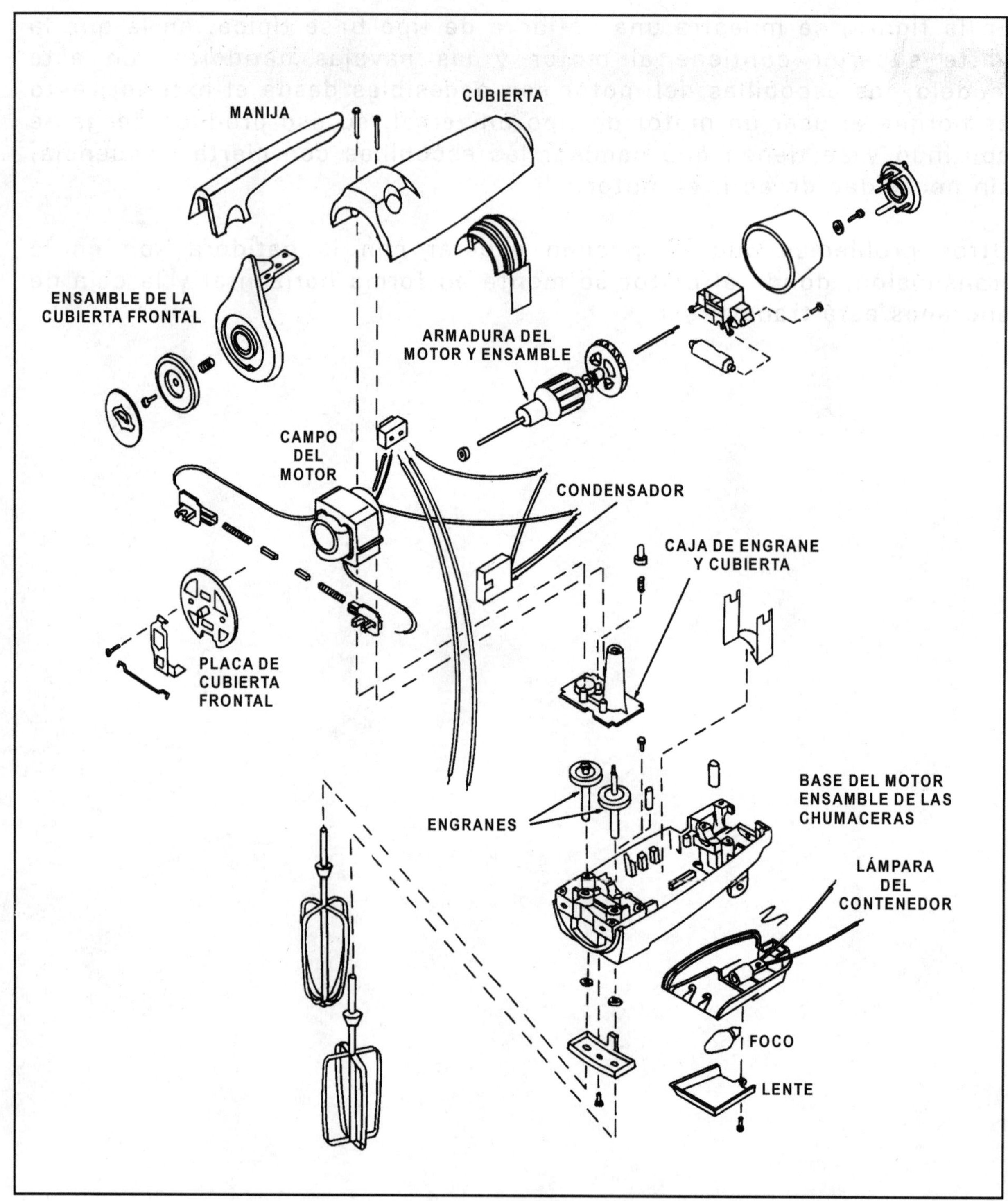
MANIJA
CUBIERTA
ENSAMBLE DE LA
CUBIERTA FRONTAL
ARMADURA DEL
MOTOR Y ENSAMBLE
CAMPO
DEL
MOTOR
CONDENSADOR
CAJA DE ENGRANE
Y CUBIERTA
PLACA DE
CUBIERTA
FRONTAL
BASE DEL MOTOR
ENSAMBLE DE LAS
CHUMACERAS
ENGRANES
LÁMPARA
DEL
CONTENEDOR
FOCO
LENTE

BATIDORA

BIBLIOGRAFÍA

1. Home repair hand book. Sunset Books.

2. Home heating & cooling. Time Life Books.

3. Woman's hands on home repair guide.
   Lyn Herryck, Storey Books.

4. The home repair emergency handbook.
   Gene L. Schnaser.
   BSS Publishing Corporation.

5. Refrigerator repair.
   Douglas Emley.
   E.B. Publishing.

6. Small appliance repair made easy.
   Dan Ramsey.
   Consume Guide Editors.

7. Troubleshooting and repairing major appliances.
   Eric Kleinert.
   McGraw Hill.

8. Cheap and easy appliance repair. 5 Book.
   Douglas Emley.

9. Major appliances (How to fix it). Vol. 2 No. 20.
   Time Life Books,
   Ran Hazeltam.

10. FIX IT YOURSELF. COMPLETE MANUAL.
TIME LIFE BOOKS.

11. READER'S DIGEST. NEW FIX IT YOURSELF MANUAL.

12. DO IT YOURSELF..... OR NOT?.
KATIE & GENE HAMILTON.
ED. BERKELEY HOME IMPROVEMENT.

13. USING YOUR METER. RADIO SHACK
ALVIS J. EVAN.

14. NEW COMPLETE GUIDE TO HOME REPAIR AND IMPROVEMENT.
ED. BETTER HOMES AND GARDENS.

15. POPULAR MECHANICS.
HOME HOW TO.

16. THE NEW ENCYCLOPEDIC OF HOME REPAIR.
JULIAN WORTHINGTON AND BOB PENNYCOOK.

17. MAJOR APPLIANCE: OPERATION, MAINTENANCE, TROUBLESHOOTING AND REPAIR.
BILLY C. LANGLEY,
ED. PRENTICE HALL.

18. THE ELECTRICIAN'S TROUBLESHOOTING POCKET GUIDE.
JOHN E. TRAISTER, ED. MCGRAW HILL.

19. EL ABC DE LAS INSTALACIONES DE GAS, HIDRÁULICAS Y SANITARIAS.
G. ENRÍQUEZ HARPER, ED. LIMUSA.

20. MANUAL DE INSTALACIONES ELECTROMECÁNICAS EN CASAS Y EDIFICIOS.
G. ENRÍQUEZ HARPER, ED. LIMUSA.

21. ENCICLOPEDIA: TÉCNICO EN SISTEMAS ELÉCTRICOS Y ELECTRÓNICOS.
FASCÍCULOS: 5, 8, 12, 16.
ED. INSTITUTO DE SUPERACIÓN.

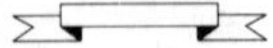

La edición, composición, diseño e impresión de esta obra fueron realizados
bajo la supervisión de GRUPO NORIEGA EDITORES.
Balderas 95, Col. Centro. México, D.F. C.P. 06040
023857600010654DP9200IE